COLLECTION
2 CONTINENTS

SÉRIE BEST-SELLERS

LE SURVIVANT

Jack Eisner

avec la collaboration de Irving A. Leitner

Le
survivant

Traduit de l'américain
par Jean Guiloineau

QUÉBEC/AMÉRIQUE

450 est, rue Sherbrooke, Suite 801,
Montréal, Québec H2L 1J8
Tél.: (514) 288-2371

Titre original :

THE SURVIVOR

(William Morrow & Cie, New York, 1980

TOUS DROITS RÉSERVÉS POUR TOUS PAYS
● 1980, JACK EISNER

ÉDITION EN LANGUE FRANÇAISE
● 1981, ÉDITIONS STOCK

ÉDITION CANADIENNE EN LANGUE FRANÇAISE
● 1981, ÉDITIONS QUÉBEC/AMÉRIQUE

DÉPÔT LÉGAL :
BIBLIOTHÈQUE NATIONALE DU QUÉBEC
2e TRIMESTRE 1981

ISBN 2-89037-072-0

« Je ne pense pas qu'il serait raisonnable d'exterminer les Juifs adultes, hommes et femmes... et de laisser leurs enfants devenir leurs vengeurs contre nos fils et nos petits-fils.

» Il faut exterminer de la même façon les enfants juifs et faire disparaître ce peuple de la face de la terre.

» Ceci est en cours. »

Extrait d'un discours d'Heinrich Himmler, Reichsführer-S.S. aux Gauleiters, 6 octobre 1943. Allemagne.

Je dédie ce livre à la mémoire de mon amour d'enfance, Halina, âgée de 19 ans ; de ma sœur, 15 ans et de mes trente jeunes cousins :

Yosek	13 ans	Sara	7 ans
Rozka	13 ans	Reizele	7 ans
Gershon	12 ans	Cesia	7 ans
Hela	12 ans	David	7 ans
Reizl	12 ans	Marek	6 ans
Heniek	11 ans	Mietek	6 ans
Moniek	11 ans	Srulek	6 ans
Szymek	10 ans	Duvele	6 ans
Surele	10 ans	Mietek	5 ans
Sabcia	10 ans	Davidek	5 ans
Tosia	9 ans	Motek	4 ans
Haimek	9 ans	Basia	4 ans
Marylka	8 ans	Salcia	3 ans
Joziek	8 ans	Genia	2 ans
Szajek	8 ans	Esterka	2 ans

Qui tous ont été assassinés de sang-froid par les Nazis.

Remerciements

Je tiens à exprimer ma gratitude et mon estime à mon collaborateur, Irving A. Leitner, pour les soins qu'il a apportés à l'édition de ce livre, à Susan Einhorn et à Paul Spiro pour leur apport en tant qu'assistants.

En outre, je voudrais exprimer ma reconnaissance à ma fille Shirley et à ma chère amie Marisa. Leurs encouragements continuels m'ont été d'une grande aide pendant les cinq années qui m'ont été nécessaires pour achever ce travail.

Enfin et surtout, je tiens à remercier Caroline Latham pour l'ensemble de ses conseils.

J. E.

Prologue

Si vous me voyez de loin, vous pourrez penser que je suis quelqu'un d'ordinaire.

Il en sera de même si vous vous rapprochez.

Peut-être que si vous m'observez avec attention, vous remarquerez que je suis un peu solitaire, même au milieu d'une foule. Vous aurez raison.

Mais vous aurez tort également. Car je ne suis jamais vraiment seul. Des milliers de gens sont toujours avec moi.

Tant de fantômes peuplent ma tête que je pense parfois qu'elle va éclater.

Les voix des morts résonnent à mes oreilles.

L'horreur embrase mes rêves.

Mes souvenirs ont la couleur des cendres.

Je suis un survivant.

Je vais vous raconter une histoire.

Ce n'est pas l'histoire complète — celle du ghetto de Varsovie, des chambres à gaz et des fours crématoires, de l'extermination de plus d'un million d'enfants, d'enfants juifs. Je laisse cela aux historiens.

Cette histoire est la mienne. C'est celle d'un

garçon qui avait treize ans quand tout a commencé et dix-neuf quand, des siècles plus tard, tout s'est terminé. Comme des milliers d'autres jeunes du ghetto, j'ai défié les assassins allemands. Contrairement à la plupart, j'ai survécu.

C'est aussi l'histoire de mes amis et de ma famille. Des gens qui ne sont plus ici pour la raconter eux-mêmes. Des gens qui seraient totalement oubliés s'ils ne vivaient pas dans mes souvenirs. Si je les oublie, personne ne saura jamais qu'ils ont vécu, souri, joué et pleuré.

Je leur ai promis de raconter cette histoire.

Elle est entièrement vraie.

Je suis un survivant.

Parfois je pense à l'image que je dois donner aux autres. Est-ce que j'ai l'air heureux ?

Je suis riche. J'ai monté une affaire d'import-export de cinquante millions de dollars. Je possède un appartement dans la Cinquième Avenue à New York et une propriété dans le Connecticut. J'ai un yacht sur la Côte d'Azur et je me déplace en limousine conduite par un chauffeur.

Je sais que j'ai l'air tenace. J'espère l'être.

Je dois apparaître arrogant également. Je le suis peut-être.

Quand j'ai décidé d'abandonner mes affaires et de consacrer ma vie et mon argent à raconter cette histoire, les gens ont pensé que j'étais fou. Cela semblait grotesque. Mais parfois leur verdict était : c'est une détente.

Cette histoire raconte comment j'ai réussi à échapper au ghetto de Varsovie, aux camps de concentration, aux pelotons d'exécution, à la potence et aux chambres à gaz.

Pourquoi ai-je survécu ? Est-ce que j'étais meilleur que le demi-million de Juifs de Varsovie qui n'ont pas survécu ?

Pourquoi pas grand-mère, pourquoi pas Halina, pourquoi pas Hela, Lutek, Shmulek, Mala, Mme Grinberg ? Qu'est-il arrivé à Smeel, le cordonnier ; à Shmerl, le fossoyeur ; à Artek, le combattant ; à Markowski, le professeur et le policier ; à Tosca, le jeune choriste ; à Rudy, le héros ; à Yankele Rotzo, le joueur de football ; et à tous les autres ?

Je peux toujours les voir.

Ils sont en face de moi en ce moment, ils me parlent.

Yankele, un garçon de quatorze ans, allongé dans son sang, dans une brouette, alors que je venais de réussir à passer le mur du ghetto.

Rudy, un cocktail Molotov à la main, essayant de nous faire sauter alors que nous affrontions une escouade de soldats S.S.

Grand-mère Masha me cachant sous son grand lit victorien.

Papa, marchant de long en large dans l'abri et expliquant les plans diaboliques des Allemands avec les lois de Spinoza sur l'inévitable.

Tous vivent en moi. Ils sont tous près de moi et ainsi n'appartiendront jamais aux morts sans visage et sans nom.

Je ne peux que témoigner de leur passage.

Je suis leur pierre tombale, parce que je suis un survivant.

J'ai visité plusieurs fois Varsovie depuis la guerre.

Chaque fois j'ai fait une longue promenade, toujours seul.

La ville est neuve, reconstruite, en particulier les quartiers où les Allemands ont créé puis détruit un ghetto médiéval.

Seul le cimetière juif est toujours là, semblable à ce qu'il était quand j'étais jeune. On y voit des milliers de monuments, de tombes, de mémoriaux pour les morts, pour l'ancienne communauté juive prospère de Varsovie.

Maintenant, je me rends compte de l'ironie. C'est dans ce cimetière que j'ai d'abord appris à survivre avec mon groupe de contrebandiers adolescents. Tout est toujours à sa place — l'arbre marqué d'un Z qui était notre point de rendez-vous, le mur.

Je suis le seul à ne plus être le même.

Je suis le seul à être encore.

Je suis un survivant.

Parfois, j'ai envie de préparer mon enterrement, de prévoir la pierre tombale et l'inscription. Et quand je visite le célèbre Mémorial du ghetto à Varsovie où tant de grands de ce monde ont déposé des couronnes de fleurs, j'ai souvent l'impression d'y être moi aussi. C'est là que j'étais, que j'ai souffert et que j'ai combattu. Je pourrais m'enchaîner à ce lieu, devenir une partie éternelle de cette agonie muette.

Lors de ma dernière visite, je regardais une énorme statue de bronze représentant un jeune garçon lançant une grenade. Exactement comme je l'ai fait.

Une petite fille à côté me regardait avec curiosité. Mon immobilité l'étonnait et peut-être pensait-elle que je manquais de respect. Elle a ramassé une fleur et me l'a tendue. Je lui ai dit d'aller la déposer sur la statue représentant une mère avec son enfant.

« Prie pour les milliers d'enfants comme toi qui ont été assassinés ici », lui ai-je dit. Elle a fermé les yeux et je lui ai pris la main. D'autres enfants sont venus et m'ont posé des questions.

Et je leur ai parlé des filles et des garçons juifs affamés, abandonnés et qu'on jetait même par-dessus le mur.

« Oui, ai-je dit, autrefois il y avait un mur. Là-bas. » Je leur ai montré l'endroit à une centaine de mètres. Ils ne pouvaient pas le voir mais pour moi il était toujours là-bas.

Et j'étais toujours là-bas.

Je suis toujours là-bas.

Je serai toujours là-bas.

1

J'ai crié : « Non ! Je n'irai pas. Je ne me cacherai pas dans une cave. Le monde est en flammes et vous vous inquiétez pour les vêtements, l'argenterie et les livres. Non, je vais faire cette guerre à ma façon. »

Tandis que maman me criait après, je me suis enfui dans la rue et dans une autre cour. Un instant plus tard, une énorme explosion a ébranlé le quartier. Des débris me retombaient sur la tête. J'ai aperçu une grande caisse à ordures en bois. Je me suis précipité, j'y ai grimpé et j'ai rabattu le couvercle.

Une autre explosion.

La caisse fermée s'est emplie de fumée et de poussière. Je suffoquais, j'ai levé le couvercle et j'ai regardé à l'extérieur. Des flammes sortaient d'un immeuble voisin. Des morts et des blessés étaient étendus par terre. De l'autre côté de la cour, des soldats tiraient au fusil sur des avions qui faisaient du rase-mottes.

Une autre explosion.

J'ai vu des soldats morts étendus dans la rue.

J'ai sauté de la caisse, j'ai attrapé un fusil et je suis retourné dans mon abri.

Des munitions.

Je suis ressorti, j'ai pris des balles aux soldats morts.

Je suis retourné dans la caisse.

Hors d'haleine, j'ai regardé l'arme. Puis je l'ai chargée, j'ai visé le ciel et j'ai appuyé sur la détente. Le recul de la crosse a failli m'arracher l'épaule. Ça m'a coupé le souffle. J'ai rechargé, j'ai appuyé le fusil sur le bord de la caisse et j'ai attendu.

Les avions sont revenus, ils volaient bas et vite, l'un après l'autre. J'ai tiré. J'ai rechargé et tiré. Aussi vite que je le pouvais.

Tout d'un coup ça y était. Un avion s'est mis à fumer.

J'ai crié : « Je l'ai eu ! Je l'ai eu ! »

J'ai posé le fusil, je suis sorti de la caisse et j'ai couru dans la rue en montrant l'avion. « Je l'ai eu ! Je l'ai eu ! »

Les gens me regardaient avec de grands yeux et secouaient la tête. Ils pensaient que j'étais fou.

Cela se passait en septembre 1939, à Varsovie.

Adolf Hitler s'apprêtait à plonger la planète dans le chaos.

J'avais treize ans.

« C'est de la démence », avait dit mon père la semaine précédente. « De la folie. Le monde entier ne peut pas se suicider. Après tout, les Allemands sont intelligents et cultivés. »

Maman avait froncé les sourcils et secoué la tête. « Je n'ai pas confiance en eux. Ce sont des assassins en gants blancs. »

Papa avait ignoré sa remarque. « Il n'y a pas de raison de se paniquer. Toute cette histoire de mobilisation générale est absurde. En faisant ça, les Polonais provoquent les Allemands.

— La mobilisation ? Quelle mobilisation ? »

Maman avait plissé les yeux. « De quoi est-ce que tu parles ?

— L'avis est arrivé jeudi. Dans dix jours, je dois rejoindre la vingt-cinquième division d'infanterie à Praga. »

Maman a levé les mains en signe de désespoir. « Dans dix jours ? Et le commerce ?

— Qu'est-ce que je peux faire ? a dit papa. Je ne suis pas le seul. Tout le monde doit partir.

— Mais comment est-ce que je vais pouvoir m'occuper de tout, toute seule ? » Maman s'est tournée vers moi. « Tu as entendu Jacek ? A partir de maintenant, tu vas rentrer directement de l'école. Et grand-mère Masha, tu n'iras plus la voir que pour *Shabbes*.

— Zlatka, s'il te plaît. Ne t'inquiète pas, a dit papa. Je reviendrai avant ça. Cette guerre ne peut avoir lieu. Il faut bien que les journaux aient des nouvelles... »

Mon père était un rêveur, un philosophe, un homme doux. Il croyait en la bonté de l'humanité. Ses meilleurs moments, il les passait à discuter politique et philosophie avec ses amis.

C'était un autodidacte et il parlait couramment cinq langues. Ses livres encombraient l'appartement, empilés derrière le sofa, cachés sous les tables, entassés en haut des meubles. C'était ce à quoi il tenait le plus. En fait, ses livres étaient sa seule passion.

J'avais hérité du teint clair de mon père, de ses cheveux blonds et de ses yeux bleus. Il m'apprenait à jouer aux échecs et à penser avec logique. Je l'aimais et le respectais mais parfois je souhaitais qu'il ait un peu plus d'énergie.

Avec sa personnalité dominante et agressive — ainsi que ses yeux et ses cheveux noirs — ma mère était totalement l'opposée de mon père. Les efforts incessants qu'elle déployait expliquaient qu'il ait réussi dans ses affaires. La vie de maman était principalement centrée sur son foyer et sa famille — et sur ceux à qui elle se devait entièrement. Je désirais et j'avais besoin de son amour et de son affection mais notre entêtement mutuel nous séparait.

Pour me faire consoler et comprendre, j'allais voir la mère de ma mère, ma grand-mère Masha qui vivait dans le quartier juif pauvre de Varsovie, éloigné de celui des classes moyennes. Je lui racontais les derniers cancans de la famille et je l'aidais dans son petit commerce de charbon que lui avait laissé grand-père Benjamin.

Grand-mère Masha faisait de longues et dures journées mais elle trouvait toujours du temps pour ses sept enfants et leurs problèmes. Ses vingt petits-enfants étaient sa plus grande joie, et moi, le plus âgé, je ne pouvais manquer à mon rang.

A chaque shabbat elle se plongeait dans ses *Commentaires de la Bible* et dans son *Livre des Psaumes*, y cherchait et y trouvait une consolation et une inspiration spirituelle. C'est ainsi qu'elle reconstituait ses forces pour la semaine à venir.

Grand-mère Masha croyait en Dieu de façon absolue et pure. Pour elle, Dieu était une présence continuelle avec Qui elle partageait tous ses sentiments et elle était persuadée que le Messie allait bientôt arriver et apporter le salut à tous.

J'ai vu l'effondrement de Varsovie dans les yeux de mon père.

Aux premières heures du 1er septembre, la Wehrmacht d'Hitler a déferlé sur la Pologne. Cela a été la naissance du Blitzkrieg. Cela a été la mort de la liberté.

J'ai vu les premiers raids aériens, de notre cour.

« Ce sont nos avions, disait papa. Ils font des manœuvres, ils organisent la défense. »

J'ai vu d'épaisses colonnes de fumée noire s'élever au-dessus de Varsovie. Et j'ai vu chanceler la foi de mon père en une Allemagne civilisée.

Le 3 septembre, nous avons eu un faible espoir. La Grande-Bretagne et la France ont déclaré la guerre au Troisième Reich mais les divisions des Panzers nazis étaient déjà en Pologne et la Luftwaffe contrôlait le ciel.

La puissance mécanisée de l'armée allemande a émietté la résistance polonaise. Les Stukas larguaient leurs bombes. L'artillerie pilonnait. Les militaires et les civils mouraient.

A la fin de la première semaine de l'invasion, les chars allemands étaient dans les faubourgs de Varsovie. Les bombardements avaient détruit les centrales électriques. Le système de distribution d'eau était démoli. Varsovie était encerclée et assiégée. Le 17 septembre, les armées de Staline ont attaqué à l'est et le destin de la Pologne était scellé.

Papa restait assis immobile près de la radio et écoutait les informations. A chaque bombe qui tombait dans le voisinage, Hela hurlait et s'agrippait à maman. J'ai essayé de m'adapter à la destruction de mon avenir. En tant que soliste dans le chœur prestigieux de la synagogue Tlomackie, j'avais été admis au conservatoire de musique de Varsovie. Mais la veille du jour où je devais commencer mes études, le conservatoire a été détruit et mon rêve d'une carrière musicale n'était plus que ruines.

Maman poussait des cris dans tout l'appartement avec son sens habituel du désordre bien organisé. Les sirènes des attaques aériennes auxquelles s'ajoutaient les roulements sourds des explosions lointaines la faisaient s'agiter encore plus. Elle m'émerveillait ; quand la lumière s'éteignait elle avait des bougies prêtes et des seaux d'eau en réserve. Nous mangions et nous dormions dans le sous-sol de mon oncle, où ma mère avait décidé de déménager tout le monde et tout ce que nous possédions dès le début des bombardements.

Les citoyens juifs de Varsovie avaient particulièrement peur des jours des grandes fêtes. Pour Yom Kippur, la Luftwaffe a concentré toute la journée ses bombardements dans les quartiers juifs. Alors que le reste de la ville était plongé dans l'obscurité, les quartiers juifs brûlaient comme des torches géantes dans la nuit.

« *Yekes !* » a crié maman. « Assassins ! Assassins ! »

Papa broyait du noir près de sa radio silencieuse. Mais j'ai refusé d'attendre, de céder à la panique, de me cacher dans une cave. Je savais déjà instinctivement que ce n'était qu'en affrontant la terrible réalité de notre nouvelle situation que je pourrais survivre.

Varsovie s'est rendue le 28 septembre. Les Allemands ont réuni leurs prisonniers avec une masse de soldats polonais épuisés par les combats qui avaient échangé leurs uniformes contre des vêtements civils.

Le commandement allemand préparait un défilé de victoire. Des rumeurs ont couru : Hitler lui-même serait présent. Le centre de la ville a été fermé tandis que des centaines de civils, pour la plupart des Juifs, étaient obligés de déblayer les principales artères.

Le jour du défilé, on a interdit les rues à la population. Seuls les Polonais d'origine allemande, les *Volksdeutsche* ont été autorisés à assister au spectacle et ils portaient fièrement des brassards à croix gammée.

La nuit d'avant le défilé, je me suis enfui de notre appartement sans rien dire à ma mère. J'ai découvert un grenier vide au-dessus du boulevard Jerozolimskie, dominant le parcours du défilé et l'énorme estrade des orateurs. D'immenses drapeaux, des oriflammes et des bannières à croix gammée emplissaient les rues.

Le lendemain matin, la Wehrmacht est entrée dans Varsovie avec l'arrogance des conquérants. Des colonnes sans fin de grands et beaux soldats ont descendu fièrement le boulevard. Leurs talons claquaient en cadence sur la chaussée. Des chars, des camions et de lourdes pièces d'artillerie grondaient derrière eux.

Un sentiment de désespoir m'a envahi et j'ai su que je regardais l'armée de l'avenir.

Un rugissement s'est élevé en bas dans les rues.
« *Sieg Heil! Sieg Heil! Sieg Heil! Sieg Heil!* »
C'était lui, Adolf Hitler, le bras tendu pour le salut nazi. L'homme qui avait juré de conquérir le monde. A ce moment-là, il semblait que rien ne pourrait l'arrêter.

Le défilé a continué pendant des heures. Toujours plus de soldats au pas de l'oie, raides et mécaniques. Toujours plus de chars. Toujours plus de canons. Toujours plus d'enthousiasme.

Déprimé et plein d'envie, je me suis détourné du spectacle. Je me suis souvenu des soldats polonais qui défilaient le jour de la fête nationale. La comparaison était pathétique. Pas étonnant qu'on ait perdu aussi facilement.

Pourquoi est-ce que les Polonais n'étaient pas aussi forts que les Allemands ? me suis-je demandé. Et les Juifs ? Pourquoi n'avaient-ils pas un pays à eux ? Est-ce que les Juifs ne pouvaient pas être des combattants courageux et se défendre eux-mêmes ?

Je savais que mes amis chrétiens ne croyaient pas à la bravoure des Juifs. « Moshek est commerçant », disaient-ils d'un ton moqueur, « il ne sera jamais soldat. Les lâches ne peuvent être soldats. »

Mais au plus profond de mon cœur, je savais aussi qu'ils avaient tort.

Quand je suis rentré à la maison, les bombardements avaient cessé. Mais rien n'était plus pareil. Il n'y avait plus d'école. Il n'y avait plus d'argent et pratiquement plus de nourriture.

Plusieurs de mes tantes étaient venues se réfugier chez nous avec leurs enfants. Quelques-uns de mes oncles s'étaient enfuis dans la zone russe. Mon père n'allait plus au travail parce que c'était trop risqué ; les patrouilles allemandes arrêtaient les hommes valides pour les envoyer au travail obligatoire. Il s'est enfermé dans ses livres et a complètement cessé d'exister en tant que père, que mari et que chef de famille.

Pour la première fois de ma vie j'ai su ce que c'était que d'avoir faim. J'ai dit à ma sœur : « Hela, tu vas venir avec moi demain. Nous allons faire un petit voyage. »

Elle m'a regardé, déconcertée. « Où est-ce qu'on va ? »

J'ai souri : « Tu verras demain. De bonne heure Hela. Nous partons à six heures. »

Hela et moi, nous ne nous étions jamais bien entendus auparavant. Je pensais qu'elle était jeune et stupide et elle se conduisait comme la marionnette de maman. Elle pensait que j'étais un vaurien qui ne travaillerait jamais assez pour rapporter à la maison un aussi bon carnet de notes que le sien. Mais nos problèmes communs nous ont rapprochés.

Le lendemain, Hela s'est levée à l'heure pour me réveiller. Nous nous sommes habillés en vitesse et nous avons bu notre thé en sachant que c'était tout ce que nous aurions de la journée.

« Alors, où est-ce qu'on va ? Tu vas me le dire maintenant ? Je suis tellement contente », a dit ma sœur.

« Nous allons à la campagne pour chercher de quoi manger. Merde, nous n'allons pas avoir faim tout le temps.

— Mais Jacek, comment est-ce qu'on va faire pour sortir ? Les gendarmes patrouillent dans toutes les rues à moto et il y a un soldat à chaque coin. C'est trop dangereux. Ils vont nous attraper et nous punir. Tu sais bien que les Juifs n'ont pas le droit de quitter Varsovie.

— Ne t'inquiète pas. Je sais comment s'y prendre. Mais il faut bien écouter et faire tout ce que je vais te dire. D'accord, face de rat ? »

Elle était d'accord, et pourtant elle avait peur. « Mais s'il te plaît, Jacek, fais attention.

— A partir de maintenant la première chose à ne pas oublier c'est que nous ne sommes pas juifs. Tu m'entends ? Au moins pour aujourd'hui. Retire cette étoile de David *shmate* de ta manche et allons-y. »

Elle m'a regardé, interloquée. « T'es fou, Jacku. S'ils nous prennent sans étoile, ils vont nous tuer. »

Quelques jours plus tôt, les Allemands avaient décrété que tous les Juifs devaient porter un brassard blanc avec une étoile de David bleue. Tout Juif qu'on arrêterait sans son brassard encourait la peine de mort.

Je lui ai dit d'un ton sec : « Hela, la seule façon de sortir d'ici c'est de passer pour des chrétiens. Alors, tu viens avec moi ou non ? »

Elle a enlevé rapidement son brassard et nous sommes partis.

Dès que nous avons été dehors, nous avons commencé à apprendre ce que signifiait être juif sous l'occupation allemande. Dans la rue, un vieux Juif marchait devant nous avec une canne et un long manteau noir. Il s'avançait vers un groupe de soldats allemands. Le vieil homme obéissant à un autre décret nazi a ôté son chapeau en signe de respect et est descendu du trottoir dans le caniveau. Mais les Allemands ont trouvé qu'il n'en avait pas fait assez.

« *Eil dich, du Sauhund !* »

Ils l'ont repoussé, ont jeté son chapeau au loin et avec une expression de plaisir, ils l'ont obligé à s'agenouiller.

Le vieil homme est resté calme. Il a levé les yeux au ciel et a récité *Shma Israël*.

Alors un des soldats a sorti son grand couteau d'aviateur de son fourreau et a commencé à couper la barbe du vieil homme. Il se tordait de douleur et l'Allemand lui a donné un coup de pied. Un groupe de jeunes voyous qui s'étaient rassemblés regardaient la scène en lançant des plaisanteries et en riant. Aucun passant ne faisait un geste pour venir en aide au vieil homme.

Hela s'est enfoui le visage dans les mains. Elle voulait aller à son secours mais je l'ai retenue.

« Souviens-toi, lui ai-je murmuré, s'ils découvrent que nous sommes juifs, ils vont nous tuer. Nous ne portons pas de brassard. Nous sommes chrétiens. Nous ne devons pas avoir d'ennuis si nous voulons rentrer à la maison. »

Je l'ai entraînée.

En chemin, j'ai vu une boulangerie qui vendait du pain au prix officiel très élevé. Mais je n'ai pas pu m'en aller. Nous n'avions pas mangé de pain depuis des jours.

Plusieurs centaines de personnes se pressaient en essayant de franchir la porte du magasin. Des soldats allemands sont apparus soudain. Quelqu'un a crié en montrant une femme d'âge moyen. « *Jude*, c'est une Juive ! » Les gendarmes l'ont saisie.

« Non, pas *Jude !* Pas de brassard », plaidait-elle. Elle a levé le bras droit. Les autres l'ont montrée du doigt. « Si, *Jude !* »

Un gendarme l'a attrapée par les cheveux et l'a repoussée dans le caniveau d'un coup de pied. Alors la chasse aux Juifs a commencé ; avec l'aide de quelques « spécialistes en Juifs », les gendarmes se sont avancés dans la foule. « Toi ! *Zyd, Jude, raus !* » La moindre hésitation déclenchait une pluie de coups de crosse et de fouet.

J'ai tiré Hela vers moi et je lui ai soufflé : « Allons-nous-en. Vite ! »

Hela était visiblement bouleversée. « Je veux rentrer à la maison. Raccompagne-moi, Jacku.

— Non, Hela. Tout va bien aller, je te le

promets. Allons-nous-en seulement d'ici. » Je lui ai pris la main et je l'ai tenue fermement.

Après ce que je venais de voir, j'ai compris que la situation des Juifs à Varsovie était pire que ce que j'attendais ou imaginais. Mais je n'ai pas fait demi-tour.

Après des heures de marche, nous avons enfin atteint le village de Grojec. Aucune boutique n'était ouverte et nulle part on ne voyait de nourriture. Nous avons arrêté un passant.

« Par l'amour de Jésus-Christ ! Nous n'avons rien à manger », a-t-il dit en haussant les épaules. « De l'argent, oui, mais du pain, des poulets, des œufs... »

Nous avons erré et nous avons trouvé un grand champ de pommes de terre qui avaient été ramassées depuis longtemps. Nous en avons aperçu des petites éparpillées un peu partout, et nous les avons mises dans nos sacs. De temps en temps, nous en trouvions une grosse qui avait été oubliée.

Des heures ont passé. Nous avions les doigts endoloris et écorchés mais nous cherchions toujours. A la fin, nos sacs étaient pleins. Le soleil se couchait.

« Partons, Jacku. Il va faire nuit. Nous n'arriverons pas avant le couvre-feu.

— Nous y arriverons, Hela. On cherche encore un petit peu. Regarde dans ce coin-là. Creuse un peu plus profond. »

Hela s'est mise à pleurer. Ses doigts saignaient.

J'ai gratté la terre avec frénésie. « Regarde Hela. J'en ai trois grosses. Encore une minute.

— S'il te plaît, Jacku.

— D'accord, d'accord. Ne pleure pas. On a tout le temps. »

Nous avons chargé les sacs sur l'épaule et nous

sommes partis pour le long voyage de retour. Au début nous avons marché avec entrain mais nous avons bientôt ralenti sous le poids que nous transportions.

A Varsovie, nous nous sommes dirigés vers la ligne de trolley qui traversait encore la ville. La nuit tombait. Trois voyous ont commencé à nous suivre. Ils ont tâté nos sacs et se sont rendu compte que c'était de la nourriture. Manifestement envieux, ils nous ont proposé de nous en acheter. Nous avons refusé.

« *Jude !* » a crié un du trio. « *Jude !* » Juif était devenu le terme pour dénoncer n'importe qui, juif ou non.

Me sentant plus en sécurité dans l'obscurité, j'ai décidé de me battre. J'ai rapidement sorti mon couteau de poche. « Approchez, bande de saulauds, et je vous tranche la gorge. Je le jure par Jésus et la Vierge Marie. Approchez pour voir ! »

Les trois voyous se regardaient en silence. Un trolley passait. J'ai attrapé les sacs et ma sœur et j'ai sauté dedans.

Nous étions de retour à l'appartement à neuf heures pour le couvre-feu. Maman n'a pas posé de questions. Sa fille de douze ans et son fils de treize étaient sains et saufs et ils avaient rapporté à manger pour la famille.

J'ai regardé Hela. Ses doigts ne saignaient plus mais elle avait les ongles cassés et recouverts d'une croûte de sang et de boue. En moins d'une journée elle avait énormément changé.

Et, en moins d'une journée, j'avais découvert que je grandirais très vite.

J'étais juif à Varsovie en novembre 1939. Je n'avais pas d'autre choix.

2

J'ai monté l'escalier en courant. Plongé dans son livre de prières, Reb Shulem était assis dans l'entrée et accueillait ses amis et ses voisins d'un habituel *Gut Yom Tov* et *Gmar Chsima Tovah* (Bonne fête). Malgré son âge, son grand corps avait fière allure et avec sa longue barbe grise et ses épais sourcils blancs il ressemblait à un ancien patriarche d'Israël. Enveloppé dans un long châle de prière blanc jauni par les ans, il répandait une aura de sainteté parmi les fidèles réunis dans son appartement.

On appelait Reb Shulem le Rothschild du voisinage de grand-mère Masha. Les pauvres gens et l'élite des bas-fonds de la rue Ostrowska connaissaient bien son chantier de bois. Tout le monde le respectait et l'enviait.

Reb Shulem s'est éloigné pour mettre sa robe blanche et se préparer à diriger le service du *Musaf*. Je suis entré dans l'appartement à la recherche de grand-mère Masha.

Elle était assise sur une vieille chaise en bois, son gros livre de prières posé sur les genoux. Je l'ai embrassée sur les deux joues et elle m'a attiré près d'elle, heureuse de partager son siège avec son petit-enfant préféré.

« Je suis en retard, *Bobe,* ai-je expliqué, mais je n'ai pas pu faire autrement. Ils tabassaient des Juifs et enfonçaient la porte des magasins rue Solna. Tu te souviens de Yom Kippur de l'an dernier, comment ils ont bombardé toute la journée. Même dans la cave je ne pouvais pas prier. »

Nous étions en octobre 1940. Au cours de leur première année d'occupation de Varsovie, les Allemands avaient fermé toutes les synagogues et interdit toute pratique religieuse. Aussi Reb Shulem avait proposé son appartement pour les jours de fête malgré les risques et les dangers évidents que lui-même et les fidèles pouvaient encourir. Pour Reb Shulem, cela aurait été un péché de refuser à n'importe quel Juif d'assister au service. Marysia, sa servante chrétienne, faisait le guet à l'entrée de l'immeuble. Elle continuait à travailler loyalement pour la famille qui l'avait employée pendant plus de vingt ans malgré le décret des Allemands qui l'interdisait.

Grand-mère Masha m'a pris la tête et cédant à la superstition, elle a craché trois fois de chaque côté. Elle a remercié Dieu d'avoir veillé sur moi. Elle s'est essuyé les joues avec un mouchoir en demandant à Dieu d'avoir pitié de ses enfants et de ses petits-enfants, de ses fils qui avaient disparu dans la zone russe, de ses gendres qu'on avait arrêtés et envoyés au travail obligatoire et des autres qui étaient tombés malades. De tout l'immense clan familial, j'étais le seul capable de subvenir aux besoins de la famille.

Reb Shulem a entamé l'*Unsame Tokeff,* la prière sacrée la plus obsédante de Yom Kippur et grand-mère Masha s'est dressée et a levé vers le plafond ses yeux emplis de larmes. Chaque prière était comme un appel direct et urgent à Dieu.

« *Mi yichyeh, u'mi yomus... u'mi bacherev, u'mi baesh ?* Qui vivra, qui mourra, qui par l'épée et qui par le feu, oh, Seigneur ? »

Elle m'a embrassé sur le front et ses lèvres tremblaient. J'ai vu dans son visage et dans ses yeux une fierté et un courage intérieurs, une foi infinie et sans limites qui étaient plein d'espoir et de sérénité.

« *Goteniu !* » s'est-elle écriée en me couvrant la tête d'une main protectrice. « Laisse grandir ces jeunes innocents. Laisse-les survivre ! » Elle a ouvert les yeux en grand et sa voix s'est brisée.

« Oh, Seigneur, je ne demande rien pour moi ! Donne simplement à mon Izaakl la force de survivre, de continuer à prendre soin des autres, et à les nourrir ! »

Elle m'a attiré contre elle. J'ai passé mon bras autour de sa taille mince et j'ai regardé son visage ridé. Ses lunettes attachées par un vieux bout de ficelle reposaient sur le bout de son nez. Une larme m'est tombée sur le visage. Je ne l'ai pas sentie ; je l'ai seulement vue tomber. Je suis devenu une part de la présence de grand-mère Masha qui montait aux cieux face à un saint tribunal présidé par Dieu.

Sa ferveur s'est accrue.

« *Reboyne Shel Oilom,* Maître de l'Univers, aie pitié de nos enfants ; punis-moi si tu le veux, mais pas notre descendance. Je suis ta servante. » Elle m'a posé une main sur la tête et a fermé les yeux.

Avec audace, j'ai retiré son bras et je me suis écrié : « Grand-mère, *Bobe,* je ne veux pas que tu meures et je ne veux pas mourir. Je veux vivre. »

Devant nous une femme qui sanglotait en s'essuyant les joues avec un grand mouchoir blanc, s'est retournée avec de grands yeux. Je suis sorti de ma stupeur et j'ai regardé autour de moi où la tension était à son comble. Sous l'émotion, ma grand-mère s'est écroulée dans mes bras et je l'ai aidée à se rasseoir.

Je suis resté debout, bouleversé, des larmes me brûlaient les yeux, une sensation d'étouffement me serrait la gorge.

La voix de Reb Shulem, gonflée de colère et d'amertume, s'est élevée de l'autre côté de la pièce et s'est mêlée aux bruyants sanglots des femmes.

Je suffoquais. Je ne savais pas quoi faire. Les murs me cernaient. Une force intérieure m'a poussé dans l'entrée, m'a fait descendre l'escalier et sortir dans la cour.

J'ai repris mon souffle et j'ai refoulé mes larmes. Moi, le grand fournisseur, je ne pouvais pas pleurer ! Je me suis essuyé les yeux avec mes poings serrés.

Au début de ce matin de fête, les rues étaient calmes, presque désertes. Maintenant des gens allaient et venaient et s'appelaient, les voix fortes et tendues. Au loin, des groupes de piétons s'attroupaient devant des affiches.

J'ai pensé que ce devait être un nouveau décret allemand, un nouveau *Bekanntmachung.* A voir les gens courir et discuter j'ai compris que c'était grave.

J'ai descendu en courant la rue Smocza jusqu'à la rue Mila. Ici aussi, des douzaines de personnes parlaient de l'avis.

J'ai entendu un homme dire : « On est relégués. Les Juifs n'ont plus droit qu'à certaines rues.

— Bandes d'imbéciles ! » a crié un jeune homme en colère. « C'est un ghetto. Un ghetto du Moyen Age ! »

Au mot *ghetto,* les gens sont restés pétrifiés. Je me suis frayé un chemin dans la foule pour lire l'avis moi-même. Je l'ai lu en allemand. Je l'ai lu en polonais. Je ne pouvais le croire dans n'importe quelle langue.

« Qu'est-ce que c'est un ghetto ? » a demandé un garçon à côté de moi.

« Un vrai ghetto », ai-je dit à voix haute. « Exactement comme dans les livres d'histoire de mon père. Le premier des temps modernes. »

Ce n'était pas par hasard qu'on avait publié le décret le Jour du Grand Pardon, notre jour sacré.

Quand maman a appris la nouvelle, elle a été prise de panique. « Je le savais. J'avais le pressentiment que quelque chose de mauvais allait se passer pendant les fêtes. Les *Yekes* recommencent. »

Papa marchait dans l'entrée en parlant tout seul. « Ils ne peuvent pas faire ça ; on n'est plus au Moyen Age. » Il a montré un passage dans l'*Histoire des Juifs* de Dubnov et a dit : « Vous voyez, autrefois, il y avait des ghettos en Allemagne. En Italie aussi, il y a des siècles. »

Douze mois avaient passé depuis l'arrivée des Allemands à Varsovie. Douze mois qui avaient détruit tout espoir d'une fin rapide à notre désespoir et à notre terreur. Douze mois de larmes et de douleur pendant lesquels on avait publié des douzaines de décrets contre les Juifs.

Les Juifs doivent être identifiés par un brassard et une étoile.

Les Juifs doivent ôter leur chapeau devant les Allemands et descendre du trottoir.

Les écoles sont interdites aux Juifs.

Il est interdit aux Juifs de prier et de se rassembler.

Les Juifs n'ont droit qu'à la moitié des rations alimentaires des chrétiens.

Les Juifs doivent remettre aux autorités les machines à coudre, les pianos, les manteaux de fourrure, l'or, les bijoux et des inventaires de tous les commerces de gros.

Les hommes juifs seront déportés au travail obligatoire.

Les Juifs ne peuvent pas, ne pourront pas, ne doivent pas...

Un ensemble de décrets ayant pour but de détruire notre volonté d'exister, de respirer, de lutter.

Et maintenant, alors que notre moral était au plus bas et que nous perdions tout espoir, un décret médiéval.

Un ghetto au milieu de Varsovie.

3

« On t'attendait. » Franek m'a accueilli les bras
ouverts. « Avec toutes ces mauvaises nouvelles et
maintenant le mur, on était sûrs que tu viendrais. »
Il est allé à la fenêtre. « Tu peux le voir d'ici, Jacek.
Du cinquième étage, on le voit très bien. » Il a
indiqué la rue Zelazna. « Ils coupent la rue en
deux, un côté pour le ghetto, l'autre pour les non-
Juifs. Tu vois ? »

J'ai regardé et je me suis détourné, dégoûté. « Je
n'arrive pas à y croire. C'est une prison. Ils
construisent une prison pour les Juifs. »

Cela se passait six semaines plus tard et j'étais
dans la partie aryenne de Varsovie, chez le plus
proche ami chrétien de mon père, Franek
Malewski.

Franek a regardé à nouveau en bas. « Même
notre voisin Piotr et ses enfants qui sont catholiques ont dû aller dans le ghetto parce que son
grand-père était un Juif converti. Quelle honte ! Un
jour, je te le dis, mon cher Jacek, un jour on
combattra ces barbares, ces *Schwabs*. On les
repoussera rue après rue, maison après maison,
Juifs et chrétiens tous ensemble ! »

Mme Malewska est venue nous rejoindre à la

36

fenêtre. « Oh! bonté du Christ, Sainte Mère de Czestochowska. C'est incroyable », a-t-elle soupiré.

Nous parlions du mur de brique de près de trois mètres surmonté de fil de fer barbelé et de tessons de bouteilles qui entourait le ghetto. Sous la menace des armes, les Allemands avaient obligé des centaines de Juifs à le construire pratiquement pendant la nuit.

Dans leur décret, les Allemands avaient désigné une cinquantaine de pâtés de maisons des quartiers nord de Varsovie comme étant le *Wohnungsbezirk* juif. Ils avaient ordonné à tous les non-Juifs du secteur — et ils étaient des milliers — de s'en aller et d'échanger leurs appartements avec des Juifs qui vivaient dans d'autres quartiers. Ils avaient eu trente jours pour faire les échanges.

J'avais regardé les rues pleines de charrettes, de carrioles tirées par des chevaux, de bicyclettes et de voitures d'enfant. On les avait surchargées de mobilier, d'affaires personnelles, de vêtements, de literie, d'assiettes, de batteries de cuisine, de livres et de tout ce qui pouvait être transporté.

Plus de quatre cent mille Juifs ont été entassés dans un espace ne pouvant loger que cent mille personnes. Les appartements disponibles ont disparu dans la nuit. Des milliers de familles juives se sont installées dans des boutiques, des mansardes ou des caves. D'autres ont loué une ou deux pièces à ceux qui avaient de grands appartements. Par chance, le nôtre rue Twarda et celui de grand-mère Masha rue Ostrowska étaient tous les deux à l'intérieur des limites du ghetto et nous n'avons pas eu à déménager.

Le 15 novembre 1940, le ghetto a été fermé avec des barrières de fil de fer barbelé. Tout Juif pris en dehors risquait la mort. Tout non-Juif pris en train d'aider ou de cacher des Juifs risquait un châtiment sévère.

La nourriture n'est plus rentrée dans le ghetto qu'au compte-gouttes. Les prix ont monté en flèche, cinq cents pour cent et plus. Il n'y avait plus d'électricité que deux heures par nuit. Les livres, les journaux et les revues ont disparu. Les boutiques de vêtements étaient complètement vides. Et, avec l'arrivée de l'hiver, le charbon et le bois de chauffage ont atteint des prix exorbitants.

Puis on a érigé des postes de garde pour l'entrée et la sortie de ceux qui avaient des autorisations spéciales. Des Allemands avec des mitrailleuses et des chiens montaient la garde tous les trente mètres.

Et il y avait le mur.

Pourtant même le mur ne décourageait pas ceux qui étaient prêts à risquer leur vie pour sortir. Evidemment, j'en étais.

J'ai observé les trolleys qui traversaient le ghetto. Ils transportaient des passagers aryens, des gardes allemands et des policiers polonais. Ils traversaient le ghetto sans s'arrêter et à toute allure, sauf quelques secondes pendant lesquelles ils ralentissaient pour tourner à un coin de rue. A ce moment-là, on pouvait y monter ou en descendre.

Bientôt je sautais dans les trolleys et je sortais et entrais dans le ghetto. C'était risqué et dangereux mais je ne voulais pas être enchaîné, enfermé, emprisonné.

C'est ainsi que je me trouvais dans la partie aryenne de Varsovie en train d'observer le mur monstrueux, encore incapable d'accepter le fait que ma famille et mes amis étaient emprisonnés juste derrière.

Franek et les siens s'organisaient pour m'aider à rester en permanence du côté aryen. Ils voulaient que ma sœur Hela vienne aussi.

« On s'occupera d'eux », a dit Franek à mes parents dans une conversation téléphonique codée. « On les cachera dans notre maison de Milanowek, en dehors de Varsovie. C'est un endroit sûr. Il n'y a pas beaucoup d'Allemands. Ici, rue Lucka, nous habitons un grand immeuble et le concierge a de grands yeux. Il observe tout le monde. En plus la maison est pleine d'antisémites. »

Je me sentais en sûreté dans l'appartement de Franek. On me considérait comme un membre de la famille. Les Malewski couchaient dans le sofa du salon et je partageais la chambre avec leurs enfants, Ania une fille de plusieurs années ma cadette et Bolek un garçon de neuf ans.

« La partie aryenne de Varsovie est devenue un terrain de chasse aux Juifs », m'a prévenu Franek. « Il faut que tu apprennes par cœur les prières catholiques. Et quand tu parles aux gens, lance des phrases comme " Oh, Jésus ", ou " Sainte Mère de Czestochowska ". Les rues sont pleines de voyous et de maîtres chanteurs, les *szmalcowniki,* qui font la chasse aux Juifs pour les livrer à la Gestapo.

» Apprends tout au sujet de l'Eglise, Jacku. Réponds-leur à ces salauds. Ne leur prête pas le flanc. Laisse-leur croire que tu es un des leurs. »

Puis il a baissé la voix : « Mais méfie-toi d'une chose. Ne les laisse jamais — quel que soit le moyen — ne les laisse jamais baisser ton pantalon. Les catholiques polonais ne sont pas circoncis. Si cela t'arrive, sauve-toi. »

Je répétais tous les jours. Avec Ania, j'allais à l'église Saint-Alexandre sur la place des Trois-Croix et je répétais les prières en latin. Elle m'apprenait ce qu'il fallait faire et répondre selon le rituel.

Une pratique cependant me semblait gênante et illogique : *spowiedz.* Confesser à un autre être humain ses pensées les plus intimes et ses péchés me semblait déraisonnable et injuste. J'avais des difficultés à inventer des mensonges qui puissent paraître vrais.

Mais j'ai appris.

« Nous allons tous mourir dans ce ghetto », hurlait maman au téléphone. « Mais toi, notre seul espoir, tu es en sûreté. »

En sûreté ! Comment pouvait-elle dire cela alors que je me sentais continuellement en danger d'être découvert et dénoncé ? Pourtant l'appel de maman m'avait soulagé. Ma vie hors du ghetto n'avait pas de sens. Cela ne convenait pas à ma nature active et je n'avais pas la conscience tranquille.

Des semaines avaient passé depuis qu'on avait fermé le ghetto et j'étais sûr que ma famille avait épuisé la nourriture que je lui avais laissée. En outre, j'avais envie de la revoir.

« Mets cette écharpe, il gèle », a dit Mᵐᵉ Malewska en la glissant dans ma chemise, le lendemain matin, alors que je me préparais à retourner dans le ghetto. « Mets aussi ces oreillettes. »

Elle avait préparé un petit déjeuner somptueux et s'occupait de moi comme si j'avais été son propre enfant. Je l'ai prise dans mes bras et je l'ai embrassée. Ania avait les larmes aux yeux en me disant au revoir.

Franek et moi nous sommes allés rapidement jusqu'au marché Kiercelak. Je ne pouvais pas laisser passer l'occasion de rapporter de la nourriture avec moi. Les prix comparés à ceux du ghetto étaient une affaire. Ma carrière de contrebandier commençait.

J'ai acheté de la farine, du sarrasin, du salami et quelques kilos de sucre. J'ai tout fourré dans des bas que j'ai glissés dans mon pantalon et que j'ai attachés à ma ceinture. Franek me regardait ébahi.

« Jacku, m'a-t-il dit avec un sourire, tu es un vrai professionnel. Les brutes nazies vont avoir du mal à se débarrasser de toi. »

J'étais prêt à monter dans le trolley. Franek l'a regardé disparaître en bas de la rue. Je savais que j'avais de la chance d'avoir un ami sûr dans le monde aryen hostile.

Je tremblais intérieurement mais je n'ai rien laissé paraître de ma peur tandis que le trolley traversait Varsovie ni quand il s'est arrêté devant le mur du ghetto.

Des gendarmes allemands armés de pistolets mitrailleurs gardaient l'entrée du ghetto. Un peu plus loin, des policiers polonais se tenaient devant une guérite en bois. Deux policiers juifs étaient près de la porte à l'intérieur.

Un gendarme et un policier polonais sont montés dans le trolley à double voiture, l'Allemand vers l'avant et le Polonais à l'arrière. Le gendarme a fait signe au conducteur et le trolley est parti pour la traversée du ghetto, quinze minutes sans arrêt.

Je suis allé à l'arrière et je me suis glissé lentement vers le flic. La plupart des passagers fixaient leur attention sur le ghetto mais quelques-uns m'ont remarqué quand il je suis approché des marches. Le policier a tourné la tête et m'a fixé du regard en murmurant : « Tu as un pourboire, un *stuve ?* »

J'ai hoché la tête et j'ai glissé un billet de cent zlotys dans sa ceinture de cuir.

« Saute quand je te pousserai », a-t-il murmuré.

Plusieurs passagers ont commencé à rire. « Quoi ? Moshek paie pour *entrer* dans le ghetto ? » a dit l'un d'eux.

« Bien sûr, a répondu un autre, le singe doit retourner au zoo. »

Je les ai ignorés. J'ai attendu le signal du policier et j'ai sauté puis je me suis mêlé immédiatement à la foule et j'ai disparu dans un immeuble.

Je suis ressorti un peu après. En quelques minutes j'étais devant chez moi. Mon arrivée inattendue a réjoui tout le monde sauf maman. « *Oi wei iz mir*, s'est-elle écriée. Nous allons tous mourir de faim. Dieu et les Allemands se sont unis pour nous exterminer. »

Mais quand j'ai sorti les bas pleins de nourriture de mon pantalon, maman a souri. « Je vous l'avais bien dit, mon Izaakl va tous nous sauver. »

Ma sœur Hela s'est jetée dans mes bras. « Tu m'as manqué, a-t-elle murmuré. Ne t'en va plus.

— Maintenant tu seras ma partenaire, Hela. Je vais faire des affaires. Je vais passer de la nourriture en contrebande dans le ghetto.

— Comment ?

— J'ai un plan. »

Je lui ai parlé du policier polonais dans le trolley.

« Je l'ai acheté. Si tout va bien, je ferai deux ou trois voyages par semaine. »

Hela m'écoutait avec respect. « C'est comme dans un film. Les bons et les méchants. Les cow-boys et les Indiens...

— Oui. » J'ai souri. « Je vais être le cow-boy. »

Et ainsi, le mois suivant, je suis entré et sorti du ghetto plusieurs fois par semaine. Je prenais le trolley sans m'en faire et ma contrebande marchait bien. Hela m'attendait à un endroit et à un moment convenus. Quand je l'apercevais, je lui jetais un sac de provisions, je sautais du trolley en marche et je disparaissais dans le ghetto.

Un jour j'ai mal calculé mon coup. Incapable de contrôler ma vitesse après avoir sauté, je me suis cogné dans des piétons. L'agitation a alerté le gendarme allemand. Il a arrêté le trolley, a sorti son arme et a tiré dans la foule qui s'était rassemblée. Les gens hurlaient et fuyaient dans toutes les directions. Certains ont été touchés et sont tombés couverts de sang.

J'ai dégrafé mon sac à dos et je me suis précipité dans la première maison. J'ai filé au grenier et, frénétiquement, je me suis touché le corps, le visage et la tête à la recherche de sang. Paniqué, j'ai enlevé les bas bourrés de marchandises de sous mon pantalon. Il y avait un trou dans l'un des bas et dedans une balle toute chaude.

Quelle chance que Hela ne se soit pas sentie bien aujourd'hui, ai-je pensé. Ils l'auraient tuée. Quant à moi, la mort n'était pas passée loin.

J'ai laissé mes marchandises dans le grenier et je me suis précipité dans le premier café. Je devais retrouver mon calme avant de rentrer à la maison.

« Un thé et une vodka », ai-je commandé.

Le garçon a regardé avec de grands yeux mon visage d'enfant mais il m'a servi quand même. Tandis qu'il s'éloignait, je l'ai entendu dire au patron : « Voilà la nouvelle génération. L'enfant contrebandier. »

L'enfant contrebandier.

Un des milliers qui prenaient les trolleys au vol, qui escaladaient les murs et qui tentaient n'importe quoi pour faire rentrer dans le ghetto des tonnes de nourriture absolument nécessaires.

Le prix à payer était élevé. Il ne se passait pas de jour sans qu'un jeune soit tué ou sans qu'il disparaisse dans le quartier général de la Gestapo.

Ebranlé et effrayé, j'ai commandé un autre verre et je suis resté assis tranquillement tandis que les battements de mon cœur reprenaient leur rythme. Il fallait que je trouve un meilleur chemin.

De façon ironique, c'est la mort qui me l'a indiqué.

4

« Je l'ai trouvé pendu dans le cabinet », a dit mon ami Sevek en sanglotant. « Il avait les yeux ouverts et il me regardait comme pour me dire qu'il était désolé de ne pouvoir m'aider. J'ai peur, Jacku. » Il s'est accroché à moi.

« Un suicide ! s'est écriée maman. Le pauvre homme, avec sa fierté. » Maman a joint les mains, elle a craché trois fois sur le sol et a soupiré. « Oh ! Dieu, protège notre maison d'une telle honte. »

J'ai entraîné le garçon qui pleurait dans la chambre et j'ai fermé la porte derrière moi.

Le père de Sevek, un vétéran de l'armée polonaise, avait perdu un œil et reçu plusieurs blessures graves à une jambe pendant les affrontements avec les bolcheviks russes en 1920. Depuis, il avait vécu des pensions du gouvernement et de la retraite des anciens combattants. Quand les Allemands étaient arrivés, ils lui avaient supprimé ses pensions et confisqué son commerce de tabac. Son sentiment d'abandon derrière les murs du ghetto lui avait rendu la vie totalement insupportable.

Sevek est resté deux jours à la maison. Il avait honte de rencontrer les gens. Le suicide de son père avait jeté une souillure sur toute la famille car le suicide est interdit chez les Juifs. Le manque de place dans le cimetière a retardé l'enterrement. Le ghetto n'existait que depuis quelques mois mais des milliers de personnes étaient déjà mortes de faim, de maladie ou s'étaient suicidées.

Le jour de l'enterrement, Sevek n'a pas mangé et ne parlait pas. Il était seul et perdu, et je suis resté près de lui pendant toute la cérémonie.

Le cortège a descendu la rue Gesia vers le mur du ghetto. Les portes du cimetière étaient en face de nous. J'observais avec attention. Des gendarmes allemands avec des fusils et des chiens gardaient l'entrée. Il y avait aussi des policiers juifs en uniforme noir qui s'occupaient des enterrements.

Le cimetière, interdit aux chrétiens, était un no man's land. Les Juifs ne pouvaient y entrer qu'avec un cortège d'enterrement. On les comptait et on les escortait pendant la cérémonie. Les gardes s'assuraient que le même nombre de gens revenaient dans le ghetto. Mais personne n'inspectait le cercueil ou le corbillard.

« Un sacré endroit pour passer de la nourriture en contrebande, ai-je pensé. Du cimetière, ça ne doit pas être difficile de sauter par-dessus le mur vers la partie aryenne de Varsovie et vers la liberté. » Mais quand j'ai vu la patrouille allemande à motocyclette avec une mitrailleuse installée dans le side-car, j'ai compris que ce n'était pas si simple.

J'ai essayé de réfléchir : « Mais ils ne font que passer et comme je connais bien l'endroit, je pourrai me cacher. »

« Tu crois que c'est sacrilège ? ai-je demandé plus tard à grand-mère Masha.

— Non, mon chéri. Pour rester en vie, Dieu permet tout. Tu n'as même pas besoin de jeûner pour Yom Kippur si tu es malade. Mais s'ils

46

t'attrapent, tu ne seras pas loin de ta tombe. » Elle m'a caressé les cheveux et a soupiré : « Nous sommes à ta charge. »

Cette nuit-là, je n'ai pas pu dormir. Je me tournais et me retournais, rêvant de nourriture.

De la nourriture de contrebande, des sacs pleins de nourriture, des charrettes pleines de sacs, une chaîne d'enfants portant des sacs, un groupe de contrebandiers passant de la nourriture. Ma bande, ma propre bande. Des gosses qui avaient quelque chose dans le ventre. Des gosses qui pourraient vous cracher au visage et vous dire : « Espèces de salauds, allez vous faire foutre, bande de cons ! »

Le matin, j'ai décidé d'abandonner mes activités solitaires et de recruter une bande. Ce serait plus important, bien plus important, que quelques bas remplis de sarrasin.

J'ai fanfaronné devant Hela : « Attends un peu de connaître mon nouveau plan. Tu n'en reviendras pas ! »

Elle a allumé. « Qu'est-ce que c'est, Jacku ? Dis-le-moi tout de suite. Qu'est-ce que c'est ?

— Attends un peu, Hayele. Mais maintenant suis-moi. »

Le soir même, j'ai réuni les trois garçons qui me semblaient convenir le mieux. Sevek qui autrefois était un enfant fragile et gâté, a sauté de joie quand je lui ai expliqué mon plan. « Ces salauds m'auront pas, Jacku, a-t-il dit avec bravade. Papa est mort, maman meurt de faim et a les jambes enflées. J' vais pas rester les bras croisés ou mendier dans les rues. »

Lutek, mon copain du chœur avant la guerre, n'avait pas besoin d'être poussé ou stimulé. Il sautait déjà le mur pour faire de la contrebande tout seul.

« Jacku, tu ne pouvais pas choisir un meilleur moment. Papa vient de me mettre à la porte de sa cave qui pue, m'a expliqué Lutek en colère. Ils sont cinglés. Ils s'imaginent qu'ils sont toujours dans leur appartement de dix pièces de la rue Marszalkowska. " Nous mourrons dignement, qu'ils disent. Nous n'aurons pas un fils contrebandier. " (Lutek s'est levé et a secoué les mains en signe de désespoir.) Pas moi, Jacku. Je vais pas me laisser mourir de faim et enfler de partout. Je veux manger, je veux survivre ! »

Puis il y avait Yankele Rotzo, mon camarade des parties de football dans la rue Ostrowska, près de chez grand-mère Masha.

Yankele est venu à la réunion, nu-pieds comme d'habitude, en tirant sur son pantalon et en crachant. Il ne voulait pas perdre une minute. « Qu'est-ce qu'on attend ? Allons-y cette nuit. J' suis chez moi dans le cimetière. Depuis que j'ai sept ans, j' grimpe aux arbres pour aller cueillir les noisettes. » Yankele a craché et a remonté son pantalon qui descendait.

« Et attention, les mecs, bande de *yatn !* a crié Yankele à Lutek et à Sevek. Rappelez-vous. C'est pas un pique-nique ! Vous, les gosses de riches, vous avez intérêt à faire attention ou vous allez vous faire brûler le cul. » Hela et moi, nous nous amusions à écouter la conférence de Yankele. Mais soudain, il est devenu sérieux, et s'est tourné vers moi.

« Hé, Jacku, jure sur la tête de ta mère, la première pomme qu'on trouve du côté aryen, c'est pour moi. Une pomme, tout entière, douce, juteuse, dans ma bouche.

— Oui, Yankele. Je le jure, si on trouve une pomme, elle est pour toi. »

C'était la bande. Sevek, Yankele, Lutek et moi. Tous du même âge : quatorze ans.

Avant de commencer pour de bon, j'ai voulu faire quelques essais. Nous nous sommes joints à deux enterrements et nous sommes entrés et sortis du cimetière avec les cortèges, en faisant semblant d'avoir de la peine. J'ai aussi réussi à conclure un arrangement avec Shmerl, le colporteur de fausses nouvelles qui travaillait au cimetière. Contre une partie des provisions il a accepté de nous compter à l'entrée et à la sortie de tous les enterrements.

« J'ai une femme et trois gosses à nourrir, m'a-t-il averti. Si les gendarmes nous attrapent, tu sais ce qui arrivera. »

J'ai choisi un jeudi pour la première expédition. Nous nous sommes retrouvés dans la chambre de Yankele, 13, rue Ostrowska. J'ai sorti plusieurs couteaux à cran d'arrêt de ma chemise. J'ai appuyé sur le bouton d'un des couteaux, j'ai tendu la main et une lame brillante a jailli.

Ils ont tous fait un bond en arrière en m'observant dans un silence grave. « Hé, *Yatn*, regardez cette belle lame. On dirait un arc-en-ciel, long et pointu. Ça pourra nous sauver la vie. » Je ne pouvais pas contenir ma joie. « Je les ai achetés dans le ghetto la semaine dernière. On les a volés à Okecie, à l'aéroport. Ça vaut une fortune au marché noir. »

Yankele s'est rapproché. « Jacku, c'est un couteau de la Luftwaffe. J'en ai entendu parler. La bande de Haim Benkart, ils en ont. »

Ils se sont un peu détendus quand je leur ai expliqué comment s'en servir. « Sevek, Yankele et Lutek, prenez-en un, et souvenez-vous, il faut s'en servir sans pitié. Fermez les yeux et allez-y ! ai-je crié et j'ai ajouté : Si vous ne pouvez pas acheter le droit de passer, n'hésitez pas. Ouvrez-lui le ventre à ce fils de pute. »

Chacun a approuvé. Je me suis rendu compte que Sevek était loin de ce genre de choses mais il ne disait rien. « Avec le temps, ça viendra, ai-je pensé. »

Nous sommes sortis de la maison avec les couteaux et l'argent dans nos bottes.

Rue Gesia, avant la porte du cimetière, nous nous sommes joints à un cortège. J'ai mis mon bonnet sur le côté, mon écharpe sur les épaules et je me suis approché d'une femme qui sanglotait. Elle marchait en tendant les bras comme si elle essayait d'atteindre le cercueil posé devant elle sur la voiture tirée par des chevaux. Son long voile noir lui recouvrait le visage. Une petite fille apeurée s'accrochait à elle. Un homme âgé portant un long manteau noir et des bottes sales essayait de les soutenir toutes les deux.

J'étais anxieux et mal à l'aise mais j'étais résolu à faire comme prévu. Je savais que les enterrements étaient le lieu d'émotions violentes. Je le savais depuis l'âge de neuf ans quand mon grand-père Benjamin était mort. La mort, les cris, la peur et la douleur, étaient pour moi la même chose.

Juste derrière moi, Yankele s'intégrait parfaitement à la scène. Il avait l'air aussi innocent et échevelé que les autres. Il avait même perdu une chaussure en route. Sevek tremblait de peur. Je lui ai rabattu son béret sur les yeux pour qu'il ne voie plus rien. Il s'est accroché à mon écharpe et a suivi comme un aveugle en traînant les pieds. Je ne pouvais pas voir Lutek mais je savais qu'il n'était pas loin.

Quand nous sommes passés devant les gendarmes à la porte du cimetière, mon cœur s'est mis à battre.

Je ne pleurais pas très bien et je secouais la tête comme dans une prière convulsive. Je me frappais la poitrine d'une main et de l'autre je tirais Sevek. Les deux Allemands casqués, le fusil sur l'épaule, nous ont regardés. J'ai continué à prier, à secouer la tête et à me frapper la poitrine.

Soudain, Shmerl est apparu : « Hé, *mamzor*, n'en fais pas trop, a-t-il murmuré. Allez-y ! »

Shmerl a compté les gens et a dit à l'Allemand : « Vingt-deux, *Herr Feldwebel.* »

Nous sommes partis dans les allées étroites du cimetière qui serpentaient entre les vieilles pierres tombales. Lutek nous a rejoints et j'ai murmuré : « *Yatn,* voici l'*ohel,* le mausolée du rabbin de Radzymin. Suivez-moi. » Nous nous sommes redressés en nous regardant. Nous étions fiers de ce que nous étions en train de faire et nous avions envie de rire. Mais à cause des monuments, des tombes, des gémissements, des Allemands et des risques qui nous attendaient, nous avons gardé notre sérieux.

Quand personne n'a plus été en vue, nous avons escaladé le mur du cimetière pour nous retrouver dans l'ancien terrain de football de Skra et aussi vite que nous avons pu, nous avons traversé séparément la partie aryenne de Varsovie vers le marché Kiercelak. Sans brassard, nous passions pour des chrétiens polonais, des employés de commerçants à la recherche de marchandise. Avec l'argent que j'avais économisé de ma contrebande solitaire, nous avons fait des achats sans problème pendant tout l'après-midi et pourtant le marché grouillait de *szmalcowniki,* les chasseurs de Juifs.

Nous en avions assez pour que chacun de nous ait un bénéfice de plusieurs milliers de zlotys et de la nourriture à rapporter chez lui.

Le soir, chargés de salami, de sucre et d'orge, nous nous sommes retrouvés à nouveau dans le cimetière. La nuit était tombée et le silence de la mort nous environnait. En respirant à peine, nous nous sommes entraidés pour escalader le mur. Partout on pouvait voir des pierres tombales et d'anciens monuments. Dans l'obscurité, les buissons et les arbres prenaient des formes et des dimensions étranges. Un vent froid sifflait de façon inquiétante dans les broussailles. Aucun de nous n'était jamais allé dans un cimetière après la tombée de la nuit. Nous étions tous reconnaissants aux autres d'être là.

Lentement et sans bruit, nous sommes revenus jusqu'à l'*ohel,* le mausolée. Nous avons dévoré deux tranches de pain avec du salami. Nous nous sommes blottis les uns contre les autres à l'intérieur du mausolée et nous avons essayé en vain de dormir.

« Sevek, pourquoi est-ce que tu ne dors pas ? » ai-je murmuré. Je pouvais voir ses yeux grands ouverts fixés sur le plafond en coupole.

« Je pense, a-t-il dit.

— Il a peur, a chuchoté Lutek de l'autre côté. On a tous peur. On est allongés dans une tombe.

— Ouais. C'est comme dans les histoires de revenants. Mon père est enterré dans le coin. » Sevek s'est rapproché de moi et s'est caché le visage sous mon bras.

« Eh ! Les gars, ai-je continué, les morts ne peuvent pas nous faire de mal. Nous ne sommes plus des enfants. On devrait plutôt s'inquiéter des Allemands.

— Ouais, Jacek et moi, on est des vieux habitués. Hein, *Yatn !* » La voix de Yankele a changé :

« Chut, écoutez. » Il a approché l'oreille de la pierre tombale sur laquelle il était allongé.

« Le rabbin Radzymin dit quelque chose. Attendez une minute... Ouais, je l'entends. Il nous rappelle de ne pas oublier de dire une prière demain matin. » Yankele a éclaté de rire et tout le monde l'a imité.

Quelque temps après, pendant cette première et longue veille nocturne, nous nous sommes tous endormis.

Le matin, au réveil, nous étions raides et gelés. Le cimetière était ensoleillé et paisible. Nous avons frotté nos muscles douloureux et nous avons mangé un peu. Bientôt le premier enterrement de la journée est arrivé, un long cortège avec au moins cinquante personnes.

J'ai murmuré : « Voilà Shmerl, exactement comme prévu. Et pas un gendarme en vue.

— Combien ? » a demandé Shmerl tandis que les gens se rassemblaient autour de la tombe.

« Quatre sacs et nous quatre.

— Bien. Mettez les sacs dans le corbillard avec le cercueil et joignez-vous à la foule. »

Nous avons chargé les sacs en vitesse et nous avons rejoint les gens.

Puis Shmerl s'est approché de moi : « Mille zlotys », Jacek.

J'ai protesté : « C'est le double du prix convenu.

— C'est le prix. J'ai dû payer les gendarmes. Autrement ça n'aurait jamais marché.

— Voilà cinq cents zlotys. Je te donnerai le reste quand nous serons dehors.

— *Hevra,* amis », Shmerl a refusé avec un sourire affecté. « Nous devons nous faire confiance, sinon nous allons tous finir dans une tombe. »

5

« Le cimetière est plein », ai-je dit à grand-mère Masha en regardant une charrette descendre lentement la rue avec son chargement macabre de cadavres. « Alors, il y a des fosses communes. »

Grand-mère Masha a regardé au plafond. Elle était clouée au lit et attendait qu'on la nourrisse. Elle avait été renversée dans la rue par un triporteur et avait plusieurs fractures. A cause de son âge, le docteur n'avait pas grand espoir.

« Il n'y a pas assez de place pour les vivants, a-t-elle dit, sans parler des morts. Parfois, il est difficile de dire qui est en vie et qui est mort. »

En mai 1941, le ghetto est devenu un monde à part. Il était dirigé par un commandant nazi brutal qui transmettait des ordres et des règlements au *Judenrat,* le conseil juif d'administration du ghetto.

Sous le *Judenrat,* on avait organisé des cuisines collectives et chaque jour on distribuait de la soupe et du pain à des milliers de gens affamés. On avait formé une unité médicale spéciale pour s'occuper des malades mais les médecins et les dentistes sont vite devenus impuissants à cause du manque de médicaments et de matériel. Depuis que les enfants juifs n'avaient plus le droit d'aller à l'école, on avait organisé un réseau improvisé et clandestin de centres d'éducation.

Des milliers de réfugiés juifs venant de Hollande, d'Allemagne et d'Autriche ont commencé à arriver. La population du ghetto s'est élevée jusqu'à cinq cent mille personnes, cinq fois plus qu'à l'origine. Tous les jours, les rues et les places s'emplissaient de gens à la recherche de nourriture.

En juin, les Nazis ont envahi l'Union soviétique et immédiatement les conditions de vie dans le ghetto se sont aggravées. Les Allemands ont encore réduit les rations alimentaires et ont augmenté leurs exigences en main-d'œuvre. Chaque jour, ils raflaient des membres des professions libérales, des intellectuels, des responsables du ghetto et les fusillaient devant chez eux.

Très vite, la ville emmurée est devenue un enfer grouillant de gens déprimés et malades. La famine s'étendait et des milliers de gens affamés et enflés mouraient allongés dans les rues.

Tous les matins, en même temps que les morts, on ramassait les malades et les affamés qui étaient inconscients, immobiles mais vivants. On les ramassait comme des ordures et on les jetait dans des charrettes à bras pour aller les enterrer.

C'est ce que je regardais de la fenêtre de ma grand-mère.

« Ils m'ont presque mis en quarantaine, grand-mère. »

Effrayée, elle a porté la main à la bouche. « La typhoïde ? »

J'ai approuvé de la tête. « Les gendarmes et les flics ont pris les gens d'un pâté de maisons.

— J'ai entendu dire qu'ils vous avaient fait passer à la douche et qu'ils vous avaient recouverts de poudre désinfectante », a répondu grand-mère.

Elle a haussé les épaules. « Ils ont obligé la tante Perl et ses enfants à rester debout dans la neige toute la nuit pendant qu'ils désinfectaient l'appartement. Ils ont volé tout ce qu'ils ont voulu. »

Elle s'est laissée aller sur son oreiller. « Quand est-ce que tout cela va finir ? »

Au fur et à mesure que les choses empiraient, ma réputation de contrebandier augmentait avec les risques. Mon groupe avait opéré pendant des mois avec seulement des incidents mineurs. Avec l'expérience, nos chargements augmentaient ainsi que le prix de la nourriture et les sommes pour acheter les gardes du cimetière. Les Allemands patrouillaient avec plus de rigueur et Shmerl exigeait trois fois plus.

Chaque fois que je voyais un policier juif, je ressentais une rage épouvantable. Je pouvais comprendre l'ignoble dessein des Allemands qui organisaient une police juive dans le ghetto en dressant des Juifs contre des Juifs. Mais je ne pouvais établir de relations avec eux.

« Qu'est-ce que tu veux ? Combien cette fois ? » ai-je murmuré tandis que l'un d'eux me collait le dos au mur.

« Botte-lui le cul, Jacek, a crié Yankele. C'est tout ce qu'il aura aujourd'hui, ce salaud de parasite !

— Hé ! Jacek ! Grand chef, je te protège, non ? » Markowski m'a enfoncé sa longue canne noire dans les côtes. « Rien que c' matin, j'aurais pu t'arrêter à la gare. Et qui sait, j'aurais pu t'envoyer à la prison Pawiak. Personne en revient. Mais est-ce que je l'ai fait ? Bien sûr que non. Je sais que tu es quelqu'un de bien. »

Je me suis plaint : « *Panie* Markowski, il y a des limites, merde ! »

Markowski a fait un large sourire. « J'ai une femme et des gosses et en plus une sale belle-mère. Nous aussi on veut manger, tu sais. »

Pan Markowski avait été le professeur d'histoire d'Hela avant la guerre. Il n'y a pas si longtemps, nous le respections. Maintenant, je pouvais voir le mal dans ses yeux. Aussi je l'ai payé.

Notre chemin de contrebande était devenu plus long. Quand on avait adjoint le terrain de football de Skra au cimetière juif, j'ai cherché un autre endroit pour passer. Le mur était haut, plus de trois mètres cinquante, mais de place en place de grands arbres étendaient leurs branches au-dessus et au-delà du mur.

Nous l'avons longé en examinant tous les endroits où il était possible de passer dans le cimetière chrétien.

« Hé ! *Yatn,* regardez, ici, c'est parfait ! » ai-je crié. J'ai sauté sur une pierre et j'ai grimpé dans l'arbre jusqu'à une branche où je me suis assis confortablement, presque au sommet du mur. Yankele est monté.

« On voit tout. Toutes les tombes ont des croix. »

En quelques secondes la bande avait grimpé et admirait la facilité du passage.

« On pourra jeter nos sacs, a dit Lutek.

— Hé, regardez les pierres tombales qui sont directement adossées au mur. Ce sera facile de redescendre. »

Yankele a sorti son couteau à cran d'arrêt. « Je vais marquer l'arbre d'un Z, d'après le nom de mon père, Zalmen. » Le père de Yankele avait disparu juste après la chute de Varsovie. Personne ne savait s'il était encore en vie.

Cet arbre est devenu notre point de rendez-vous, notre *meta*.

Un jour, nous sommes entrés dans le cimetière dans le cortège d'une personne riche ; seuls les gens qui avaient de l'argent pouvaient encore s'offrir un véritable enterrement. Sevek, Yankele, Lutek et moi, nous avons quitté furtivement la foule du cortège et nous sommes allés rapidement à l'*ohel*.

J'étais en train de diviser l'argent pour les achats quand j'ai entendu un bruit. Nous l'avons tous entendu en même temps. Au début, c'était lointain. Puis il s'est rapproché jusqu'à devenir un rugissement qui ne pouvait tromper.

« Des motos ! Une patrouille allemande ! » Sevek est devenu pâle. J'ai regardé à l'extérieur et j'ai vu les gens de l'enterrement qui criaient, qui couraient pour se cacher derrière les arbres ou s'accroupir derrière les tombes.

« C'est étrange, c'est la troisième patrouille de la semaine, a dit Lutek soupçonneux.

— Allons-y, *yatn*, on se tire. Sautons le mur ! ai-je ordonné. S'ils nous attrapent ici, tout est fichu. »

Yankele a regardé tout autour. « Les salauds, il faut rejoindre l'enterrement.

— C'est trop tard, a bégayé Sevek. Ils arrivent. »

J'ai saisi la main de Sevek. « Allons-y. Suivez-moi ! »

Nous avons traversé en courant un bosquet d'arbustes, nous avons descendu un sentier étroit vers le mur ouest et nous avons filé jusqu'à notre arbre marqué d'un Z. Lutek, aussi rapide qu'un chat, a sauté sur une pierre et a grimpé dans l'arbre.

« Vite, Sevek, magne-toi le cul. » Je me suis

baissé. Sevek est monté sur mon dos et a escaladé le mur.

J'ai fait signe à Yankele. « Vas-y. Reste pas planté là.

— Me bouscule pas. Vas-y le premier !

— *Schmuck,* pour qui est-ce que tu te prends ? Vas-y. »

Le bruit des motos s'est arrêté. Deux gendarmes se sont précipités avec fracas à travers les arbustes. J'ai sauté de la pierre dans l'arbre, et j'ai attrapé le mur de la main gauche. Des balles m'ont sifflé aux oreilles tandis que je me hissais sur le mur.

J'ai vu Yankele, debout sur la pierre. Soudain, il a sauté à terre. Il a dû penser qu'il n'arriverait pas à escalader le mur. Puis il s'est mis à courir.

« Halte ! *Verfluchte Hunde,* maudits chiens ! », d'autres coups de feu.

J'ai passé de l'autre côté du mur et j'ai atterri dans les bras de Lutek et de Sevek.

« Yankele, quel courage et quelle bêtise ! ai-je murmuré.

— Il va y arriver, il va se cacher, tu vas voir, il connaît le coin comme sa poche », a murmuré Lutek.

Nous nous regardions horrifiés. Les minutes ont passé. Nous ne bougions pas. Nous ne parlions pas. Nous attendions seulement d'autres coups de feu.

« Est-ce que les Allemands t'ont eu, Yankele ?

» Est-ce qu'ils t'ont fait éclater la tête ?

» Ou est-ce que tu as grimpé dans un arbre et que tu as semé ces salauds, ces fils de pute ?

» Tu aurais pu arriver avant sur le terrain de football. »

Les visages blêmes de Lutek et de Sevek m'ont tiré de mes pensées.

« Taillons-nous d'ici », ai-je ordonné d'une voix aussi dure que ce que je ressentais.

6

Dès que nous avons atteint la partie aryenne de Varsovie, nous sommes allés voir Maciek, un ami chrétien qui tenait le bar Pod Kaczka. Maciek était un vieux copain et avant la guerre, il avait compté parmi sa clientèle beaucoup de figures célèbres du milieu juif. Il nous aimait bien, moi et ma bande.

« Vous feriez mieux de rentrer par un autre chemin, a dit Maciek. On dirait que les Allemands vous recherchent. Quelqu'un a dû moucharder. »

Je l'écoutais en silence, la mort dans l'âme en pensant à Yankele.

« Pourquoi est-ce que vous ne rentrez pas en passant par le toit qui donne sur la rue Wolnosc ? Stas, le concierge, est un copain. Vous pouvez avoir confiance en lui. »

Jadzia, la fille de Maciek, avait seize ans et était particulièrement gentille avec moi. Nous flirtions souvent.

« Oh, par les blessures du Christ, puisse-t-Il vous protéger. » Jadzia nous avait apporté à manger et de la vodka et restait debout tout près de moi.

Je me suis efforcé de sourire quand elle m'a ébouriffé les cheveux.

« Papa Maciek, ai-je dit, parle-nous de ce toit. »

Maciek a fermé le rideau de l'arrière-salle où nous étions assis et a demandé à Jadzia de s'occuper des clients qui étaient devant. Puis il a rapproché sa chaise de la mienne.

« Voilà, Jacku, la maison de Stas est juste sur la ligne de séparation, une des rares maisons aryennes directement contiguë à une maison du ghetto. Alors le vieux malin tire avantage de sa situation et se fait de l'argent en faisant passer des Juifs par son toit. Sa fille et son gendre habitent au cinquième étage, juste sous le grenier. La nuit, les Juifs grimpent sur le toit, descendent dans le grenier et se retrouvent dans son appartement. Les *Zydki*, les Juifs, restent là jusqu'au matin. Puis ils ressortent dans la ville. Et Stas a gagné facilement ses mille zlotys. Je jure sur notre Sainte Mère que c'est vrai. Rien que la semaine dernière j'ai vu passer deux jeunes filles juives. Belles comme des roses. Je leur ai parlé. Elles sont quelque part dans le coin en ce moment même. »

« Alors, qu'est-ce que tu en penses ? » Il m'a caressé la joue d'une main paternelle. « Tu sais, Jacku, je m'entends mieux avec les Juifs qu'avec les chrétiens. Je ne te tromperais pas. »

Je me suis détourné pour regarder Sevek et Lutek qui mangeaient en silence. « Je sais ce que vous pensez. Tout ça c'est une sacrée saloperie. Mais maintenant, on ne peut rien faire pour Yankele.

— Tu crois qu'ils l'ont tué ? a demandé Sevek.

— Je ne sais pas. N'y pense pas. On verra bien quand on rentrera. Maintenant, faisons ce que nous sommes venus faire. »

Lutek s'est levé. « D'accord, d'accord, ne nous énervons pas. Faisons notre travail.

— Tout à fait, ai-je dit. Allons au marché et

achetons tout ce que nous pouvons. On se retrouve ici dans une heure. »

Sevek a consulté sa liste d'achats. Lutek a vérifié son argent.

« Tirez-vous, vite. » Je les ai presque poussés dehors.

Je me suis tourné vers Maciek. « Est-ce que je peux parler à Stas ? »

Maciek a approuvé de la tête. « Attends ici. Je vais dire à Jadzia où nous allons. »

Nous sommes sortis par la porte de derrière. Quelques minutes après nous étions dans l'arrière-cour du 14, rue Wolnosc, deux pâtés de maisons plus loin. J'ai regardé les toits dans la lumière de l'après-midi qui s'assombrissait déjà. La maison de la rue Wolnosc avait cinq étages ; celle du ghetto, derrière, n'en avait que trois.

« Cesse de te faire du souci. Allons parler à Stas. » Maciek m'a poussé devant lui. Nous sommes entrés dans le vestibule.

« Attends ici. » Maciek est revenu quelques instants plus tard en souriant. « Je te l'avais bien dit. Stas est d'accord. Il est toujours prêt à conclure un marché. »

Dans l'appartement, le sourire de Stas et ses moustaches tombantes à la Pilsudski m'ont rassuré. Il trempait des morceaux de sucre dans de la vodka et se frisait la moustache avec ses gros doigts.

« Oui, jeune homme, j'ai aidé beaucoup de tes amis juifs. Christ Tout-Puissant, ce que font ces Allemands est criminel. »

Je voulais tout savoir tout de suite — combien de Juifs empruntaient la voie, à quel rythme, est-ce que c'était sûr, combien cela coûterait ? En quelques mois de contrebande, notre groupe avait gagné assez d'argent pour payer un droit de passage plus élevé.

« Doucement, mon petit, pourquoi est-ce que tu es si pressé ? a dit Stas. Dès qu'il fera nuit noire, je t'emmènerai sur le toit et je t'expliquerai tout. Prenons un peu de thé et des gâteaux. »

J'ai refusé et je me suis mis à arpenter nerveusement l'appartement.

« Il est bouleversé », a dit Maciek et il a expliqué mon angoisse au vieux Polonais. « Ces salauds d'Allemands ont peut-être tué son copain aujourd'hui. »

Stas a regardé par la fenêtre. La nuit était tombée, silencieuse et sombre. Il a ouvert la porte et nous a fait signe de le suivre. Nous avons monté l'escalier jusqu'au cinquième étage. Stas a frappé trois fois. Son gendre, un jeune homme costaud du nom de Antek, a ouvert. La fille de Stas, Kasia, se tenait à quelques pas derrière lui avec un bébé dans les bras.

Sans un mot, Antek a apporté une échelle dans l'entrée et a ouvert la trappe du grenier. Antek et moi nous sommes montés sur le toit tandis que les autres attendaient en bas. Nous avons rampé jusqu'au bord et nous avons regardé en bas.

« Là, tu vois ? (Antek a montré du doigt.) Tu te laisses glisser en tenant la gouttière et tu atterris sur le toit. C'est la rue Nowolipki dans le ghetto. »

J'ai réussi à distinguer l'ouverture dans le toit du bâtiment en dessous.

« Ça m'a l'air bien, terrible, ai-je murmuré. Je vais aller chercher mon groupe et nous reviendrons dans une heure ou deux. »

Nous sommes redescendus dans l'appartement de Stas. Maciek avait un visage radieux. « Stachu, vieux fripon, tâche de bien te conduire avec ces jeunes *Zydki*. Ils sont malins et courageux et tu vas pouvoir gagner de l'argent avec eux. »

Stas a approuvé de la tête, il a frisé sa moustache et s'est tourné vers moi. « C'est mille zlotys par tête et trois cents par sac.

— Affaire conclue », ai-je dit.

Nous nous sommes serré la main. Maciek s'est rapproché. « Tu vois, fiston, le vieux Maciek sait comment s'y prendre pour conclure des affaires. Ça s'arrose. » Il m'a donné une grande claque dans le dos. J'ai pris un verre sur la table où Mme Staskova avait posé une bouteille de vodka et des *zakaski*.

« A notre santé et aux affaires », a dit Stas en levant son verre.

« A Yankele, à Yankele, ai-je dit.

— Ouais », a hurlé Maciek en saisissant un verre de vodka plein à ras bords. « A nos Juifs astucieux, à la Pologne, à notre pays. » Nous avons vidé nos verres d'un trait et nous avons crié : « A la Pologne !

— A la Pologne, ai-je répété, et à la mort de ces putains de *Yekes !* » Je sentais la colère monter en moi. « Ces salopes d'Allemands ! Qu'ils crèvent, ces putes, avant de mettre au monde d'autres salauds ; putains, parasites, enculés ! » Je criais et j'ai avalé un autre verre.

Finalement, Maciek m'a éloigné de la bouteille de vodka. Il m'a donné à nouveau une grande claque dans le dos et s'est tourné vers Stas. « Conduis-toi bien avec ces gosses, Stachu, n'oublie jamais ça ! »

Nous nous sommes serré la main une nouvelle fois. Maciek et moi, nous sommes retournés rapidement au bar. Je lui ai glissé un billet de cinq cents zlotys dans la poche.

« Je ne te demandais rien, Jacku, a dit Maciek.

Mais comme tu es un client, je considère ça comme un gros pourboire. »

Quand nous avons quitté le froid de la rue, Jadzia nous a dit que Lutek et Sevek étaient de retour. « Ils sont devant, ils mangent une soupe chaude. »

J'ai remarqué trois gros sacs de nourriture dans un coin. Jadzia m'a souri et j'ai eu envie de la prendre dans mes bras. J'ai touché ses bras nus et je l'ai attirée vers moi, assez près pour sentir sa chaude respiration.

Mais je me suis éloigné. Yankele m'occupait toujours l'esprit. J'essayais de l'imaginer en train d'échapper à la mort et aux balles. Mais au fond du cœur, je savais qu'il n'y avait pas de miracle.

Maciek et la bande sont entrés dans l'arrière-salle au moment où Jadzia m'aidait à fermer les sacs avec une corde. Nous étions prêts à partir et Jadzia nous a proposé de nous accompagner.

« Ce n'est pas loin, mais on ne sait jamais. Il y a des gendarmes et des *szmalcowniki* partout. »

Maciek a approuvé : « C'est une bonne idée, les gars. Allez-y et que le Christ vous ouvre la voie. »

Nous avons marché aussi vite que possible. Nous n'avons rencontré personne, malgré notre peur, et quelques minutes plus tard nous étions en sûreté dans l'appartement de Stas. Tandis que la femme de Stas préparait du thé et des beignets, je suis revenu dans l'entrée pour dire au revoir à Jadzia.

J'ai fermé la porte et elle est tombée dans mes bras. Nos lèvres se sont jointes dans un baiser passionné. Sa langue est entrée dans ma bouche. Tout son corps se frottait au mien. Mais je me suis reculé.

« Jadzia, ce n'est ni le bon moment ni le bon endroit. Cette nuit mes pensées sont dans le ghetto. »

Je l'ai embrassée tendrement et j'ai glissé une liasse de billets entre ses seins.

« C'est pour ton père. Pour des marchandises. Je vais revenir dans quelques jours. J'aime bien ce nouveau chemin, et toi aussi je t'aime bien.

— Que le Christ soit avec toi », a-t-elle murmuré et elle a disparu dans la nuit.

De retour dans l'appartement, j'ai donné à Stas l'argent convenu. « Un marché n'est pas conclu tant qu'on n'a pas payé, ai-je dit.

— J'ai toujours su que les *Zydki* étaient les meilleurs partenaires en affaires. » Il s'est tourné vers sa femme. « Regarde-les, si jeunes et déjà si astucieux. »

Nous avons bu le thé et mangé les beignets que Mme Stas avait placés devant nous, mais personne ne se sentait à l'aise. Lutek était nerveux et ne tenait pas en place ; Sevek ne cessait de regarder les nombreuses icônes catholiques et les crucifix ; et moi, j'étais obsédé par Yankele. Dehors, la neige avait commencé à tomber.

J'ai entendu Stas qui disait : « Il est temps de partir. Une fois que vous serez dans le ghetto, passez la nuit dans le grenier. Quand vous reviendrez, ma maison vous sera ouverte. »

En haut, il a continué à donner ses instructions.

« Revenez à minuit, vous pourrez dormir dans la cuisine d'Antek. »

Antek a fait un signe de tête mais n'a rien dit. Il n'était pas aussi chaleureux que son beau-père et il ne m'inspirait pas entièrement confiance. Il a ouvert le grenier et nous a fait signe de le suivre sur l'échelle.

Quelques instants plus tard, nous nous tenions de façon précaire au bord du toit de la maison de Stas. J'ai indiqué la gouttière : « Sevek, vas-y le premier

« — et fais attention à toi. Ça glisse avec la neige. Après toi, ça ira. »

Sevek a serré la gouttière dans ses mains gantées et s'est élancé dans le vide. La gouttière a grincé et a oscillé sous la tension.

« Ça va tenir ? ai-je demandé. C'est un vrai piège. »

Antek a haussé les épaules. « Papa Stas a promis de la fixer. Il va peut-être le faire la semaine prochaine s'il trouve les pièces. »

Il n'était plus temps de s'inquiéter. J'ai fermé les yeux et j'ai saisi la gouttière. Je la sentais bouger tandis que je descendais. Mon cœur s'est presque arrêté quand mes pieds ont touché le toit de la maison du ghetto. J'avais les mains en sang. J'ai fait un signe à Lutek et il a fait descendre les marchandises au bout d'une corde. Il est descendu lui aussi et Antek a disparu. Nous sommes entrés dans le grenier par la trappe.

« On ne peut pas rester ici, les gars ; on sera plus en sécurité dans la cave. » Nous avons descendu les escaliers avec nos sacs.

Dans la cave froide et humide nous avons dû nous blottir les uns contre les autres pour nous réchauffer. Nous étions épuisés et glacés, mais nous étions toujours en vie.

Et toi, Yankele ?

7

« Lutek, Sevek, venez, allons-y. »

Ils savaient où nous allions.

Tôt le matin, dès la fin du couvre-feu, nous avons couru vers la porte du cimetière.

« Attendez-moi là-bas. J'ai indiqué le café de Zalmen, au coin de la rue. »

En quelques minutes, une demi-douzaine de policiers polonais m'ont entouré.

« Hé ! Jacek ! Comment t'as fait pour revenir de l'autre monde ? T'as pas aimé le paradis ? On nous a dit que vous vous étiez tous fait descendre hier.

— Fermez-la ! ai-je crié en saisissant l'un d'eux. Allez vous faire voir, où est-ce qu'est Shmerl ?

— Il est par là, près de la porte. Mais pas ton copain Yankele, a remarqué un autre.

— Vous êtes des menteurs, tous ! »

Shmerl est apparu. « C'est vrai Jacek. »

J'ai frissonné d'horreur.

Shmerl m'a entraîné à part. « Yankele n'avait pas une chance mais je suis content que tu aies pu t'en tirer. Et les autres ?

— Ça va. » J'ai dit d'un ton sec : « Raconte-moi ce qui s'est passé.

— C'est très simple, a répondu Shmerl. C'est un

meurtre. J'étais ici. J'ai tout vu. Les *Yekes* ne l'ont pas eu tout de suite. Ils tiraient partout, tu te souviens ? Mais Yankele était malin. Il s'est laissé tomber à terre et a roulé dans les buissons. Les Allemands ont continué à tirer et Yankele s'est glissé derrière les tombes et a couru. Il zigzaguait entre les arbres et les tombeaux comme un cerf. Tu aurais dû le voir. Puis il s'est arrêté et a grimpé dans un arbre. Jusqu'en haut. Il avait semé cette bande de salauds. Mais seulement pour quelques minutes. Ils sont revenus avec des chiens.

» Je priais pour lui, a continué Shmerl. Mais les chiens l'ont senti. Ils hurlaient et aboyaient en essayant de bondir dans l'arbre. C'est comme ça que les Allemands l'ont repéré. " *Jude, komm herunter ! Laus ! Schnell !* " ont-ils crié. Yankele les a ignorés. Il s'est avancé sur une branche et a sauté dans l'arbre d'à côté. Il se balançait comme un singe. Ils ont ouvert le feu. Ils ont criblé l'arbre de balles et Yankele est tombé. Il a essayé de s'accrocher aux branches mais il n'a pas pu. Quand il a touché le sol, les chiens l'ont entouré. Ces salauds ont encore tiré et l'ont laissé pour mort.

» Je me suis précipité. Il était encore conscient. J'ai essayé d'arrêter le sang avec ma chemise mais c'était trop tard. J'ai essayé de lui dire que ce n'était pas grave mais il savait que c'était fini. " Schmerl, sa voix tremblait, dis à Jacek que je n'ai pas peur. Papa les tuera tous ! " Puis il est mort. Je te jure que j'ai fait tout ce que j'ai pu. »

« Yankele est mort, n'est-ce pas ? » a dit calmement Sevek tandis que je m'asseyais près de lui dans le café de Zalmen. Comme je ne répondais pas,

Lutek m'a posé un bras réconfortant sur les épaules.

Nous sommes restés longtemps à nous regarder en silence. Je ne savais pas comment nous allions annoncer la nouvelle à la mère de Yankele. Je n'arrivais pas à me décider. Finalement j'ai avalé un verre de vodka et je me suis levé.

« Allons-y maintenant et finissons-en. Ma tante Edzia connaît bien la mère de Yankele. On va lui demander de nous aider. »

La couche de neige était haute devant le 13 de la rue Ostrowska. Personne n'avait déblayé l'allée. La petite boutique d'une seule pièce au niveau de la rue avait été transformée en appartement avec une chambre, une cuisine et un salon, tout dans la même pièce. Les toilettes étaient dans l'arrière-cour.

La mère de Yankele semblait plus vieille et plus grisonnante que son âge et avait les jambes enflées. Elle était très maigre à cause de la sous-alimentation.

« Malade comme je suis, j'ai de la chance, a-t-elle dit en nous accueillant chaleureusement. J'ai la chance d'avoir un fils comme Yankele. Mais avec tellement de bouches à nourrir, ce n'est pas encore assez. Les Allemands ont déjà détruit ma famille. Mon mari est parti et mes enfants ne vont plus à l'école. Qu'est-ce qu'ils vont devenir ? »

Tout d'un coup, elle s'est arrêtée de parler et nous a regardés avec soupçon, tante Edzia, Lutek, Sevek et moi. « Qu'est-ce qui vous amène ? Qu'est-ce que c'est ? Où est mon Yankele ? Il y a quelque chose qui ne va pas ? Quelque chose est arrivé ?

— Soyez ferme et courageuse. » Edzia l'a prise dans ses bras. « Ils l'ont tué. Ils ont assassiné Yankele. »

Elle a poussé un cri déchirant et s'est évanouie. Quand elle a repris connaissance, ses hurlements hystériques ont attiré une foule de voisins dans l'appartement. Leurs yeux hostiles m'accusaient.

« Un cambrioleur finit avec une corde, un contrebandier avec une balle », a dit quelqu'un. La tension devenait insupportable. Je me sentais coupable.

Maman avait appris la nouvelle et quand je suis rentré, elle s'est mise à sangloter sans pouvoir se contrôler.

« Plus de contrebande, Izaakl. On ne mangera plus. On aura faim. On trouvera un autre moyen pour survivre. Tu ne dois pas offrir ta jeune existence à ces assassins. Toute la nuit, on ne s'est pas couchés et on a attendu ton retour. »

Le lendemain matin, les policiers ont ouvert les grilles du cimetière et ont compté ceux qui assistaient à l'enterrement de Yankele.

Shmerl m'a emmené dans la morgue et nous avons transporté ensemble le cercueil de bois clair. Shmerl s'était débrouillé pour avoir une tombe près du mur ouest, près de l'arbre marqué d'un Z, là où nous étions passés si souvent.

Alors qu'on s'apprêtait à descendre le cercueil, la mère de Yankele s'est totalement abandonnée à l'hystérie. Elle a frappé le cercueil avec ses poings et a parlé à son fils mort.

« Yankele ! *Mein teirer* Yankele, écoute maman. Je sais que tu vas au ciel. Tu le mérites. Personne ne le mérite plus que toi. Et quand tu seras arrivé, Yankele, s'il te plaît, fais quelque chose pour tes pauvres sœurs. Il faut qu'elles vivent. Il faut qu'elles deviennent belles et qu'elles trouvent de beaux partis, des maris *latishe.* Peut-être qu'on peut aussi soigner mes jambes enflées et mes reins. Aide-nous ! Aide-nous ! J'ai toujours été à ta charge, Yankele. Je suis encore à ta charge. »

Finalement, nous avons dû l'arracher au cercueil.

J'ai jeté la première pelletée de terre et j'ai dit au revoir à Yankele, mon ami d'enfance. J'ai dit au revoir à mon enfance elle-même.

8

En regardant la foule affligée qui quittait la tombe de Yankele, j'ai été surpris de voir Haim Benkart. Avant la guerre, ses exploits de gangster étaient devenus légendaires dans la rue Ostrowska. Avec l'arrivée des Allemands, il avait organisé un réseau de contrebande qui avait introduit quantité de marchandises dans le ghetto. Il avait toujours considéré que mon groupe et moi-même, nous étions une gêne et un obstacle ; il pensait que nos activités allaient augmenter la surveillance de la Gestapo et mettre en danger ses propres opérations dans le cimetière.

Une semaine seulement auparavant, il avait essayé de me faire peur pour que j'arrête.

« Hé, *Yatn*, petits cons, vous nous mettez tous en danger. Quand vous faites rentrer un sac, on en fait rentrer dix. Si vous vous faites prendre, le cimetière sera fermé pour tout le monde. » Il m'avait attrapé par les revers de ma veste et m'avait approché de son visage horrible et effrayant. « Reste en dehors de ça ! T'as compris ? »

Une demi-douzaine de voyous gardes du corps m'avaient entouré mais je m'étais efforcé de rester calme et de le regarder dans les yeux. « Tu veux te débarrasser de nous ? Tu n'as qu'à nous prendre comme associés. Nous aussi nous voulons manger. »

Il m'avait poussé par terre. « Petit malin ! Je te donne dix jours pour arrêter, et ce sera fini de rire ! »

Aujourd'hui, il était près de moi. « Pas de chance pour Yankele. C'était un bon petit gars, a-t-il murmuré. Mais tu es costaud et malin. Tu sais y faire. Tu peux venir avec nous ! Partenaire à part entière. Seulement toi, pas les autres *yatn*. Ce sont encore des enfants. Toi tout seul. C'est à prendre ou à laisser. »

J'ai senti le sang me monter au visage. Le grand Haim Benkart, le roi des contrebandiers, âgé de trente ans, deux fois plus que moi, m'offrait de devenir son associé à part entière.

J'ai dissimulé ma joie et je l'ai regardé dans les yeux mais je n'ai rien dit. L'offre était tentante. C'était un diplôme d'entrée dans la catégorie supérieure. Mais je ne serais plus qu'un membre dans un autre groupe. Si je continuais à travailler seul je ne pouvais pas en faire quelque chose d'important mais je serais au moins mon propre maître. Et je n'aurais pas à abandonner mes amis.

J'ai choisi l'indépendance.

Pour conserver l'unité de mon groupe, il fallait que je trouve quelqu'un pour remplacer Yankele.

J'ai emmené Hela et je suis parti à la recherche d'un garçon costaud, ayant l'apparence d'un aryen afin qu'il puisse passer de l'autre côté.

Première tentative — Salek Radomski, un ami de la chorale de la synagogue. Non, Salek ne risquerait pas sa vie tous les jours ; il gagnait sa vie en chantant dans les réceptions des nouveaux riches du ghetto.

Deuxième tentative — Shymekl Hochberg, un grand copain du quartier de grand-mère Masha. Pas de chance ; tué par une balle allemande alors qu'il escaladait le mur pour aller chercher de la nourriture.

Une autre idée — Jakub Katz, un copain d'école. Mort ; arrêté du côté aryen et torturé à la prison Pawiak. A quatorze ans, il n'était plus qu'un souvenir.

« C'est la dernière tentative, Hela, ai-je dit.

— Oh, Jacku, tout est si triste, s'est lamentée Hela. Rentrons à la maison. Je préfère lire et écouter papa parler d'histoire et de littérature.

— Je sais qu'il est en colère contre moi parce que je ne passe pas assez de temps avec ses livres, ai-je reconnu. Il a raison, tu sais. Ses livres, ses conférences, c'est notre collège. »

Elle m'a interrompu : « Alors rentrons, je suis si fatiguée.

— Non. Zut, encore une visite. Il faut que je trouve un garçon pour remplacer Yankele. Ça y est, je sais qui ! »

J'ai fait demi-tour. « Retournons rue Swietojerska. C'est exactement ce qu'il faut, il a des nerfs et quelque chose dans le ventre.

— Mais qui, qui c'est ? » Hela s'est mise à courir derrière moi tandis que j'accélérais l'allure sur le trottoir en zigzaguant pour éviter les derniers passants.

« Motek Grinberg, tu te souviens, mon camarade de classe, mon partenaire aux échecs ? Motek, le garçon avec des chaussures de vrai cuir et une sœur grande et belle, Mala. » Je marchais et parlais avec animation en tenant la main d'Hela.

Nous avons demandé aux voisins où était la famille Grinberg.

« Oh, les Grinberg, ils sont descendus dans cette cave », a répondu quelqu'un. « Leur grand appartement du second étage est maintenant occupé par deux familles de membres du *Judenrat* », a ajouté un autre voisin.

Nous étions en face d'une entrée de cave qui sentait l'humidité et j'ai frappé à la porte. Une vieille femme a sorti la tête.

« Qu'est-ce que vous nous voulez ? Allez-vous-en.

— Mais, madame Grinberg, c'est moi, Jacek », ai-je balbutié, embarrassé. Je n'étais pas sûr que c'était Mme Grinberg ; elle semblait si vieille, si grise, si abrutie.

Elle a ouvert un peu la porte et m'a observé en silence.

« Où est Motek ? Je voudrais lui parler.

— Oh ! Jacek. Et elle, c'est ta sœur Hela, je ne me trompe pas, c'est bien elle ? Mais entrez s'il vous plaît, entrez. » Elle nous a conduits à l'intérieur. « Je suis désolée, je ne vous avais pas reconnus. Tout est si confus, si embrouillé. »

J'étais abasourdi par ce que je voyais. La famille Grinberg, autrefois riche, vivait maintenant dans un sous-sol froid à l'odeur infecte. Pas de meubles, pas de chaises, rien qu'un banc cassé. Des vêtements qui avaient plutôt l'air de guenilles étaient accrochés à des clous plantés dans le mur. Et à la place d'une Mme Grinberg vive et élégante comme je m'en souvenais, se tenait devant moi une femme triste et négligée qui faisait le double de son âge.

« C'est gentil d'être venus, a-t-elle réussi à dire. Asseyez-vous, sur ce banc. C'est tout ce qui nous reste. On a dû vendre les meubles pour se nourrir et se chauffer. » Sa voix restait délicate et raffinée.

J'ai continué dans mon idée : « Et Motek, il est ici ?

— Motek ? Je pensais que vous saviez, je pensais que vous étiez venus présenter vos condoléances. » Elle respira profondément, désespérée.

« Motek n'est plus. La typhoïde. La semaine dernière ! »

Elle a commencé à sangloter. « Il repose quelque part dans une fosse commune. Oh ! Dieu, même pas une tombe pour y déposer une fleur, même pas une pierre pour y lire son nom. » Elle s'est assise près de moi et a essuyé les larmes qui coulaient sur son visage ridé.

« Où sont Shmulek et Mala ? a demandé Hela.

— Shmulek est au lit. » Mme Grinberg a désigné un coin fermé par un rideau. « C'est là qu'il fait le plus chaud. La typhoïde l'a tellement affaibli ! Et Mala. Mala est la seule lumière de ma vie. Elle est chez une amie du côté aryen. Elle a refusé de rester ici et de mourir à petit feu, aussi elle a passé le mur avec son amie. Je n'ai pas pu l'arrêter. Et pourquoi l'aurais-je fait ? Avec toutes les maladies et la faim comment aurais-je pu dire non ? Je n'ai pas eu de nouvelles d'elle pendant quelques semaines. Je pensais qu'elle était morte, arrêtée par la Gestapo. Puis j'ai reçu cette lettre. »

Elle m'a tendu une mince feuille de papier.

« Tenez, lisez cela. C'est quelqu'un qui me l'a fait passer clandestinement. »

Il n'y avait que quelques lignes, apparemment griffonnées à la hâte.

« Chère maman,

« Je suis saine et sauve à Praga. Nous faisons le ménage dans une famille chrétienne. Mais je ne sais pas combien de temps nous pourrons rester ici. Ils savent que nous sommes juives et ils ont peur de nous garder à cause des descentes de la Gestapo dans le voisinage. Nous partirons dès que nous aurons mis un peu d'argent de côté. Je resterai en contact. Halina t'assure de toute sa tendresse. Je vous aime tous,

« Mala ».

« Qui est Halina ?

— C'est l'amie de Mala. Tu devrais te souvenir d'elle, Jacek. Une grande fille avec des nattes blondes. Elle était à Swider avec nous tous les étés. »

J'ai cru que mon cœur allait cesser de battre. Je ne pouvais en croire mes oreilles. Halina ! Une fille de mon âge avec de grands yeux bleus et de longs cheveux blonds. Pendant des années nos familles avaient passé leurs vacances à Swider, une station estivale près de Varsovie. Mais l'été d'avant la guerre, alors qu'elle et moi avions tous deux treize ans, Halina avait semblé différente. Elle ne ressemblait plus aux autres filles grandes et maigres. Sa poitrine était plus ronde, ses lèvres attirantes et sa démarche provocante. J'avais moins joué au football avec les garçons et passé plus de temps avec Halina.

Nous nagions jusqu'au vieux pont de bois et nous nous cachions. C'est là que je l'avais embrassée pour la première fois, que je lui avais caressé les seins et ressenti son trouble. C'est là que nous avions décidé de nous rencontrer chaque samedi à la *deptak* de la rue Leszno, le lieu de promenade et de rendez-vous. C'est là que nous avions partagé nos peurs face à l'avenir, sur la possibilité d'une

guerre. C'est là que je l'avais entendue me dire :
« Je t'aime, Jacku. »

A la fin de l'été, les bombardements avaient
commencé. Nous ne nous étions jamais retrouvés à
la *deptak*. Et quand j'avais enfin pu aller chez elle,
tout ce que j'avais trouvé, c'est un immeuble
bombardé. Les voisins m'avaient dit que sa famille
s'était enfuie en province avant les bombardements.
Je n'avais pu découvrir rien d'autre à son sujet.

Maintenant, après tout ce temps, le son de son
nom était toujours aussi irrésistible. Est-ce qu'elle
se souviendrait de moi ? Serait-elle toujours aussi
belle ? Qu'est-ce que nous ressentirions quand nous
nous reverrions ?

C'était si bon de penser aux jours d'avant la
guerre. Cela avait l'apparence d'une autre vie.

Tout ce qui importait en ce moment c'était de
revoir Halina. Il fallait que je la retrouve au plus
vite.

J'ai recopié l'adresse de Mala qui était sur la
lettre et je l'ai rendue à sa mère.

« Je pourrai peut-être les aider, leur donner un
peu d'argent, ai-je dit. En attendant voici quelque
chose pour vous. Je lui ai glissé quelques billets
dans la poche de sa robe.

— Où as-tu eu tout cet argent ?

— Il faut lutter, madame Grinberg. Nous appre-
nons à lutter et à survivre ! »

Soudain, je me suis levé et je suis allé jusqu'au
rideau qui séparait la pièce en deux. Sans explications ni excuses, je l'ai tiré et je me suis avancé
jusqu'au grand lit.

— Shmulek, c'est toi qui es sous ces *shmates* ? »
J'ai tiré la couverture puante. « Viens, sors de là et
parle-moi. »

Il a descendu lentement son corps amaigri du lit,

comme un vieillard. Il avait un visage pathétique et la peau tirée et jaune.

Je lui ai dit : « Ecoute, tu as quatorze ans, seulement un an de moins que Motek. Il n'y a aucune raison pour que tu ne te joignes pas à nous. Ce que je peux faire, tu peux le faire. Mais d'abord, il faut que tu sortes de cette cave qui pue comme une tombe. Tu peux habiter avec mon ami Sevek. Il a ton âge, tu t'entendras bien avec lui. Il y a à manger chez lui et tu vas vite te remettre. »

Shmulek restait stupéfait. « Je veux retourner au lit, a-t-il bégayé. Je suis encore malade. »

Je l'ai attrapé par ses cheveux hirsutes et je l'ai regardé droit dans les yeux. « Il est temps de guérir. Et ne me dis pas non. »

Sa résistance faiblissait.

« Les Allemands t'ont écrasé. Avec nous, tu pourras lutter.

— Tu veux vraiment de moi ? a-t-il demandé.

— Oui. Alors, qu'est-ce que tu décides ? »

Un sourire s'est épanoui sur son visage. Il a regardé sa mère, Hela et moi.

Je lui ai tendu une main ouverte. « Tope là, camarade. Tu es mon partenaire. Habille-toi. »

Je me sentais mieux en quittant la rue Swietojerska ce soir-là. J'avais un nouveau membre dans ma bande et l'adresse d'Halina dans ma poche.

9

Le lendemain matin, j'ai dit au groupe : « A minuit, je vais passer le mur chez Stas pour essayer un nouvel itinéraire, une nouvelle *melina*. Il faut préparer cela avec soin. Je devrais rentrer dans un jour ou deux, aussi soyez patients. »

J'avais souvent utilisé le téléphone clandestin de Shmerl pour appeler le côté aryen mais je communiquais toujours en code avec Jadzia.

« Le petit Kowalski va mieux, il est prêt à partir.

— Est-ce qu'on pourra le faire sortir de l'hôpital lundi ?

— Lundi, ça ira. Mais s'il te plaît prépare-lui beaucoup à manger.

— D'accord. Merci d'avoir appelé. »

Mon groupe, ma sœur Hela comprise, m'a accompagné avant le couvre-feu dans la cave de la rue Nowolipki.

J'ai attendu là jusqu'à minuit. Puis je suis monté sur le toit et j'ai attendu l'arrivée d'Antek mais tout ce que je pouvais voir c'était le ciel bleu sombre avec des millions d'étoiles. J'ai rampé jusqu'à la gouttière pour l'examiner. Elle bougeait quand je la touchais. Elle était sale et percée de petits trous.

Mais j'ai pensé qu'on pouvait la fixer. Puis on

pourrait boucher les trous avec du plâtre ou des morceaux de caoutchouc. Mon esprit a commencé à mettre au point un projet fantastique. On pourrait relier cette gouttière avec une autre qui entrerait dans le toit de la maison qui donnait sur le ghetto. Ce serait un vrai pipe-line ! Tout ce qu'on verserait dans la gouttière du côté aryen descendrait directement dans le grenier de la maison du ghetto.

Oui, mais si la gouttière n'était pas propre ? De la nourriture sale valait mieux que pas de nourriture du tout. On pouvait verser de grandes quantités de grain — du blé, du riz, du sarrasin — dans le ghetto. Puis, l'idée m'est venue. Du lait ! Avec cette installation, on pourrait faire entrer du lait qui était introuvable dans le ghetto à n'importe quel prix. Des centaines de litres, des milliers de litres de lait pour les enfants.

Je divaguais dans le monde de mon imagination, je me sentais joyeux et victorieux. La Pologne et la France étaient vaincues, la Russie était à genoux, mon père et le *Judenrat* étaient battus. Pas moi.

Soudain, j'ai entendu un sifflement étouffé au-dessus. C'était Antek. J'ai fait un signe et il a laissé descendre une corde. J'y ai grimpé. Bientôt je me suis retrouvé dans sa cuisine, dans la partie aryenne de Varsovie.

J'ai cherché dans ma poche le petit morceau de papier avec l'adresse d'Halina. Le soleil ne se lèverait pas assez vite pour que j'aille la voir.

Je me suis réveillé très tôt le lendemain et je me suis précipité en bas dans l'appartement de Stas. Jadzia était déjà là et m'attendait. Nous sommes allés ensemble au Pod Kaczka. Le café était fermé le lundi et le vieux Maciek était parti rendre visite à ses petits-enfants. Jadzia rayonnait ce matin-là et elle le savait. Dans sa robe d'intérieur à moitié transparente elle était provocante et irrésistible.

J'ai pris mon petit déjeuner en essayant difficilement de contrôler le désir que j'avais de la prendre dans mes bras quand elle se penchait au-dessus de moi.

« Au fait, Jadzia, est-ce que ton père m'a acheté les marchandises ?

— Bien sûr, Jacku. Viens avec moi pour voir. »

Elle m'a conduit dans la cave et m'a montré plusieurs sacs de farine, de haricots et de sucre posés contre le mur. « Tout est pour toi, Jacku — moi aussi. » Elle a déboutonné sa robe et s'est tournée vers moi, absolument nue.

Ma résistance s'est effondrée quand elle a collé son corps contre le mien. Elle était si chaude et si douce, ses seins, ses lèvres. C'est ainsi que sur le vieux sofa, nous avons partagé notre plaisir tandis qu'elle me déshabillait lentement. Elle a exploré mon corps avec sa langue, caressé mon sexe avec des baisers légers comme des papillons. Je l'ai prise jusqu'à ce qu'elle soit immobile entre mes bras.

« Quel dommage que tu sois juif, Jacku. Mais tu ne l'es peut-être pas vraiment. La plupart des Juifs sont bruns, mais tu as les cheveux clairs comme moi. »

J'ai souri et je lui ai montré mon sexe. « C'est vrai. Mais regarde, je suis juif parce que *tous* les Juifs sont circoncis. »

Nous avons ri tous les deux et elle m'a embrassé encore et encore.

« Jadzia, il faut que je parte maintenant. Il faut que je trouve quelqu'un à Praga. Dis à ton père que je reviendrai ce soir. Dis-lui que je prépare quelque chose. Quelque chose d'énorme. »

Jadzia n'a pas posé de questions. Elle m'a conduit

doucement jusqu'à la porte de derrière. « Fais attention Jacku, c'est très loin Praga. La Gestapo et les *szmalcowniki* sont partout. S'il te plaît, sois prudent. Et reviens vite. »

Au milieu de l'après-midi, j'étais devant la porte d'une villa confortable dans la rue Grochowska à Praga. J'ai tiré la cloche. Une jeune femme, la tête couverte d'un fichu, a mis le nez à la fenêtre. J'ai souri et je lui ai fait signe d'ouvrir la porte. Elle ne l'a ouverte qu'à moitié.

« Mala, c'est moi, Jacek, Jacek Eisner. »

Elle m'a refermé la porte au nez et m'a regardé à nouveau par la vitre.

J'ai griffonné quelques mots à propos de sa mère et j'ai glissé le papier sous la porte. Quelques instants plus tard, j'ai entendu la chaîne tomber du loquet.

Elle m'a fait signe de la suivre jusqu'au sous-sol et elle a refermé la porte au verrou. Puis elle s'est retournée et m'a regardé de bas en haut.

« C'est toi, Jacek, le camarade de classe de Motek ? Je te reconnais à peine. Tu as tellement grandi. Et dans ces vêtements tu as l'air *goyish*, un vrai chrétien. J'avais peur de te laisser entrer.

— Tu as appris à être prudente, ai-je dit. J'ai pris des risques en venant. Ta mère m'a dit que tu étais avec une amie.

— Halina. Elle va bientôt rentrer. »

Je l'avais vraiment retrouvée !

« Jacek, tu ne peux savoir comme nous nous sentons seules ici. C'est si bon de te voir. Comment va ma famille ? Raconte-moi tout.

— Ils ont froid et faim, mais ils vont bien. Ils ont eu la typhoïde. Il y en a beaucoup dans le ghetto.

— Mais maintenant, ils vont bien ? a demandé Mala.

— Tous, sauf Motek. » Je lui ai pris les mains.

— « Qu'est-ce que tu veux dire ?

— Mala, Motek est mort. »

Elle est restée à me regarder pendant quelques instants.

« Ces salauds d'Allemands, a-t-elle crié. Cette saleté de guerre ! Quand est-ce que ça finira ? Pourquoi est-ce que tu m'as apporté ces nouvelles ? »

Mala s'est éloignée de l'autre côté de la pièce.

« Je faisais des rêves, a-t-elle continué. J'espérais stupidement que cette misère finirait bientôt. Et tu es venu et tu as tout détruit. Pauvre Motek. Oh ! A quoi ça sert ? Nous sommes tous condamnés, je le sais. »

Je suis allé près d'elle.

« Ecoute Mala. Si quelqu'un peut survivre dans ta famille, c'est toi. Tu as l'air d'une chrétienne et cela te sera plus facile parce que tu es une fille ; tu n'es pas circoncise. Mais il te faut de la volonté et de la force. Je suis venu t'aider, mais tu dois d'abord t'aider. »

J'ai pris une liasse de billets dans ma poche. « J'ai compris d'après ce que m'a dit ta mère que tu dois partir d'ici. Cela t'aidera à trouver une autre cachette. »

Quelqu'un a frappé doucement à la fenêtre.

« C'est Halina. » Mala a monté l'escalier en courant jusqu'à la porte.

Halina est entrée dans le sous-sol et s'est arrêtée tout d'un coup. Il était évident qu'elle m'avait reconnu.

Je restais là, pétrifié. C'était la même Halina que celle que j'avais connue mais avec deux ans de plus,

plus mûre, et d'une beauté saisissante. Ses cheveux blonds lui tombaient librement sur les épaules. Sa peau semblait transparente.

Nos yeux se sont rencontrés.

« Jacku ! C'est toi ? a-t-elle dit enfin. C'est vraiment toi ? Je pensais que je ne te reverrais jamais.

— Vous vous connaissez ?

— C'est celui dont je t'ai parlé, Mala. Le garçon que j'aimais à Swider. »

Je lui ai pris les bras et je l'ai embrassée. Puis j'ai reculé et je l'ai regardée à nouveau. « Halina, je ne peux pas le croire. »

Mes yeux ravis allaient ici et là. Elle était à peu près de la même taille que moi et était devenue une belle femme, mais son sourire restait innocent et elle n'ouvrait les paupières qu'à demi, ce qui donnait un léger embarras à son regard.

« Je t'ai cherchée après les bombardements. Tes voisins m'ont dit que tu étais partie. Ils ne savaient pas où. »

Mala s'est éclipsée discrètement en nous laissant.

« Jacku, tant de choses sont arrivées. Cela a été horrible...

— Ne parle pas Halina. Ne dis rien. Laisse-moi te tenir dans mes bras. »

Dans le sous-sol faiblement éclairé, sa chaleur et sa présence me mettaient la joie au cœur. Ses caresses et son parfum se répandaient dans mon corps en longs frissons.

« Oh ! Jacku, a-t-elle ajouté, tout ce que nous avons toujours connu et aimé a disparu.

— Je sais Halina. Il ne reste que la folie. Mais dis-moi, comment vont tes parents ?

— Je ne sais pas. Nous sommes allés à Wyszkow parce que mon père pensait que nous y serions plus en sûreté. Puis un jour, les Allemands sont arrivés ;

87

ils ont fait une sélection et nous avons été séparés. On m'a renvoyée à Varsovie. Je ne sais pas ce qui leur est arrivé. Je ne les ai jamais revus.

— Tu veux dire que tu étais dans le ghetto et que tu ne m'as pas contacté ?

— J'ai essayé de te retrouver. Je t'ai cherché. Mais j'ai entendu dire que tu étais du côté aryen.

— Oui, j'étais chez un ami chrétien de mon père.

— De toute façon, le ghetto était si horrible. » Elle a continué son histoire comme si elle ne pouvait plus s'arrêter. « Je suis restée chez un cousin jusqu'à ce que les Allemands l'envoient au travail obligatoire. Je n'avais nulle part où aller. J'avais faim et j'étais seule. Un jour, j'ai rencontré Mala et elle m'a emmenée chez elle. Mais Jacku, tu ne croirais pas comment ils vivaient. Tout le monde était malade et avait faim. C'était affreux. Alors, Mala et moi, nous avons décidé de partir par n'importe quel moyen. Nous n'avions pas d'argent mais nous ne pensions qu'à nous en aller. Nous avons imaginé que nous pourrions trouver du travail du côté aryen dans une famille chrétienne.

» Et c'est ce que nous avons fait. Nous avons eu de la chance. Mme Laskowska nous a prises toutes les deux et nous sommes restées ici depuis. Le dimanche nous allons à l'église et parfois nous allons faire le marché. Ça ne s'est pas trop mal passé. Ils savent que nous sommes juives et ils l'acceptent. Mais cela devient plus risqué chaque jour. Les Allemands viennent d'arrêter des Juifs cachés chez des chrétiens et ils les ont tous déportés à Auschwitz. »

Halina a continué sans s'arrêter. « Mme Laskowska nous a déjà demandé de partir deux fois, mais nous avons pleuré et nous l'avons suppliée et chaque fois elle a eu pitié et nous a permis de rester. Depuis sept heures ce matin, j'ai cherché un travail dans les villages des environs. Mais partout où je suis allée, on m'a demandé une *Kennkarte,* tu sais, une carte d'identité. J'ai peur que ce soit sans espoir.

— Ce n'est pas sans espoir, ai-je dit. Je peux vous aider. C'est pour cela que je suis ici. Ecoute, à partir de maintenant, les choses vont se passer différemment. Vous allez trouver une autre cachette dans un autre faubourg. Et assurez-vous que Mme Laskowska ne sait pas où vous êtes parties. Les Allemands pourront lui poser des questions. »

Mala est revenue. « Mme Laskowska va rentrer d'une minute à l'autre. Je pense qu'il vaudrait mieux que tu partes, Jacek. »

Halina et moi, nous nous sommes étreints une dernière fois. J'ai serré son visage contre le mien.

« Jacku, quand est-ce que je te reverrai ? Comment ? Oh ! Mon Dieu ! C'est comme dans un rêve !

— C'est comme dans un rêve pour moi aussi, Halina. Je n'arrive pas à croire que tu existes vraiment et que je t'ai retrouvée. »

Je lui ai donné l'adresse codée de Franek et celle de Maciek. « Tu peux avoir confiance en eux. Ils sauront comment me joindre. L'argent que j'ai donné à Mala ne va pas durer longtemps mais j'en apporterai plus la prochaine fois. Je te le promets, ce ne sera pas long. »

Je les ai embrassées toutes les deux et je suis allé vers la porte.

« Mala, ai-je ajouté, ne t'inquiète pas pour ta famille. Shmulek fait partie de ma bande. On va faire payer ça aux Allemands. On survivra. »

10

« Ecoute un peu, toi le grand héros, a crié
Maciek. On se charge des sacs de nourriture et tu
disparais. Tu choisis notre meilleur jour pour venir
chercher les marchandises et tu vas te balader dans
Varsovie. Qu'est-ce qui va pas ?

— Ne crie pas, grand-père. Sois gentil. Je suis
revenu, non ? Et tout a bien marché. »

Je lui ai expliqué mon plan.

« On va les avoir, papa Maciek ! On pourra
même verser du lait dans la gouttière. Du lait !
Qu'est-ce que tu dis de ça ? »

Maciek m'a donné une grande claque dans le dos.
« Christ ! Sacré gosse ! Jadzia, apporte la vodka. Et
vite. On va voir Stas. Attends un peu qu'il apprenne
la dernière. »

Il m'a versé un verre de vodka. « Et maintenant,
qu'est-ce qu'on fait des sacs qui sont dans la cave ?

— Je vais en prendre quelques-uns ce soir. Mais
il faut que Stas fixe la gouttière et je voudrais qu'il
installe une corde qui aille jusqu'au toit. »

Nous avons bu à notre succès et Jadzia m'a
murmuré à l'oreille : « Que Dieu te protège, diable
à cornes. »

En quelques minutes j'ai exposé mon plan à Stas.

« C'est excellent, a-t-il dit. En fait j'avais la même idée, mais il n'y avait personne de l'autre côté en qui je pouvais avoir confiance. »

Il m'a promis que les réparations seraient terminées en quelques jours. « Mais souviens-toi, le prix c'est toujours trois cents le sac. Peu importe le nombre, pas de réduction. »

En fin de semaine, tout était installé. Nous avions découvert un petit appartement près du grenier. Ce serait notre camp de base dans le ghetto. Nous avions à trouver un autre endroit pour reloger le vieux couple de réfugiés viennois que nous déplacions mais la coquette somme qu'ils ont reçue était une compensation supérieure au dérangement.

Le vendredi après-midi, comme convenu, j'ai reçu un coup de téléphone codé de Jadzia. Hela, la bande et moi-même, nous nous sommes préparés pour le lundi.

J'ai donné mes instructions : « Nous avons besoin de vingt mille zlotys et de beaucoup de sacs et de corde. Et souvenez-vous, les mecs, si c'est nécessaire servez-vous de vos couteaux à cran d'arrêt de la Luftwaffe. Lutek, c'est toi qui dirigeras quand je serai parti. »

Le dimanche soir, Sevek et moi, nous sommes passés par le toit. Avec l'aide de Maciek, nous avons passé toute la journée du lundi à préparer plus de dix sacs de marchandises.

Après la tombée de la nuit, nous avons transporté les sacs de cinquante kilos dans le grenier d'Antek. A minuit, nous les avons rapidement hissés sur le toit jusqu'à la gouttière. J'ai essayé de voir dans l'obscurité si elle entrait bien dans le toit du grenier du ghetto, à trente pieds en dessous. C'était impossible mais Stas m'avait assuré que tout était en ordre.

Sevek et moi, nous avons ouvert le premier sac et nous avons commencé à le déverser. Nous avons commencé avec le sarrasin afin de pouvoir suivre le bruit. J'attendais un signe d'en bas. Rien pendant une minute, puis un vasistas s'est ouvert dans le toit. Une ombre est sortie et a fait un geste. Le sarrasin était bien arrivé.

Nous avons vidé les sacs les uns après les autres dans la gouttière. Nous avons fini vers trois heures du matin et nous nous sommes endormis dans la cuisine d'Antek. Le mardi nous sommes allés acheter d'autres provisions. Pendant toute la journée, je me suis inquiété pour Lutek et pour Shmulek : est-ce qu'ils avaient tout fait comme prévu ? Est-ce qu'ils avaient mis les sacs en sûreté dans la planque ? Est-ce qu'ils avaient vendu la nourriture ?

Mendel Bonk, mon contact avec les revendeurs au marché noir de Smocza, était d'une grande aide. Pour un petit prélèvement, il raflait la nourriture en mettant les plus hautes enchères. J'ai vite découvert que les revendeurs se répartissaient les livraisons. Ils transportaient la nourriture dans des charrettes à bras, camouflées à différents points près du ghetto et là, elle était vendue dans des étals et des boutiques.

La seconde nuit tout est allé beaucoup plus vite. Nous étions plus efficaces et moins anxieux. Nous avons payé Maciek, Stas et Antek pour leurs services et nous nous sommes préparés à partir. Dès que le dernier sac a été vidé, nous sommes descendus dans la maison du ghetto. Hela, Lutek et Shmulek nous ont accueillis avec joie. Nous jubilions tous ; nous ne pouvions contenir nos sentiments de triomphe.

Jour après jour, la contrebande est devenue une routine. Mon principal souci était la sécurité. J'estimais que nous avions besoin de toutes les protections possibles, aussi j'ai suivi le conseil de Maciek et j'ai inscrit les policiers polonais sur mes registres de comptes.

Bientôt nous avons fêté la première livraison de lait frais dans le ghetto. Plus de vingt énormes bonbonnes en verre. Grand-mère Masha y mettait ses conserves de fruits pendant l'été. Maintenant, elles contenaient du lait pour les bébés et les enfants affamés du ghetto. Nous avons offert tout le lait du premier jour à l'infirmerie. Notre entreprise marchait bien. Au moins trois fois par semaine, Sevek et moi, nous nous faisions passer pour des chrétiens de Praga et nous allions nous promener dans les quartiers aryens de Varsovie pour acheter, empaqueter, soudoyer.

De temps en temps un *szmalcowniki* m'arrêtait. J'avais peur, mais avec de l'argent on se débarrassait généralement d'eux. Parfois cependant, si la rue était déserte, je les entraînais dans une cour, je sortais mon couteau à cran d'arrêt et je faisais une peur bleue à leurs âmes antisémites.

Nous étions devenus des contrebandiers de haute volée.

11

« Jacku, tu risques ta vie chaque fois que tu viens me voir, a dit Halina. Et je deviens folle à attendre ici. Je ne fais que m'inquiéter pour toi. Je ne peux penser à rien d'autre. Laisse-moi aller dans le ghetto avec toi. S'il te plaît. Ce sera plus intelligent que de rester ici. »

Au lieu de répondre, je l'ai embrassée. L'amour que nous avions ressenti l'un pour l'autre autrefois s'était ranimé. Mais il était maintenant plus profond. Nous avions des baisers brûlants et des étreintes désespérées. Le danger continuel dans lequel nous étions et les longs intervalles qui séparaient mes visites rendaient plus intense notre passion et nous mesurions le temps par le besoin que nous avions l'un de l'autre. Les jours de séparation nous semblaient sans fin.

Cependant je ne voulais pas ramener Halina dans le ghetto. J'avais un autre plan. Je me suis souvenu que l'ami de mon père, Franek, m'avait offert de me cacher avec Halina dans sa maison de campagne à Milanowek. Si je pouvais y conduire Mala et Halina, à seulement vingt-cinq kilomètres de Varsovie, ce serait la solution la plus sûre. Plus tard, Hela et moi pourrions les y rejoindre.

Et j'ai contacté Franek. Il était heureux de pouvoir m'aider et m'a promis que le sous-sol de la maison serait prêt dans dix jours.

Tout semblait simple et avait l'air de s'arranger très bien. Mais je n'étais pas heureux. Au plus profond de moi, abandonner le ghetto me mettait mal à l'aise. Je me sentais lâche de me mettre à l'abri tout seul en abandonnant mes parents, ma grand-mère Masha, mes cousins, ma bande.

Avec ma mère, cela a été encore pire : « Si nous avons faim, nous aurons faim ensemble, a-t-elle crié. Si nous sommes malades, nous serons malades ensemble. Comment peux-tu parler de t'en aller ? Au moins ici, on sait à quoi ça ressemble. Qu'est-ce que tu sais de Milanowek ? »

Chacune de mes explications faisait jaillir un torrent de larmes. Maman était inconsolable. J'ai essayé de me convaincre que mes plans marcheraient, que je m'arrangerais à vivre du côté aryen sans pour autant abandonner ma famille. J'étais déchiré mais les choses étaient lancées.

La cachette était prête. Un jeudi soir, Halina et Mala ont pris secrètement un train pour Milanowek. Il était prévu que Hela les rejoindrait le dimanche.

J'ai dit à Hela : « Il y a encore une chose que je dois faire. Il faut que j'aille rue Wolska chercher une nouvelle paire de bottes. Encore une expédition et les bottes, et puis adieu la contrebande, adieu le groupe. Papa pourra prendre les bottes que je porte. Elles sont encore en bon état.

— Il m'enlève ma seule fille, ma Hayele et il ne pense qu'à ses bottes, a gémi maman.

— Merci Jacek, a bredouillé papa. Mais qu'est-ce que tu veux que je fasse avec des bottes de fantaisie ? *Es past nisht.* Pour toi, c'est très bien. Tu es un combattant, un rebelle. Mais pas pour moi. J'appartiens à une autre génération.

» Je sais ce que tu penses de nous, a continué papa. Tu penses que nous sommes des défaitistes. Cet ennemi est là pour nous exterminer et tu veux le combattre à mains nues et mourir en héros. Mais on n'a pas élevé les Juifs pour être des héros. Tout d'abord, nous devons survivre. Tu dis que les Nazis sont différents. Je suis d'accord. Mais toute l'Europe s'est effondrée devant ce peintre en bâtiment autrichien, alors qu'est-ce que *nous* pouvons faire ? »

Il a posé les mains sur mes épaules. « Mon fils, fais ce que tu crois devoir faire. Mais n'attends pas que moi ou les gens de ma génération, nous changions. Nous sommes le résultat de deux mille ans d'exil. » Il me regardait avec un mélange de fierté et de résignation.

Hela essayait de consoler maman : « Nous reviendrons, nous vous rendrons visite une fois par mois peut-être. Nous reviendrons, maman, tu verras. »

Le lendemain matin, l'atmosphère du marché Kiercelak m'a inquiété. Des rumeurs parlaient de rafles de la Gestapo et on voyait des chasseurs de Juifs partout. A midi, j'ai décidé de quitter le marché.

« *Huj Wam w dupe,* allez vous faire voir, bande de salauds ! » ai-je lancé d'un ton sec à deux de mes fournisseurs habituels. « Vous avez perdu la tête avec vos prix. Je le jure par le Christ et par la Vierge de Czestochowska, je ne vous achèterai rien, absolument rien !

L'un d'eux m'a répondu : « Mais Jacku, par les

plaies du Christ, tu peux nous croire. Avec toutes ces rumeurs de descente de la Gestapo, il n'y a presque rien de disponible. Il y a sûrement déjà des agents de la Gestapo ici. Les revendeurs n'ont rien livré aujourd'hui. Pourquoi est-ce que tu n'attends pas quelques jours ? »

Je me suis tourné vers Sevek qui venait d'acheter une bouteille de vodka et deux salamis : « Ça pue sur ce marché. Fichons le camp et allons chercher les bottes. »

Nous avons pris un trolley pour la rue Wolska, chez M. Kowalczyk, le vieux maître cordonnier. Rien n'indiquait sa boutique. Kowalczyk était spécialisé dans les bottes d'officiers et il obtenait tout son cuir au marché noir. Un client devait être recommandé avant qu'il n'accepte ou même ne négocie une commande.

Maciek m'avait recommandé et mes bottes étaient prêtes. Il a craché sur le cuir et l'a frotté avec sa manche jusqu'à ce qu'il brille. Des outils, des clous, des chevilles de bois et des morceaux de cuir étaient dispersés sur les tables basses. On ne voyait aucune machine.

« Entièrement faites à la main, a lancé Kowalczyk, et sais-tu, gros malin de fils de pute, que ça nous a pris à moi et à mon aide une semaine entière à douze heures par jour, pour finir une seule paire ? »

Je les aimais. Il y en avait une paire pour moi et une autre pour Lutek.

« Et moi alors ? s'est plaint Sevek. Quand est-ce que j'aurai les miennes ? »

Kowalczyk les lui a promises pour dans un mois. « Patience, jeune homme. Cela prend du temps. » Il a enveloppé les bottes dans un vieux sac. Je l'ai payé et nous sommes partis.

C'est arrivé quand nous nous dirigions vers le trolley. Deux jeunes voyous armés de couteaux se sont jetés sur nous.

« *Zydy parchy* ! Juifs parasites, fermez-la et faites ce qu'on vous dit !

— Hé ! Jésus-Christ, je vais chier dans mon froc ! » Je m'imaginais qu'il s'agissait du genre de racketteurs auxquels j'avais déjà eu à faire. « Qu'est-ce que vous voulez ? Allez, on va discuter. »

J'ai senti le couteau sur ma veste. L'un d'eux a murmuré : « Je t'ai dit de fermer ton claque merde ! Maintenant descendez près du mur et tournez à droite au coin. Allez-y ! »

Effrayés, nous avons suivi les ordres. Nous avons tourné au coin et nous nous sommes trouvés nez à nez avec un policier polonais qui nous a poussés dans une ruelle.

Le policier nous a donné l'ordre de vider nos poches. J'ai compris que nous avions été suivis depuis le marché Kiercelak et peut-être même depuis chez Maciek.

J'essayais désespérément de négocier un arrangement tandis que je sortais mon argent. Mais aucune chance. Les voyous nous ont frappés et le policier nous a insultés : « Bande de singes, vous devez rester dans le ghetto, a-t-il dit, et pas venir ici manger notre pain. »

J'ai crié : « Par le Saint-Esprit ! Jésus-Christ ! Qu'est-ce que vous voulez, les mecs ? Je vous le dis, vous vous trompez. Nous sommes autant catholiques que vous. Pourquoi est-ce qu'on ne parle pas affaires ? » Ils m'ont ri au nez.

« On va les mettre à poil, ces petites vermines et on va leur inspecter leurs queues de Juifs », a dit un des voyous.

Je bouillais de rage. En un éclair, j'ai sorti mon cran d'arrêt et j'ai attrapé le flic stupéfait. Je m'en suis servi comme d'un bouclier en lui tenant la lame sous le menton.

« Bande de salauds ! Vous êtes allés trop loin ! Sevek, prends l'argent et les bottes. »

J'ai entraîné le policier dans la ruelle.

« Laissez tomber ou la tête de chou de ce fils de pute antisémite va rouler par terre ! Vite ! je rigole pas ! »

Les voyous sont restés immobiles, le butin et les couteaux à la main. Je me suis adressé au flic.

« Vas-y ! Parle-leur si tu tiens à ta peau ! »

J'ai relâché mon étreinte sur sa gorge.

« Faites ce qu'il dit, les gars. Il est capable de le faire. *Rodacy.* Que le Christ vous bénisse de m'avoir sauvé la vie. »

Les voyous ont donné l'argent à Sevek.

« T'es très malin, *Zydki,* a bégayé le flic. Faisons un compromis. Tu gardes l'argent, je garde les bottes. Et on te laisse partir. Qu'est-ce que tu en penses, *Zydki* ? Ça marche ?

— Je devrais te couper ta gorge de merde. Le Christ m'est témoin, tu le mérites. Mais ça marche — si tu fais ce que je te dis. »

L'incident n'avait pris que quelques minutes. Soudain, une patrouille allemande est passée au bout de la ruelle. Quand les gendarmes ont regardé vers nous, j'ai poussé le policier de toute ma force. Il s'est affalé dans ses complices. Et tous trois se sont cognés dans les Allemands en hurlant.

J'ai attrapé Sevek par le bras et je l'ai entraîné au fond de la ruelle.

« *Jude ! Jude ! Jude !* »

Des coups de feu ont déchiré le silence.

Nous avons traversé une cour. Sevek prenait du retard. Je lui ai fait signe du bras et il a accéléré.

Un immeuble.

Vers le toit.

Maintenant, il y avait des bruits de pas et des voix polonaises et allemandes.

Nous étions sur le bord du toit et Sevek était pétrifié.

« Qu'est-ce qu'on fait maintenant ? » a-t-il demandé.

J'ai regardé en bas. « Il faut qu'on atteigne le toit en dessous. »

Sevek s'est reculé. « C'est pas possible. On va se tuer.

— C'est la seule issue.

— Je peux pas, Jacku, je peux pas.

— Si, tu peux. Il faut que tu sautes. » Je l'ai attrapé et secoué. « Je vais y aller le premier. Tu me suivras. Tu m'entends ? »

Sevek tremblait. « Tout ce que tu veux, Jacku. Mais tiens, prends l'argent. »

J'ai fourré les liasses dans ma chemise et j'ai sauté. Je suis tombé en avant et j'ai hurlé de douleur. La paume de ma main droite et mon pouce étaient écrasés et en sang. J'ai entendu des coups de feu. Les Allemands avaient commencé à tirer. Sevek a sauté et s'est étalé à côté de moi. Il ne pouvait plus se lever. Sa jambe droite saignait.

« Vas-y, Jacku, vas-y ! J'ai la jambe cassée. Vas-y !

— Non, merde ! Si tu restes ici, t'es perdu. Ils vont être en haut dans une minute. Viens », ai-je hurlé et je lui ai agrippé le bras. J'ai descendu la pente du toit en rampant sur les mains et les genoux et en tirant Sevek.

— Voilà, Sevek, on va se laisser glisser en bas, tu vas y arriver, il faut que tu essaies... »

Une pluie de balles a traversé le toit. Sevek a hurlé. Encore des balles, encore des cris en allemand, encore du sang, encore de la fumée. J'ai vu un corps ensanglanté glisser sur le toit.

J'ai crié : « Sevek ! Sevek ! » Je me suis laissé glisser en tenant la gouttière. Mes mains étaient en sang, mes vêtements déchirés et mon cœur criait : « Sevek ! »

Je suis descendu dans la rue, Sevek aussi. Son petit visage rond s'est écrasé sur le pavé. Ses vêtements en sang et ses membres tordus ont rebondi. Puis le sang a coulé.

Je me suis couvert le visage de mes mains sanglantes et je me suis collé contre le mur.

Je hurlais de façon hystérique : « Sevek, Sevek... »

J'ai entendu des bruits, des gens criaient, couraient, me poussaient pour passer. J'ai été pris de panique. Mes instincts ont repris le dessus. J'ai suivi le mur sur le trottoir et j'ai traversé la rue. J'ai vu un tramway. J'ai couru. Je l'ai attrapé au vol. Je me suis mis en boule sur la plate-forme et j'ai fait semblant d'être saoul.

Le bruit des tirs des pistolets mitrailleurs, les derniers cris de Sevek résonnaient dans mes oreilles. J'ai essuyé le sang de mes mains et j'ai sangloté.

J'ai senti des bottes qui me cognaient dans les côtes. C'était le conducteur. Je l'ai entendu dire : « Hé ! Ivrogne, *alembik,* clochard, descends au prochain arrêt. » Il m'a jeté du tramway à coups de pied.

J'ai marché, j'ai couru jusqu'à ce que je trouve un bar où j'ai commandé une double vodka et je me suis éclipsé aux toilettes pour me laver. Une autre vodka m'a donné le courage de repartir. J'ai payé le garçon et j'ai descendu la rue Okopowa.

Ma tête s'est vidée pendant un moment. J'ai oublié ce que je faisais, où j'allais. Je voyais le corps de Sevek criblé de balles, allongé sur le trottoir. Je voyais son visage écrasé. J'ai continué à marcher. J'étais hébété. Je ne pouvais m'arrêter de trembler.

Au loin, j'ai aperçu la maison de Maciek. Tout ce que je voulais c'était aller dans la chambre de Jadzia, m'enfermer avec une bouteille et dormir.

Mais une ombre m'a arrêté. C'était Stas. Il m'a tiré par la manche et m'a fait signe de le suivre.

« Pas maintenant, Stas. Laisse-moi tranquille. Je vais chez Maciek.

— Pour l'amour du Christ, Jacku, ne dis rien. Ecoute et suis-moi. Tu es en danger comme moi. Nous le sommes tous. Quelqu'un a vendu l'organisation.

» Ils ont emmené le vieux Maciek en voiture ce matin. Ils l'ont battu à mort et ils ont mis Jadzia en prison. Les agents de la Gestapo sont encore dans le bar, ils attendent que tu te montres. Ils ont saisi toute la marchandise, peut-être plus de dix sacs. »

J'étais abasourdi. « Stas, ne te moque pas de moi. Dis-moi la vérité ou je te préviens...

— C'est vrai, je le jure sur le Saint-Esprit. Dieu m'est témoin. Je sais que tu n'es pas un mouchard. Mais si la Gestapo te torture, qui sait ? Tu peux nous donner tous.

— Salauds de *mosrim,* mouchards, fumiers. Attends que je leur mette la main dessus. » A ce moment-là, j'aurais pu tuer.

Nous avons atteint le cimetière chrétien et nous nous sommes dirigés dans un coin sombre.

« Jacku, nous avons enlevé la gouttière, a continué Stas. Ces salauds d'Allemands ne nous auront

102

pas ce coup-ci. Antek et moi, nous allons chez mon frère à Powazki jusqu'à ce que l'affaire se calme. Je t'en supplie, Jacku, s'il te plaît ne nous joue pas un sale tour. Et ne nous mets plus dans le coup à l'avenir. »

Nous avons quitté le cimetière dans des directions opposées.

Complètement désespéré, je me suis dirigé vers le centre de la ville, vers la foule, là où je pouvais m'asseoir en sûreté à la terrasse d'un café pour réfléchir. Je suis allé chez Gogolewski, dans le boulevard Jerozolimskie et j'ai commandé un thé. Je me suis assis dans un coin et j'ai fait semblant de lire un journal. Des milliers de pensées me traversaient l'esprit. Maciek et Jadzia avaient des ennuis. Mais qu'est-ce qui était arrivé à Lutek et à Shmulek ? Si c'était vraiment un coup monté, la Gestapo irait dans le grenier et les arrêterait.

J'ai quitté le café et je me suis précipité dans le bureau de poste voisin. J'ai envoyé une lettre codée à Halina l'avertissant de ne pas quitter la maison jusqu'à ce que je lui donne des nouvelles.

Il ne restait que quelques heures avant le couvre-feu. Le trolley était le moyen le plus rapide pour rentrer dans le ghetto. J'ai pris une grande respiration et j'ai sauté dans la dernière voiture.

A l'entrée du ghetto comme d'habitude, un flic polonais et un gendarme allemand sont montés et le tramway est entré dans l'espace emmuré. J'ai regardé le flic droit dans les yeux et j'ai attendu une réponse. Il restait raide et fier, sans réaction.

La rue Leszno puis la rue Karmelicka ont disparu derrière nous. Je faisais semblant de m'amuser à traverser le « zoo ». Soudain, j'ai entendu le flic qui murmurait : « Est-ce que tu es juif ? »

Sa voix était rassurante aussi je lui ai tendu un pourboire et j'ai sauté. Puis j'ai vite tourné au coin de la rue Dzielna, je suis entré dans la ruelle Nowolipki et j'ai regardé les toits autour de moi. Tout semblait normal.

J'ai grimpé les escaliers jusqu'à l'appartement sous les toits. Tout était fin prêt pour la livraison. Les garçons avaient aligné sur le sol plus de vingt bonbonnes. Je les ai rangées et j'ai recouvert tout ce qui pouvait nous trahir.

Lutek et Shmulek sont arrivés au moment où je m'apprêtais à partir. Je leur ai fait signe de ne pas parler mais de sortir en vitesse en emportant tous les sacs. Ils ont obtempéré. Ils savaient que quelque chose n'allait pas. Pas un n'a soufflé mot. Nous avons tout chargé et nous sommes partis. Je leur ai raconté le coup monté et toute cette saloperie d'affaire.

Ils n'arrêtaient pas de demander : « Et Sevek ? »

J'évitais la question. Et, soudain, la réponse a jailli de moi.

« Sevek est rue Mlynarska. Il a le cerveau éclaté. Sa tête est arrachée de son corps. Sevek est mort. »

12

Maman s'est jetée sur moi quand je suis entré dans l'appartement et m'a serré dans ses bras.

« Il s'est sûrement passé quelque chose. Izaakl, *derbarm zich,* aie pitié de toi et de nous. Je sais qu'il a dû se passer quelque chose. Mais tu es vivant et en bonne santé. Que Dieu soit remercié ! »

Quand, enfin, elle m'a libéré, j'ai vu la détresse dans ses yeux. « Oh ! Izaakl, je me fais tellement de souci pour ta sœur. Viens voir. » Elle m'a conduit dans la chambre où Hela était étendue. Elle avait les joues rouges et les yeux brillants. « Ce matin, quand elle est descendue, elle avait des frissons et des douleurs dans les jambes. Une demi-heure après, le thermomètre est monté à 40 °C. »

J'ai compris que ma sœur était très malade, sûrement la typhoïde. J'ai dit à maman de lui préparer un lit dans le sous-sol.

« Si la fièvre n'est pas tombée demain matin, Hayele, il faudra qu'on te cache sous la boutique de Twarda, lui ai-je dit. Sinon il faudra qu'on passe à la désinfection. »

Hela a approuvé de la tête et m'a demandé de m'asseoir près d'elle quelques instants pour lui raconter ce qui était arrivé. J'ai fait un effort pour rester éveillé et calmement, doucement, j'ai fait le récit à ma mère et à ma sœur de la triste histoire de ce jour. Hela a essayé d'écouter mais s'est vite endormie.

Maman m'a aidé à installer une couverture et un oreiller sur le divan. « Oh ! *Goteniu,* veille sur mes enfants, s'est-elle lamentée. Tant que mon Izaakl ira bien, nous n'aurons pas faim ! »

Moi non plus, je n'ai pas mis longtemps à m'endormir profondément.

Papa et maman avaient eu tous deux la typhoïde pendant l'épidémie de 1918 et ils étaient immunisés. Mais Hela et moi ne l'étions pas. Maman avait peur que je l'attrape à mon tour. Comme j'avais contracté toutes les maladies infantiles, elle me considérait comme particulièrement fragile, exactement à l'opposé d'Hela qui n'avait jamais passé un jour au lit.

L'instinct de maman ne l'avait pas trompée. Je ne suis pas allé retrouver mes amis le lendemain matin, pas plus que je n'ai eu à m'inquiéter de l'enterrement de Sevek. Je me suis réveillé avec tous les symptômes : mal de tête, fièvre, douleurs. Nous avons transporté Hela dans le sous-sol et vers midi j'étais allongé près d'elle, sur un autre lit.

La maladie faisait payer son tribut. Hela et moi, nous étions alités à demi inconscients avec une forte fièvre et ayant presque tout oublié. Il n'y avait aucun médicament disponible et pas de remède connu. Personne n'a appelé de médecin parce qu'il n'aurait rien pu faire, il aurait même pu trahir notre cachette. Notre maladie devait être tenue secrète de tous afin d'éviter l'épreuve terrifiante de la désinfection.

Maman nous veillait jour et nuit, essuyant notre

sueur, glissant sous nos têtes des serviettes fraîches, nous faisant boire de petites gorgées d'eau et tenant éloignés tous les visiteurs. Elle dormait à peine et quand elle le faisait, elle restait habillée et s'asseyait sur un banc à côté.

Papa descendait parfois. Quand j'ouvrais les yeux, je pouvais le voir en train de lire près de maman. J'ai fait un effort pour rester conscient et pour concentrer mes pensées et je lui ai demandé : « Qu'est-ce que tu lis, papa ? Est-ce que tu as trouvé dans l'histoire un précédent de ce qui nous arrive en ce moment ? »

Papa ne m'a pas répondu. Il était incapable d'expliquer son univers brisé.

Parfois, j'étais conscient de ce qui se passait autour de moi, mais souvent je sombrais dans de longs rêves. Je voyageais au loin, je traversais des continents vers des mondes désirés et illusoires.

J'ai rêvé que j'étais général dans un Etat juif imaginaire. J'ai rêvé que je visitais Varsovie, le ghetto, je descendais les rues Ostrowska et Smocza et les petits enfants du voisinage se rassemblaient autour de moi pour m'accueillir.

Mais les enfants se sont transformés en une danse macabre. J'ai essayé de les toucher mais je ne pouvais pas. Je les voyais rire et crier mais je ne pouvais pas les entendre. Je leur ai crié : « Regardez-moi ! Je suis fier et puissant. Je suis un général juif avec une armée. N'ayez pas peur, on ne vous chassera plus jamais ! »

Mais ils m'ont ignoré. Ils continuaient à danser, à sauter et à rire de moi. Leurs rires sarcastiques me vibraient dans les oreilles.

Ce rêve a persisté pendant toute ma maladie.

La dixième nuit, j'étais presque inconscient, étendu dans une mer de sueur. Puis, au petit matin, quand tout semblait sinistre, ma fièvre est tombée tout d'un coup. Maman m'a posé une main tremblante sur le front.

« Izaakl, tu es frais. Et tes yeux sont clairs. C'est un miracle. C'est la volonté de Dieu. *Kanane hore.* » Elle a craché trois fois pour écarter l'œil du diable.

Je lui ai demandé de l'eau, à manger et encore de l'eau. J'ai levé la tête et j'ai regardé Hela. « Comment va-t-elle ? »

Elle dormait et respirait difficilement. Elle avait toujours beaucoup de fièvre. Je me sentais comme si je venais de sortir d'un tunnel noir dans un jardin clair et fleuri. Ma crise était finie.

En quelques jours j'étais debout. J'ai retrouvé l'appétit et j'ai repris presque tout le poids que j'avais perdu.

Maman n'en revenait pas. Elle avait pensé qu'Hela se remettrait la première. Elle concentrait maintenant toute son énergie sur sa fille qui luttait dans le sous-sol sombre et malsain.

Son état a empiré. Elle avait perdu neuf kilos. Elle était inconsciente la plupart du temps. Après trois semaines de lit, nous avons appelé à contre-cœur le docteur Grynszpan, un vieil ami de la famille. Il a diagnostiqué un état critique. Elle avait des complications et souffrait d'urémie.

Maman était près d'elle et surveillait impuissante son unique fille près de la mort.

Le docteur Grynszpan et moi, nous avons cherché en vain à nous procurer au marché noir les médicaments nécessaires, pour aider Hela. « Si seulement j'avais ce qui convient, je pourrais faire quelque chose, disait-il.

— Docteur, dites-moi de quoi vous avez besoin. Ecrivez-moi une ordonnance. »

Je n'avais aucune idée de l'endroit où je pourrais trouver le médicament mais j'étais résolu à sauver ma sœur.

« Je doute qu'on trouve ce médicament dans le ghetto », a dit le docteur en remplissant l'ordonnance. « Il faudrait que tu essaies du côté aryen. Mais fais vite. Il faut lui faire les piqûres dans les vingt-quatre heures. Sa vie est entre tes mains. »

J'ai glissé quelques billets et quelques pièces d'or dans mes bottes.

Maman était là et écoutait notre conversation.

« Izaakl, j'ai peur pour toi, a-t-elle dit. Tu ferais peut-être mieux de ne pas y aller ? »

Elle était perplexe et hésitante. Son visage trahissait son conflit. Elle avait peur de perdre son fils en essayant de sauver sa fille, en risquant un enfant dans l'espoir de sauver l'autre.

« Je vais revenir maman. Je vais revenir. Ne t'inquiète pas. » Je l'ai embrassée et j'ai descendu l'escalier.

Je savais que je devais passer le mur si je voulais que Hela ait une chance. Et je me languissais de Halina. Si je sortais du ghetto j'aurais l'occasion d'aller la voir au moins quelques heures.

Je me suis dirigé vers le cimetière. Les années de contrebande m'avaient conditionné à choisir automatiquement les routes les plus sûres. Avec le trolley il était plus difficile de sortir du ghetto que d'y entrer, aussi j'ai choisi la vieille route du cimetière. Il n'y avait plus de cérémonies, que des enterrements en groupes.

J'ai trouvé Shmerl et je lui ai raconté la maladie d'Hela. Je lui ai demandé son aide et je lui ai glissé un millier de zlotys dans la main. Il a refusé l'argent et m'a dit d'attendre au café Zalmen de l'autre côté de la rue. Son geste quant à l'argent et sa sympathie m'ont surpris.

J'étais devenu cynique et je ne faisais plus confiance à personne. J'avais déjà été le témoin de la plus grande cruauté et du comportement le plus inhumain. J'aimais les animaux et je jouais souvent avec des chiens ou des chats perdus. Je les avais emmenés à la maison, je les avais caressés et nourris. Ils ne m'avaient jamais fait de mal. Mais j'avais appris à ne pas faire confiance aux humains.

J'ai attendu au café avec inquiétude. Je pensais à Hela. A Halina. Personne autour de moi n'était au courant de ma relation avec elle. Mes sentiments d'amour et de désir étaient strictement privés.

Shmerl est enfin revenu. « Quelle chance, a-t-il murmuré. C'est le bon *Yeke* qui est de garde. Fritz est le meilleur type du coin et il me doit une petite faveur. » Il m'a pris dans ses bras. « T'as de la veine, fils de pute et je t'aime bien. Je sais que tu en as fait de belles au *meline* de la rue Wolnosc. Ne va pas croire qu'on n'est pas au courant. »

Il a remarqué ma surprise.

« Mon cher Jacku, quand tu te seras mis avec Haim Benkart tu verras que tout ira bien. J'ai été désolé d'apprendre ton manque de chance. Il y a des mouchards partout, des *mosrim* prêts à te vendre à la Gestapo pour une miche de pain. »

Il m'a tendu une casquette noire de policier et un brassard et nous avons passé la porte du cimetière.

« Shmerl, t'es un vrai copain et un sacré mec. Quand Hela ira mieux tu seras notre invité pour *Shabbes*. »

Je lui ai rendu la casquette et le brassard et j'ai disparu dans le dédale des monuments, des tombes et des arbres. Je ne pouvais pas attendre le coucher du soleil et j'ai escaladé le mur pour passer dans le cimetière catholique.

Je suis allé chez Franek, rue Lucka. Je n'y étais pas allé depuis des semaines. Ania et sa mère m'ont accueilli chaleureusement. Franek ne cessait de me poser des questions sur les conditions de vie dans le ghetto.

Je l'ai enfin interrompu : « Mais *panie* Malewski, c'est une chose urgente qui m'amène. » Je l'ai informé de ma mission et je lui ai demandé de m'aider.

Franek a passé plusieurs coups de téléphone.

« Jacku, ce dont tu as besoin n'est pas disponible. Même de ce côté, les Allemands nous accordent à peine le minimum. C'est vrai qu'ils vous tuent par milliers mais nous ne sommes qu'à un pas de vous. Ce sont des sauvages. »

Je l'ai supplié : « *Panie* Malewski, vous avez été notre seul espoir à l'extérieur du ghetto. Hela est en train de mourir et je ferai n'importe quoi pour la sauver. »

J'ai lancé un paquet de billets sur la table. « Et j'ai aussi des pièces d'or russes. »

Franek m'a expliqué que seuls les hôpitaux allemands avaient les médicaments. « J'ai déjà contacté les gens qu'il faut, mais je n'aurai pas de réponse avant demain matin. »

J'ai insisté : « Ce sera trop tard.

— Pour l'amour de Dieu, Jacku, tu sais que je ferai tout ce que je peux. Je vais encore passer quelques coups de fil et je vais offrir les pièces d'or. Elles vont aider. Mais tu n'as pas le choix. Tu dois attendre jusqu'à demain matin.

— Il est presque six heures, ai-je dit. Puisque je dois rester cette nuit, je peux peut-être attraper le

111

dernier train pour Milanowek avant le couvre-feu. »

Ania m'a offert de m'accompagner.

« Tu es un catholique plus convaincant avec moi. » Elle a souri et je l'ai prise dans mes bras. La petite fille était devenue une jeune femme et elle me plaisait. Nous avons promis de rentrer le lendemain de bonne heure.

Alors que le train s'approchait de Milanowek, je ne pensais plus qu'à Halina. Quand le train s'est arrêté, nous avons pris une *droshka* et en dix minutes nous étions à la maison. Le conducteur connaissait Ania qui m'a présenté comme un cousin. Mais il ne savait rien d'Halina et de Mala. Elles ne sortaient prendre l'air que la nuit et n'allaient faire des courses au marché qu'une fois par semaine.

Tranquillement, j'ai ouvert la porte avec ma clef. Je venais juste de siffler le signal convenu quand quelqu'un m'a saisi par-derrière avec un cri de joie. Halina et moi, nous nous sommes étroitement enlacés.

Nous avons discuté jusqu'à bien après minuit.

Je leur ai raconté tout ce qui s'était passé depuis notre dernière rencontre.

Le meurtre de Sevek sur le toit.

L'effondrement du *meline* de contrebande.

Comment je m'étais échappé au dernier moment. Comment l'avertissement de Stas m'avait sauvé des chambres de torture de la Gestapo.

Ma maladie et ma guérison.

Enfin Hela qui en ce moment même était sur son lit de mort.

Les filles, assises en silence, pleuraient.

J'ai vu l'innocence et la pureté des yeux d'Halina. Je n'ai pas osé parler du long désir que j'avais eu d'elle. J'ai dit rapidement bonne nuit et je me suis enfui au premier étage.

Le lit au matelas épais et moelleux et à l'énorme édredon était très confortable. Mais comme je ne pensais qu'à Halina je ne pouvais m'endormir. J'ai ouvert la fenêtre et j'ai regardé le ciel étoilé. Une légère brise du nord-est rafraîchissait l'air chaud de la nuit d'été dans la mansarde.

Soudain la porte s'est ouverte. Pieds nus et silencieuse, Halina est entrée. Elle portait une courte chemise de nuit retenue par de fines bretelles sur ses douces épaules d'albâtre. Ses cheveux qui lui descendaient presque jusqu'à la taille brillaient dans le clair de lune. Un frisson de désir m'a traversé quand je me suis retourné. Je lui ai tendu les bras. Nous sommes restés debout, nous prenant silencieusement les mains et nous regardant au plus profond des yeux.

Des larmes scintillaient sur ses joues. Je les ai embrassées tendrement, puis ses yeux, son nez, ses lèvres, son cou. Nous nous sommes éloignés lentement de la fenêtre vers le lit. J'ai ôté doucement les bretelles de ses épaules et j'ai senti la chemise tomber à mes pieds. J'ai pressé ma poitrine contre ses seins nus. Je me suis penché pour en embrasser les pointes dressées tout en lui caressant le corps.

Je l'ai attirée vers moi sur le lit. Elle a eu un sursaut et a poussé un gémissement. Je l'ai pénétrée lentement, tendrement. Elle était étroite et j'ai senti sa chaleur humide. Elle ne bougeait pas. C'était trop et trop vite. Je l'ai serrée contre moi et j'ai écrasé sa bouche avec mes lèvres. Elle a commencé à réagir, tout d'abord lentement, puis elle a jeté ses bras autour de moi. J'ai senti son désir m'embraser.

« Jacku, mon amour ; mon premier et mon seul amour. »

Son mouvement, lent au début s'est accéléré. Je l'ai accompagnée, nous étions tous deux pris par la fureur de la passion. Déchaînés, libres, jusqu'à ce que nous atteignions ensemble au plus haut sommet, criant notre joie, à bout de souffle et libérés.

Brûlants, épuisés, en nage, nous nous sommes tournés et regardés. Nous n'avons rien dit mais nos yeux, nos visages, nos mains parlaient assez.

Nous avons fait l'amour toute la nuit. Désespérés et passionnés, nous savions que cette nuit serait peut-être nos derniers moments ensemble.

Le visage d'Halina était couvert de larmes. Son corps tremblait. « Jacku, si tu meurs, je ne veux pas vivre. Je veux mourir avec toi. »

Je ressentais la même chose, incertain de notre avenir, mais je l'ai apaisée, consolée, rassurée. Epuisés et étroitement enlacés, nous nous sommes finalement endormis au lever du jour.

Ania m'a secoué doucement pour me réveiller. « Papa nous attend. Il faut partir. »

J'ai quitté le lit et je suis resté immobile. Halina a ouvert les yeux. « Où est-ce que tu vas ? Reviens. »

Nous nous sommes enlacés une fois encore.

« Jacku, dis-moi, qu'allons-nous devenir ? Qu'allons-nous faire ? »

Tout en la tenant dans mes bras, j'ai regardé par la fenêtre. Je voulais rester en paix avec elle. Mais dehors, le démon m'attendait pour me livrer bataille. Le danger mortel dans lequel Hela se trouvait me terrifiait. Je ne savais pas quoi faire. Si je ne pensais qu'à ma propre sécurité, Hela allait mourir. Si je mourais, Hela mourrait aussi.

La colère et la frustration montaient en moi.

« Oh ! Mon Dieu ! Pourquoi est-ce que je suis

né ? Pourquoi diable est-ce que je suis né au xxᵉ siècle, et Juif ? Est-ce qu'il y a besoin d'une race ou d'une religion juive ? »

Halina était stupéfaite par mon amertume et elle a essayé de me calmer mais je ne voulais pas la laisser faire. J'avais besoin de crier.

« Dans notre passé, il n'y a que douleur et sang. Nos soi-disant ancêtres que nous avons étudiés à l'école n'étaient que des esclaves. Ils savaient que moi, l'enfant juif, je ne pouvais que souffrir et me battre. Je les hais tous. Je les hais. »

A la fin, Halina a réussi à m'attraper la tête et a pressé son visage contre le mien. Elle sanglotait avec moi. Elle me caressait et m'embrassait. Elle m'a ramené à la réalité. Elle savait que les mots étaient impuissants, aussi elle m'a serré dans ses bras.

« Ces Allemands, cette " race des seigneurs ", tout ce putain de monde fasciste — nous les enterrerons un jour. Ils auront leur compte. Attends un peu. » J'ai donné un coup de poing sur la table. Puis en silence, j'ai regardé le visage et les yeux d'Halina.

Je lui ai dit plus doucement : « Halina, tu sais que je dois partir maintenant. Quand Hela sera guérie, nous viendrons vous rejoindre ici. Sois patiente et attends. S'il te plaît. Je t'aime. Je n'aime que toi. »

Je me suis habillé en vitesse, j'ai donné de l'argent à Halina et à Mala et je suis parti avec Ania pour rentrer à Varsovie par le premier train.

Franek nous attendait à la gare : « Jacku, le médicament est à l'hôpital Czyste, dans le service des maladies contagieuses. On n'en donne qu'aux soldats allemands blessés sur le front russe. Mon contact m'a dit qu'il n'y avait qu'une façon pour s'en procurer : le voler. L'infirmière est une fille de Poznan, une *volksdeutsche*. On la connaît. C'est une amie du garde. On peut avoir confiance en eux. »

Je connaissais bien l'hôpital Czyste. Avant la guerre on y avait admis beaucoup de Juifs. Moi-même, j'y avais été soigné pour un bras cassé quand j'avais dix ans.

Franek s'était débrouillé pour que j'aille à l'hôpital à midi. « N'oublie pas l'argent et les pièces d'or. »

J'ai souri et je lui ai dit : « Et mon couteau à cran d'arrêt de la Luftwaffe. »

Je marchais dans le boulevard Jerozolimskie et je me dirigeais à l'ouest vers les rues Towarowa et Wolska. Je remarquais à peine les gens qui se pressaient vers leur travail où qui faisaient la queue devant les boutiques. Je pensais toujours à Halina et à notre nuit. Les Allemands avaient fait voler en éclats mon respect pour l'humanité et pour les convenances, mais chez Halina tout était beau, pur et idéal.

J'avançais dans un rêve éveillé, revivant chaque caresse et chaque baiser. Mais dès que j'ai vu l'hôpital au loin, j'ai chassé toutes ces pensées de mon esprit, même quand je me suis aperçu que je ne pourrais peut-être jamais les retrouver.

A la porte de l'hôpital, un garde allemand contrôlait les gens qui entraient et ne s'occupait pas des jardins. J'ai évité la porte et j'ai suivi la clôture de fil de fer barbelé qui entourait les bâtiments.

Je l'ai escaladée et je me suis dirigé vers la cafétéria.

Soudain, un employé en uniforme bleu avec tout un équipement de nettoyage est apparu. « Suis-moi », a-t-il murmuré.

J'ai marché derrière lui et j'ai échangé ma précieuse veste de cuir contre une blouse de travail bleue. Le contact, Jan, m'a tendu son équipement et m'a demandé les pièces d'or et les billets. J'ai obéi. Alors Jan m'a conduit vers les salles d'opération et d'urgence où sœur Eva m'a accueilli avec un léger sourire et un tonitruant : « Heil Hitler ! »

Je l'ai suivie en parlant allemand et en prétendant être un employé *volksdeutsche.* Dans son bureau j'ai vidé un grand panier qu'elle m'a indiqué. A l'intérieur, j'ai remarqué une petite boîte sur laquelle était écrit : « Jan. » Je l'ai prise et je l'ai glissée dans ma chemise.

J'ai regardé autour de moi. Sœur Eva était partie. J'ai pressenti un piège. Mes soupçons me disaient de ne pas m'en aller par le même chemin. Que se passerait-il si sœur Eva travaillait pour la Gestapo ?

Je n'ai pas pris de risques et j'ai sauté par la fenêtre du premier étage. J'ai tourné autour de plusieurs bâtiments pour semer d'éventuels pour-suivants et je me suis retrouvé devant la porte de la cafétéria. Jan n'était pas là.

J'ai abandonné mon matériel de nettoyage et je me suis dirigé vers la clôture. Elle était maintenant gardée par des chiens. Ils m'ont fait peur. J'ai fait demi-tour et je me suis dirigé vers la porte. Tant pis pour ma veste de cuir. J'étais allé si loin que je ne pouvais plus échouer. Hela avait besoin du médica-ment. S'ils m'attrapaient nous allions mourir tous les deux.

Mais comment m'échapper ?

L'hôpital était plein d'Allemands. Les jardins étaient entourés de fil de fer barbelé. Des chiens patrouillaient le long de la clôture. Et une sentinelle nazie gardait la porte.

J'ai pensé que seule l'audace paierait.

Je portais toujours la blouse de travail et j'ai passé hardiment la porte en saluant d'un « Heil Hitler ! »

La sentinelle m'a rendu mon salut et m'a demandé mon laissez-passer.

Je ne me suis ni arrêté ni retourné. J'ai continué à marcher.

« Halte ! Halte ! »

Je me suis mis à courir.

Des coups de feu ont éclaté.

Je descendais la rue à toute allure.

J'ai tourné au coin et j'ai aperçu un trolley. J'ai sauté dedans et il m'a vite emporté hors de danger. Je ne cessais de toucher le précieux médicament pour être sûr qu'il était toujours là. Après plusieurs arrêts, j'ai changé de trolley pour revenir dans le ghetto.

« Voilà docteur. C'est ce dont vous avez besoin ? »

Le docteur Grynszpan a examiné le médicament. « Je ne sais pas comment tu t'y es pris, mais cela semble être ce qu'il faut. Jacku, tu es un garçon courageux, un *molodiec.* »

Hela était dans un demi-coma, toujours fiévreuse.

« Izaakl, je suis restée ici toute la nuit à pleurer et à prier, m'a dit maman. Mais au plus profond de moi je savais que tu réussirais. Où serions-nous sans toi ? »

Le docteur Grynszpan a souri et a murmuré :
« Les prières ne font pas de mal. Mais ceci fera
l'affaire. »

Le lendemain matin, Hela était tout à fait
consciente. Elle a recommencé à uriner. Elle a
retrouvé la parole. Ses yeux bleus se sont éclairés.
La fièvre est tombée.

J'éprouvais un sentiment de triomphe.

13

En juin 1942, Hitler a annoncé que la Wehrmacht écraserait les armées de l'Union soviétique avant la fin de l'été. En juillet, ses divisions blindées profondément avancées en Russie se sont massées devant Stalingrad sur les rives de la Volga.

C'était la troisième année de la guerre et les Allemands fêtaient victoire sur victoire.

Dans le même temps, la troisième année dans le ghetto juif de Varsovie était plus dure que jamais. Il y avait moins de nourriture, plus de maladies, plus d'exécutions et plus de gens dans les rues. Des milliers de personnes mouraient chaque semaine mais de très nombreux réfugiés arrivaient chaque jour de toute l'Europe, grossissant les rangs des sans-abri et des affamés.

Les rues commençaient à ressembler à des champs de bataille où chacun devenait la proie de l'autre, où on chapardait la nourriture et où on se battait. En retour, ce désordre donnait d'excellentes occasions aux desseins antisémites de la propagande allemande.

Un matin, Lutek, Shmulek, Hela, quelques cousins et moi, nous étions réunis derrière les lourdes portes de bois de notre boutique, 29, rue Twarda.

Nous discutions de la possibilité d'un arrangement avec Haim Benkart et son groupe pour la contrebande quand, soudain, j'ai entendu des bruits étranges venant de la rue.

J'ai regardé par le trou que j'avais percé dans la porte. Des gens couraient, paniqués. Quelques instants plus tard, j'ai vu plusieurs jeeps allemandes pleines de S.S. s'arrêter au coin de la rue Twarda et de la rue Panska.

Les Allemands ont sauté des voitures et ont commencé à décharger des caméras et du matériel de cinéma. Puis ils ont installé plusieurs tables sur lesquelles ils ont disposé de la nourriture et de la boisson. Deux autres véhicules sont soudain apparus : une Mercedes noire et un half-track. Un officier supérieur est sorti de la Mercedes suivi de plusieurs membres d'état-major qui ont salué.

Le half-track était plein de jeunes étudiants de Yeshiva vêtus de manteaux noirs et portant la barbe et des cheveux longs.

Les S.S. ont fait descendre les étudiants effrayés du half-track et les ont alignés devant les tables chargées de nourriture. Puis ils ont conduit quelques enfants enflés par la faim sur le trottoir proche.

Je continuais à observer et les intentions des Allemands devenaient claires. Ils étaient venus filmer une « fête » hassidique qui s'achevait avec de la nourriture, de l'alcool et des danses, sous l'œil des enfants affamés.

Le spectacle sordide a commencé sur l'ordre de l'officier S.S. Pendant que l'opérateur nazi cherchait différents angles pour filmer la scène, les soldats S.S. obligeaient les Hassidim à être joyeux sous la menace de leurs armes. Ils forçaient certains à boire de l'alcool, d'autres à s'empiffrer de nourriture, d'autres encore à exécuter une danse sauvage.

Les enfants essayaient d'attraper un peu de nourriture sur les tables surchargées mais les soldats S.S. les chassaient à coups de pied. Plus la scène devenait une « fête », plus les cris des enfants affamés étaient forts.

A côté, les Allemands avaient leur propre fête. Ils buvaient, riaient en se moquant de l' « ordure » juive.

Dans ma cachette j'observais l'horrible spectacle avec une répulsion grandissante.

Bientôt l'officier S.S. responsable en a eu assez. Il a enfilé des gants blancs immaculés, a ajusté son monocle et a aboyé un ordre à son aide de camp. Puis il a disparu dans la limousine.

Un moment plus tard, des mitrailleuses se sont mises à crépiter de tous les côtés. Les Hassidim sont tombés en tas là où ils étaient. Les enfants au corps enflé ont été déchiquetés par les balles.

En quelques minutes, les Allemands ont emballé les caméras et le matériel, ils ont ramassé les tables et ont disparu.

Sur la place, ils laissaient derrière eux des corps sanglants. La chair et les os humains étaient mélangés à l'alcool renversé, aux récipients qui avaient contenu la nourriture et aux ordures. Les cadavres pathétiques des enfants du ghetto qui maintenant n'avaient plus faim étaient étendus dans le caniveau.

Les enfants affamés n'avaient même pas goûté à la nourriture. Les balles allemandes les avaient fauchés alors qu'ils allaient attraper les restes. Leurs visages terrifiés laissaient voir leur incompréhension. Au moment de la mort, leurs yeux s'étaient ouverts d'étonnement. Ils semblaient dire : « Mais j'ai tellement faim. »

Je brûlais de les venger. C'est ce que je désirais le plus. Je voulais vivre pour connaître le jour où nous aurions le pouvoir d'humilier ces salauds de Nazis.

Les jours ont passé et ma situation a empiré. L'accord avec Haim Benkart n'avait pas abouti. Je n'avais plus de rentrées et aucun autre chemin n'était ouvert pour la contrebande. Nourrir ma famille, mes cousins, mes tantes, grand-mère Masha, représentait une dépense énorme qui a rapidement épuisé mes réserves.

Halina m'attendait du côté aryen mais il fallait qu'Hela soit complètement remise. Elle allait beaucoup mieux mais elle était encore trop faible pour escalader le mur du cimetière. Maman insistait pour qu'on repousse le départ de quelques jours. J'ai réussi à refréner l'ardeur que j'avais d'être avec Halina et j'ai attendu.

Grand-mère Masha était clouée au lit depuis plusieurs mois. J'allais la voir de temps en temps pour lui remonter le moral et lui demander des conseils. Chaque fois, je lui apportais de la nourriture et je laissais de l'argent à ses filles, Edzia et Pesa.

Aujourd'hui, comme j'avais du temps disponible, j'ai traversé le ghetto pour aller rue Ostrowska. Un paquet sous le bras comme d'habitude, je suis entré dans l'appartement de ma grand-mère. Mes tantes ont pris la nourriture et je suis allé dans la chambre. Appuyée contre un énorme oreiller, ma chère grand-mère Masha était allongée dans un état de grave sous-alimentation. Ses chevilles découvertes étaient enflées et ses yeux étrangement bouffis.

« Mais qu'est-ce qu'est devenue toute la nourriture que j'ai apportée ? »

Mes deux tantes me regardaient en silence. Alors grand-mère Masha a demandé à ses filles de sortir et m'a invité à m'asseoir à côté d'elle sur le bord du lit. Elle m'a caressé le visage. Ses mains amaigries tremblaient mais sa voix délicate restait ferme. Elle ne s'arrêtait que pour respirer ou pour fermer les yeux comme si elle me suppliait de comprendre.

« Izaakl, a-t-elle dit, c'est un *sreife.* Un feu incontrôlable brûle parmi nous, les Juifs. Ce n'est pas la première fois dans notre histoire. Notre devoir sacré c'est de sauver ce qui peut être sauvé et de permettre la continuation de la vie et de l'existence de notre peuple. »

Elle s'est arrêtée un instant pour s'essuyer les yeux. Les années de privation et de tragédie avaient pris leur dû ; je savais qu'elle dépérissait.

J'ai changé de position sur le lit. Je ne pouvais me résoudre à rester assis là et à regarder son visage triste. Je l'avais toujours considérée comme un symbole de continuité et d'inspiration. Maintenant je regardais ce symbole se désagréger. Ma grand-mère Masha, mon garant de décence et de moralité, était en train de mourir.

Je me sentais déjà seul et abandonné.

« Mais, grand-mère, *Bobe,* je ne veux pas entendre parler de ça. Regarde-toi, tes yeux, tes pieds sont enflés. Ces grosses fripouilles t'enlèvent le pain de la bouche. » J'étais fou de rage.

« Mon petit, mon Izaakl. » Elle a essayé de réunir ses dernières forces pour s'asseoir. « Que Dieu te sauve et te laisse vivre. Tu as été l'ange de Dieu pour notre famille. Tu m'as apporté toute la nourriture que tu as pu trouver. Et tu n'as que quinze ans.

— Mais grand-mère, l'ai-je interrompue, tu es enflée à cause de la faim. Regarde-toi !

— Ecoute, Izaakl. Je suis ta grand-mère, mais je suis aussi une mère qui doit nourrir ses enfants quel que soit leur âge. » Elle m'a attiré vers elle et m'a embrassé sur le front.

Ses explications ne me satisfaisaient pas. Mes tantes s'étaient nourries avec les aliments et l'argent que j'avais apportés et avaient laissé leur mère avoir faim. Clouée au lit, elle était dépendante de leur pitié. Elles l'avaient trompée pendant des mois. Cependant, elle ne s'était jamais plainte. D'une certaine façon, elle avait participé à la conspiration.

Tout d'un coup, je suis sorti de la chambre et j'ai injurié mes tantes. Je jurais et hurlais. J'ai saisi tante Edzia par les cheveux et je l'ai traînée dans la pièce où tante Pesa attendait effrayée. Je les ai giflées plusieurs fois.

« Salopes, vous vous êtes empiffrées avec ma sueur et ma peau. Allez risquer vos gros culs en passant le mur. » J'ai attrapé la main de tante Edzia avec une telle poigne qu'elle a gémi et je l'ai amenée près de la fenêtre.

« Là, tu la vois cette merde de mur ? » Toujours avec la même rage, je lui ai indiqué du doigt par la fenêtre ouverte. « Si tu veux manger, tu n'as qu'à l'escalader, parasite. Si je ne vous apporte pas assez à manger, vous n'avez qu'à vous vendre pour en avoir plus. »

Edzia hurlait et a commencé à me bourrer la poitrine de coups de poing. Elle ne s'attendait pas à ce que son jeune neveu ait son franc-parler. Soudain, je me suis rendu compte que je l'invectivais sans pitié. Je lui ai lâché la main.

« Oui, a-t-elle dit, nous avons dépensé pour nous la plus grande partie de ton argent. Oui, nous avons volé la nourriture que tu as apportée à grand-mère. Mais elle le savait. Elle faisait même semblant de dormir pour que ce soit plus facile pour nous. Elle nous a aidées à faire ce que notre conscience nous interdisait, ce que nous ne voulions pas faire, mais ce que notre faim et notre douleur nous ont contraintes à faire. »

Elle me regardait avec des yeux effrayés. « Nous sommes encore jeunes et nous pouvons peut-être survivre. Mais grand-mère ne survivra pas. Nous le savons tous. Mais personne n'ose le dire. »

Edzia a éclaté en sanglots, elle est tombée sur le lit et s'est couvert le visage avec les mains. Elle est restée allongée à renifler et sa sœur est allée la consoler.

Je ne leur avais pas pardonné. Je ne pouvais accepter ni comprendre leurs explications. Je ne pouvais m'empêcher de penser à grand-mère Masha à demi morte de faim dans la pièce d'à côté.

14

J'ai repoussé mon départ pour la partie aryenne de Varsovie. Je voulais être dans le ghetto quand ma grand-mère mourrait. Je voulais m'occuper de l'enterrement. Je n'aurais jamais permis qu'on l'enterre dans une fosse commune.

A plusieurs reprises j'ai été prêt à partir.

A plusieurs reprises je ne suis pas parti.

Puis un jour, c'était trop tard.

Une fois de plus, le Troisième Reich est intervenu dans mes affaires et dans ma vie.

J'étais dans la foule qui attendait, anxieuse, devant le *Judenrat,* le Conseil de la communauté juive. Pendant toute la journée, des rumeurs avaient couru disant que d'importantes nouvelles allaient être annoncées par le *Judenrat,* des nouvelles qui toucheraient chaque homme, chaque femme, et chaque enfant du ghetto.

Alors nous attendions dans la rue. Les nouvelles sont enfin arrivées, elles étaient mauvaises.

Ce jour-là, le 22 juillet 1942, a marqué le début de la solution finale pour le ghetto de Varsovie, pour ses centaines de milliers d'habitants misérables.

Ce jour-là, le docteur Czerniakow, le président

du *Judenrat,* s'est suicidé plutôt que de céder à de nouvelles menaces des Nazis. Il a refusé de signer les ordres de déportation massive des résidents du ghetto. Le commandant S.S. a immédiatement ordonné qu'on affiche l'infâme *Bekanntmachung* pour annoncer la nouvelle politique nazie : la réinstallation en Russie des Juifs de Varsovie.

La mort du docteur Czerniakow et le décret de déportation — les Allemands disaient « réinstallation » — n'ont fait qu'ajouter à la confusion parmi les gens effrayés et affamés.

« La grande cité est surpeuplée, proclamait la propagande allemande. La famine et les épidémies se répandent. Pourquoi ne pas résider, pour la durée de la guerre, dans les régions fertiles d'Ukraine, qui sont maintenant des territoires occupés par les Allemands.

Le message était raisonnable, logique, convaincant. Il était calculé pour amortir l'effet. La réinstallation offrait une nouvelle chance, une nouvelle vie, la possibilité de recommencer.

La réinstallation était une façon de sortir du ghetto. Une façon d'échapper à la misère et à la faim.

Afin de rendre crédibles leurs « honorables » intentions les Allemands offraient dix livres de pain, de jambon et de sucre à quiconque se portait volontaire pour s'en aller dans les nouveaux territoires. Des milliers de gens affamés ont fait queue pour recevoir la nourriture. Le voyage pour l'Ukraine était secondaire. Qu'y avait-il de pire, se disaient-ils, que de mourir de faim dans le ghetto ?

Alors, afin d'augmenter la confusion et pour dresser chaque Juif contre un autre, les Allemands ont publié une variété d'exceptions à la réinstallation. Ils ont distribué des milliers d'autorisations qui exemptaient certaines classes favorisées de la déportation. Les policiers juifs, les membres du *Judenrat,* des services médicaux et le personnel des hôpitaux ont reçu des cartes rouges. Cela signifiait qu'ils étaient nécessaires dans le ghetto et qu'ils n'avaient pas à partir.

Des responsables de différentes entreprises allemandes comme Toebbens, Schultz et Hallman, ont fait boucler des pâtés entiers d'immeubles autour desquels on a mis des S.S. et des gendarmes, et ils ont annoncé que ceux qui possédaient des machines à coudre pouvaient demander du travail dans leurs usines. Ces Juifs-là n'avaient pas non plus à s'en aller.

En tout, la moitié de la population du ghetto a reçu une autorisation d'une nature ou d'une autre, permettant de rester à Varsovie. Pendant ce temps, des compagnies de soldats S.S. recherchaient dans les rues et les maisons l'autre moitié de la population, les gens sans autorisation, afin de les déporter. Certains membres de la police juive, les *jamniks* — on les appelait les chiens couchants — collaboraient activement avec les S.S. et espéraient ainsi pouvoir échapper à la déportation avec leurs familles.

La tactique des Allemands consistait à ne pas dresser contre eux toute la population juive d'un seul coup. Si tout le monde avait peur en même temps, ils craignaient des soulèvements en masse. En précaution, les Allemands ont encerclé le mur qui entourait le ghetto, y compris le cimetière, avec des centaines de gendarmes supplémentaires lourdement armés.

C'est devenu le règne de la confusion et de l'anarchie. Le frère se dressait contre le frère, la sœur contre la sœur, le mari contre la femme. Personne ne savait quoi faire ni comment se comporter. La stratégie allemande, « diviser pour régner », mettait au grand jour comme jamais auparavant la profondeur de l'égoïsme humain.

Les premières nouvelles qu'on a reçues des déportés étaient rassurantes. Ils confirmaient que la réinstallation avait effectivement lieu. Mais elles ont vite été suivies d'autres nouvelles plus inquiétantes. Des rumeurs disaient que les S.S. avaient obligé des centaines de déportés à écrire des cartes postales chez eux, pressant les amis et les parents restés derrière à rejoindre le mouvement de réinstallation, à se porter volontaires, à venir sur cette terre de paix et d'abondance — l'Ukraine.

Au même moment, quelques déportés se sont débrouillés pour revenir dans le ghetto. Et ils ont raconté d'autres histoires, d'étranges et d'effrayantes histoires, prévenant ceux qui étaient restés de ne pas quitter le ghetto quelles que soient les promesses des Allemands. Ils ont affirmé que les Nazis avaient installé un camp d'extermination à Treblinka, près de la ville de Malkinia, à cent vingt-cinq kilomètres au nord-est de Varsovie. Ils ont affirmé qu'il y avait des chambres à gaz. Et que les Allemands y tuaient tous les Juifs qu'on amenait.

Les gens écoutaient en silence ces révélations horribles. Ils savaient les Allemands capables du pire. Pendant des années ils avaient souffert sous leur botte, les privations, la famine, le viol, le vol, les pillages, les tortures, l'assassinat. Ils savaient qu'ils pouvaient s'attendre à tout.

Mais mettre des gens à mort dans des chambres à gaz !

« C'est impossible. Des choses pareilles au xxᵉ siècle ? Les pauvres gens qui racontent ça sont malades, fous. Ce sont des histoires qu'ils inventent. Après tout ce qu'ils ont vécu, ils n'ont plus leurs esprits. »

On n'arrêtait pas d'échafauder des raisonnements. Personne ne voulait croire des nouvelles aussi terribles, une cruauté si absolue.

La plupart des gens ont pensé que ces récits étaient le fruit de l'imagination.

Je me sentais pris au piège. Pendant des semaines, j'avais tout préparé pour aller dans la partie aryenne de Varsovie avec Hela, pour rejoindre Halina à Milanowek. Mais les Allemands venaient de boucler le ghetto plus étroitement que jamais. Ils avaient fermé la cage. A l'intérieur, ils chassaient les Juifs comme des animaux. Ils les attrapaient dans les rues, les coinçaient dans les cours, les arrêtaient dans les caves.

L'opération de déportation massive était comme un jeu macabre dont les Allemands seuls connaissaient l'issue. Quand ils avaient attrapé des Juifs, ils les traînaient jusqu'à l'*Umschlagplatz,* la gare de marchandises, à la limite du ghetto, près des rues Stawki et Dzika. Le dépôt n'était qu'à quelques minutes du mur du ghetto et de la sortie. Le commandement S.S. avait choisi l'endroit pour un maximum d'efficacité.

Sortir du ghetto.

Monter dans des wagons à bestiaux.

En route pour les chambres à gaz.

Ils capturaient aussi bien des Juifs qui n'avaient jamais traversé une partie aryenne de Varsovie.

Pendant les premiers jours de la nouvelle politique nazie, la plupart des gens essayaient de trouver un moyen d'échapper à la réinstallation. Ils étaient prêts à payer n'importe quel prix pour n'importe quelle autorisation, sans s'occuper de sa validité et sans savoir si elle aurait encore quelque valeur le lendemain.

Ce qui passait pour la vie normale dans le ghetto a cessé d'exister. Les boulangeries, les services médicaux, les cafés, les restaurants, les écoles clandestines, les théâtres, tout a été fermé.

Comme je m'y attendais, maman est devenue presque hystérique. Jour et nuit, elle ne faisait qu'échafauder des plans pour sauver la famille. Elle recherchait frénétiquement des miracles. Elle était incapable de raisonner logiquement. Elle se lamentait sur le destin de ses enfants. Et elle me reprochait de ne pas avoir quitté le ghetto à temps.

Cependant, la plus grande partie de ses éclats étaient dirigés contre papa. En réalité, il y avait longtemps qu'il avait renoncé à l'idée de survivre. Son obsession d'une vie décente et du respect de soi-même mettait maman hors d'elle.

Tandis que les S.S. chassaient les gens dans la rue, papa devait se raser et prendre sa douche ; on lui repassait son pantalon chaque matin. Ses livres étaient parfaitement rangés et classés et il en prenait soin avec amour. C'étaient ses enfants. Il n'avait pas peur et rien à proposer. Il ne discutait jamais. Il écoutait et ne parlait qu'à lui-même comme s'il expliquait son inaction à sa propre conscience.

Je me haïssais de n'être pas sorti du ghetto plus tôt. Je me languissais d'Halina. Je dormais à peine. La nuit, allongé dans mon lit, je m'imaginais passer une journée, une semaine, un mois, avec elle.

Je n'ai jamais cru, même l'espace d'une seconde, que les Nazis autoriseraient un seul Juif à vivre, à respirer, à aimer. Mais ma détermination à survivre pour raconter un jour au monde ce que les Allemands étaient en train de nous faire subir était au moins aussi forte — et peut-être plus — que leur volonté ou leur possibilité de me détruire. Il fallait que je survive et je le voulais. Il fallait que je sauve Halina et Hela et bien d'autres. Mais je n'avais plus d'idées.

Je suis allé voir grand-mère Masha. Elle avait atteint les limites de la résistance et adressait ses lamentations directement à Dieu.

« Jusqu'où un être humain peut-il souffrir ? Il y a une limite, mon Dieu. Et nous avons tous atteint cette limite. Nous avons péché, Seigneur. Mais trop c'est trop. »

Elle ne s'inquiétait toujours que pour ses enfants et ses petits-enfants et elle me pressait pour que je me sauve.

« Survis, mon enfant. Survis. Moi, je suis trop vieille, trop malade. Ne t'inquiète plus pour moi. »

Je savais que cette visite serait la dernière. Je ne la reverrais plus jamais. Je savais que les assassins S.S. atteindraient bientôt la rue Ostrowska et qu'un policier juif, un *jamnik,* donnerait l'ordre qu'on la descende dans une voiture à cheval pleine d'invalides. Et je savais aussi qu'elle ne survivrait même pas jusqu'à l'*Umschlagplatz,* et encore moins au voyage en wagon à bestiaux. Je lui ai embrassé les joues, caressé les cheveux et j'ai retenu mes larmes.

Mes tantes Edzia et Pesa étaient là mais elles ne pensaient qu'à elles-mêmes. « Jacku, dis-nous ce que nous devons faire. Est-ce que nous devons nous porter volontaires ? Est-ce que nous devons aller dans une usine ? Nous n'avons pas de machine à coudre et la queue devant le bureau d'embauche de Toebbens n'en finit plus. »

Depuis si longtemps, j'étais le héros de la famille. Tous mes parents pensaient que j'étais courageux et plein de ressources et demandaient toujours mon aide. Mais je me sentais impuissant.

« Ne vous portez pas volontaires. Tenez bon. Cachez-vous. » C'est tout ce que je pouvais conseiller. Mais ce n'était pas assez. Elles étaient trop fatiguées. Fatiguées de se cacher, d'avoir faim, de ne pas dormir, de ne pas se laver. Elles étaient fatiguées de vivre.

Pendant des semaines j'ai réussi à échapper aux S.S. J'ai caché ma sœur et mes parents dans la cave sous notre boutique, 29, rue Twarda. Mais les recherches des S.S. s'intensifiaient chaque jour.

Les Allemands ont fixé des quotas aux policiers juifs. Ils les ont menacés de les déporter avec leurs familles s'ils n'arrêtaient pas six mille Juifs par jour, pour la réinstallation. En conséquence, les *Jamniki* ont couru comme des fous, d'une maison à l'autre, pour rechercher des gens et pour les presser à se porter volontaires. Ils les frappaient à coups de matraque et à coups de pied dans les rues où les S.S. qui attendaient les attrapaient et les conduisaient à l'*Umschlagplatz*.

Cependant, des rumeurs permettaient à la population de conserver l'espoir.

Il y a des bombardiers russes qui arrivent.

Les Américains ont lâché des parachutistes en Allemagne.

On a assassiné Hitler.

Les gens étaient prêts à entendre n'importe quelle rumeur. A propos des batailles, des alliés, des Nazis, à propos des décrets et des autorisations. Au début, les autorisations rouges étaient meilleures que les blanches, puis les blanches ont été meilleures que les rouges. Les gens vivaient d'après les rumeurs, ne sachant jamais si ce qu'ils entendaient ou si ce qu'ils faisaient était juste ou non.

Un soir, en rentrant, j'ai trouvé maman en larmes. Elle serrait dans ses bras le vieux cordonnier de la famille, Shmeel. Il avait décidé de se porter volontaire pour la réinstallation avec ses deux petites-filles affamées.

« Zlatka, je n'ai pas la force de continuer. C'est Sa volonté. Comme le dit la prière de Yom Kippur, *der Oybeshter,* c'est notre Dieu qui décide et qui choisit ceux qui doivent vivre et ceux qui doivent périr. Zlatkeshi, Il nous a désignés. Il nous a choisis pour mourir. »

Un an plus tôt, la femme de Shmeel était morte de la typhoïde. Sa fille, la mère des deux petites, avait été tuée récemment par les Allemands alors qu'elle essayait de passer le mur pour aller chercher de la nourriture. Le père des petites filles s'était enfui en Russie trois ans plus tôt et personne n'avait plus entendu parler de lui depuis.

« Ma chère Zlatkeshi, essaie de comprendre, s'il te plaît, a dit le cordonnier. Peut-être qu'en Ukraine les petites auront une chance de vivre.

— Non, Shmeel. Les *Yekes* sont des menteurs, des assassins. Ils vont te tuer et les petites aussi. Je ne te laisserai pas partir. »

J'ai regardé le vieux Shmeel discuter avec maman. J'ai regardé le visage troublé des fragiles petites filles qui avaient peut-être huit ou dix ans.

J'ai retenu mes larmes quand Shmeel s'est tourné vers moi. « Izaakl, toi et ta famille, vous êtes mes clients depuis une génération. Comment est-ce que je peux quitter mes amis ? »

Shmeel a caressé les cheveux des petites filles alors qu'elles détournaient les yeux comme pour ne pas me regarder en face, pour ne pas regarder en face la vie, ou même le soleil.

Je me souvenais de Shmeel assis dans son atelier en sous-sol, pendant des jours et des nuits, avec son aide. Leur marteau à la main, une vieille chaussure sur la forme, ils frappaient et clouaient. Shmeel avait la bouche pleine de chevilles de bois dans la joue droite et de petits clous dans la joue gauche, et pourtant il s'arrangeait toujours pour parler en travaillant.

Je l'ai supplié : « Reb Shmeel, écoute ce que dit maman. Ne te porte pas volontaire. Ne fais pas confiance aux Allemands. Cachez-vous avec nous dans la cave. »

Shmeel a secoué la tête, ahuri, puis il a regardé vers le plafond, vers Dieu.

Maman a fermé la porte à clef et a obligé Shmeel et ses petites-filles à rester avec nous pour la nuit. Mais les choses ne se sont pas arrangées pour Shmeel. Et quelques jours plus tard, je l'ai vu, lui et ses petites-filles, parmi d'autres Juifs misérables qui s'en allaient vers un avenir inconnu. Ils s'étaient finalement rendus au désespoir.

Maintenant, les S.S. avaient perdu toute retenue. Ils enfonçaient carrément les portes des maisons, des magasins, des caves et des greniers. Il devenait de plus en plus difficile pour la police juive d'atteindre ses quotas quotidiens afin d'approvisionner l'*Umschlagplatz* et les wagons à bestiaux.

Mais plus le danger augmentait et plus je me rebellais. Je savais que nous ne pourrions pas rester cachés très longtemps. Les S.S. et la police juive avaient déjà fouillé les appartements au-dessus de nous. Ce n'était plus qu'une question de jours avant qu'ils reviennent fouiller la cave et qu'ils nous trouvent tous les quatre. Je me sentais enchaîné à cette cave, à Hela, à maman, à papa, aux miens.

Soudain, j'ai proposé : « Maman, pourquoi est-ce qu'avec Hela vous ne postuleriez pas pour un travail à la fabrique d'uniformes de Toebbens ?

— Toi et tes idées ! a répondu maman sèchement. Tu ne cherches qu'à te débarrasser de nous.

— Ce n'est pas vrai, maman. Et tu le sais.

— Non, nous ne devons pas nous séparer. La famille doit rester unie. Si c'est la volonté de Dieu, nous mourrons tous ensemble.

— Maman, ne parle pas de la mort. Parle de la vie, de la survie. Je veux vivre et je veux qu'Hela et toi vous viviez. Demain matin à cinq heures, nous irons chez Toebbens.

— Mais qu'est-ce que cela changera ? Nous n'avons pas de machines à coudre.

— Oh, si, nous en avons, ai-je dit. J'en ai deux. Je les ai enterrées il y a longtemps. Et maintenant, c'est le moment de s'en servir.

— Tu as enterré les machines à coudre ? Tu ne les as pas données aux autorités ? Tu plaisantes ! »

Maman riait et pleurait en même temps. Hela, ravie et surprise, se pendait à mon cou.

Juste à la fin du couvre-feu, le lendemain matin, maman et moi, les machines à coudre accrochées dans le dos, nous nous sommes mis dans la queue devant l'usine Toebbens, rue Prosta. Hela était restée à la maison à cause de sa récente maladie. Nous ne voulions pas l'exposer à la bousculade et aux longues heures d'attente au soleil.

La tension dans la foule était insupportable. Tout le monde savait que souvent les S.S. arrêtaient des gens qui faisaient la queue. Aussi dès que nous entendions des bruits de moteur, nous nous bousculions pour aller nous cacher dans les immeubles proches. En fait, que Toebbens ait assez d'employés pour fabriquer des uniformes était le dernier des soucis des S.S. Tout ce qui les intéressait était de fournir assez de gens à l'*Umschlagplatz.*

Soudain, j'ai perdu maman de vue.

« Maman, où est-ce que tu es ? » ai-je crié. Elle était à environ vingt ou trente personnes derrière moi. Je devenais fou. Il fallait que je trouve maman mais j'avais peur de perdre ma place dans la queue.

Au plus profond de moi, je ne cessais de crier :

« Maman ne me joue pas de tours ! Remets-toi à ta place.

» Maman, je suis assez perdu comme ça. Je ne peux pas me contrôler plus longtemps, je ne peux pas faire semblant plus longtemps ni agir comme un gosse qui en a. Toujours calme et de sang-froid, toujours sachant quoi faire.

» Maman, j'ai les entrailles en lambeaux ! J'ai l'estomac retourné. Je veux vomir. Je veux chier. Je veux m'asseoir et pleurer, pleurer, pleurer.

» Maman, j'en ai assez ! »

Mais mon instinct de survie m'a obligé à me détourner de mes sentiments et à me convaincre que l'enfant qui pleurait et qui avait besoin qu'on prenne soin de lui était un autre. Un autre enfant qui était doux, sentimental et effrayé.

Cet enfant-là devait lutter contre ses sentiments, devait lutter pour survivre. A partir de maintenant.

J'ai pointé mon couteau à cran d'arrêt sur la gorge d'un homme près de moi.

« Ecoute ! C'est ma place dans la queue. Tâche de t'en souvenir. Il faut que j'aille chercher ma mère. Je ne t'envie pas si tu me fais des ennuis quand je reviendrai. »

J'ai réussi à faire peur à un innocent.

« Oui, oui, a-t-il bredouillé. Je n'ai rien fait. S'il vous plaît, a-t-il supplié, rangez ce couteau. »

J'ai descendu la file en courant. Dix, vingt, trente, quarante, cinquante personnes. Je ne voyais toujours pas maman. J'ai paniqué.

« Maman, où est-ce que tu es ? »

Les gens ne s'occupaient pas de me répondre. Ils ne s'intéressaient qu'à leur propre survie. Que valait un voyou de plus dans le ghetto ? Rien de nouveau, rien d'exceptionnel. Les rues étaient pleines de gens devenus fous. Des enfants abandonnés et affamés. Des adolescents violents et furieux.

J'ai remonté et descendu la queue, les yeux douloureux, le visage mouillé de larmes. Soudain, j'ai trébuché sur un corps. Je l'ai à peine regardé. Des corps dans les rues étaient un spectacle normal dans le ghetto. Généralement, on ne les regardait même pas.

Mais mes yeux sont tombés sur les chaussures. Puis sur le manteau.

C'était le manteau de maman !

Pourquoi est-ce qu'ils avaient recouvert un corps avec le manteau de maman ?

Fou de peur, j'ai ôté le manteau. Et ma mère était là, étendue dans le caniveau. Avec ses yeux fermés et son visage blême elle ressemblait aux momies que j'avais vues, enfant, au musée.

« Maman ! Maman ! »

Je lui ai donné des gifles, plus fortes que je ne le voulais.

« Maman ! Réveille-toi ! Tu n'es pas morte, réveille-toi ! »

Elle ne bougeait pas. Je l'ai giflée de nouveau. Je l'ai secouée.

« Maman ! Réveille-toi, c'est moi, Izaakl ! »

Elle a remué, mais à peine. Puis elle a ouvert les yeux et a battu des paupières.

« Tu vois, je t'ai éveillée. Je t'ai ramenée à la vie. »

Je me parlais à moi-même.

« Tu vois comme je suis fort. Si tu désires quelque chose avec assez de force, ça marche. »

Je l'ai aidée à se remettre debout.

« Izaakl... j'ai dû avoir un malaise. Tout tournait — le ciel, les gens. Et tu étais si loin. Je n'ai pas eu le temps de t'appeler. Je me suis évanouie.

— Tout va bien maintenant. Je suis là. Et tu vas mieux. Retournons dans la queue. »

Maman s'était bien évanouie et les gens l'avaient simplement recouverte de son manteau et abandonnée.

Pourquoi se tracasser ? Ce n'était qu'une juive morte dans le caniveau. C'est la machine à coudre qui avait de l'importance. Evidemment, on la lui avait volée. On ne l'a jamais revue.

Nous sommes revenus à notre place dans la queue. Plusieurs heures plus tard nous avons été admis pour travailler chez Toebbens. Nous n'avions qu'une machine à coudre mais nous avons eu de la chance. Nous avons eu une autorisation chacun.

Et quand je me suis inscrit, j'ai donné le nom d'Hela, pas le mien.

Tôt le lendemain matin, maman et Hela nous ont dit au revoir à papa et à moi. Ayant des permis de travail officiels, elles devaient se rendre dans un immeuble gardé rue Prosta. Personne ne savait s'il reverrait les autres. Nous ne savions même pas lequel d'entre nous était le plus en sécurité.

Hela pleurait quand elle m'a embrassé. Nous sommes restés dans les bras l'un de l'autre pendant un temps très, très long. Nous ne pouvions nous quitter.

Pour une fois, maman semblait optimiste. « Peut-être qu'avec l'aide de Dieu, tout va bien marcher, mais, Izaakl, prends bien soin de toi et de Père. Ne prends aucun risque, tu m'entends ? »

Papa et moi, nous devions continuer notre dangereuse existence dans la cave. Je savais que ce n'était que temporaire, mais nous n'avions pas le choix. En outre, il fallait que je trouve le moyen d'aller à Milanowek, voir Halina. Mais je ne pouvais laisser papa tout seul. S'il était découvert, il se suiciderait sûrement ou se ferait tuer.

Je laissais mon esprit divaguer. « Et *Bobe* ? » Je me suis demandé si grand-mère Masha était toujours cachée dans la chambre où je l'avais laissée, avec de l'eau et de la nourriture, ou si elle était enterrée quelque part, parmi des centaines de cadavres en pourriture dans une fosse commune. J'ai eu soudain un besoin urgent de la voir, de voir si elle était toujours en vie, si les Allemands avaient découvert la porte que j'avais camouflée et bloquée avec une grande armoire.

Plus que jamais j'avais besoin de sa sagesse, de ses caresses, et de sa consolation. J'étais désespéré, j'étais impuissant. Je me sentais incapable de me prendre en charge, abandonné comme n'importe qui.

J'ai pris un peu de nourriture et je suis allé voir ma grand-mère. A chaque coin de rue, je retenais mon souffle, effrayé à l'idée d'être pris.

Au coin de la rue Ostrowska, je me suis arrêté. Il y avait des S.S. et des soldats ukrainiens partout, avec des mitraillettes et des chiens. Des centaines de personnes, des jeunes et des vieux, attendaient dans la rue. On les avait traînées hors de chez elles comme des animaux.

J'ai fait demi-tour et j'ai couru jusqu'à la rue Gesia. Elle était déserte.

Je suis entré dans la cour de l'immeuble contigu à celui de grand-mère. J'ai grimpé jusqu'au toit en me tenant à la gouttière comme un écureuil.

En un instant, je suis passé par le vasistas, j'ai traversé le grenier et je suis descendu jusqu'au quatrième étage de l'immeuble de grand-mère.

Je me suis arrêté. Un silence de mort. Pas âme qui vive. Pas une voix. Pas le moindre grattement. Aucun son. La maison était vide.

Les gens avaient disparu et grand-mère Masha était partie. Je ne la reverrais jamais.

Je restais là, sur le palier du quatrième, et soudain je me suis senti seul et nu. L'être humain que j'aimais le plus n'était plus là pour me réconforter. Ils m'avaient arraché une partie de mon cœur et de mon âme.

Peut-être avait-elle laissé un chandail, sa vieille robe usée, ou sa longue chemise de coton. Ou peut-être son châle, celui qu'elle avait tricoté avec tant de soin. Ou sa Bible aux pages écornées et jaunies. Ou ses lunettes attachées avec un bout de ficelle.

Il fallait que je trouve quelque chose lui ayant appartenu. Des objets abandonnés encombraient les escaliers. Des sacs à dos, des sacoches, des cartables. Un ours en peluche. Une poupée. Tout avait été dispersé dans la confusion. Les S.S. n'avaient eu aucune pitié.

La porte de l'appartement de ma grand-mère était grande ouverte. J'ai couru à travers les pièces jusqu'à la dernière, la chambre camouflée. Je ne pouvais pas croire ce que je voyais.

Un miracle ! Un miracle !

Les S.S. avaient découvert la pièce mais ils avaient oublié grand-mère Masha. Vêtue d'une chemise de nuit blanche, ses longs cheveux argentés tirés en arrière, grand-mère Masha était assise au centre de la pièce dans son fauteuil préféré. Elle avait ses lunettes sur le bout du nez. Sa Bible était posée sur ses genoux. Elle faisait des reproches à son Dieu Tout-puissant.

« *Reboyne Shel Oilom,* oh, Seigneur, est-ce que ce n'est pas assez ? Qu'as-tu fait à mes enfants ? Non, non, ça suffit. Cela doit suffire. *Genig is genig.* »

J'ai couru vers elle.

« *Bobe !* Grand-mère ! C'est moi, Izaakl ! »

Elle m'a regardé fixement comme si c'était Dieu qui lui avait répondu. Elle m'a attiré vers elle et m'a embrassé et ses larmes coulaient sur son beau visage.

« Izaakl, *rateve dich.* Sauve-toi. Tu dois survivre, mon très cher enfant. Survivre ! Survivre ! »

Elle a répété ces mots comme un commandement biblique.

« Mais, grand-mère, comment est-ce que je le peux ? C'est l'enfer partout. Le monde est en train de disparaître. Tout se désagrège. Comment est-ce que je peux me sauver ? »

Elle a attiré mon visage près du sien et m'a regardé avec ses grands yeux profonds. C'étaient les yeux tragiques du désespoir, des yeux enfoncés à mille miles dans son crâne.

« *Nein, nein, mein teieres kind,* le monde disparaît pour moi, pas pour toi. Jamais pour toi. Tu dois survivre. Il le faut ! Tu es tout ce qui me reste. Tous sont partis. Satan me les a tous enlevés. Sans toi, tout est fini. Mon Izaakl, tu dois survivre ! »

Elle m'a attrapé fermement et nous nous sommes étreints en sanglotant sans pouvoir nous contrôler. Je pleurais comme un enfant perdu, comme l'enfant de quinze ans que j'étais réellement.

Nous nous sommes consolés mais pas pour longtemps. Pas assez longtemps. Soudain nous avons entendu les voix et les bruits brutaux de bottes des soldats S.S. Ils montaient lourdement les escaliers en riant et en jurant.

Non, il n'y avait pas eu de miracle, d'intervention divine. Les S.S. n'avaient pas oublié ma grand-mère Masha. Ils l'avaient laissée là pour plus tard. Ils savaient qu'elle n'avait nul endroit où aller, nul endroit où se cacher. Maintenant, ils montaient l'escalier pour venir la chercher.

« Vite, vite, mon enfant, mon cher petit, a

chuchoté grand-mère. Sauve-toi. Mets-toi sous le lit. Vite ! »

Sans discuter, je me suis glissé sous l'énorme lit victorien et je suis resté là dans mes propres larmes.

Grand-mère s'est assise sur le bord du lit. Elle a écarté les jambes et m'a caché avec sa longue robe blanche.

Sabcia, David, Yosek ou Srulek n'étaient plus là. Ni Marylka, Sara ou Mietek. Ni Heniek, Gershon ou Salcia. Tous étaient partis. Sortis brutalement de leurs maisons et de leurs cachettes par les Allemands.

Aussi ma grand-mère était décidée à sauver le dernier de ses vingt petits-enfants.

Les Allemands ont fait irruption dans la chambre. Rapidement ils l'ont saisie par les bras et arrachée à son lit. Ils l'ont traînée à travers l'appartement. Puis, de ma cachette, paralysé par la peur, je les ai entendus qui la jetaient dans les escaliers comme des ordures.

De ma précieuse grand-mère, ils ont fait un *shmate,* une guenille, des déchets. Ma grand-mère qui avait l'habitude de rester à mon chevet quand enfant j'étais malade, qui me caressait, qui touchait doucement mon front avec ses doigts fins pour voir ma température, qui posait sa tête près de la mienne sur l'oreiller pour m'aider à m'endormir. Je pouvais à peine respirer de rage. Une force irrésistible m'a envahi. J'aurais pu soulever sur mon dos l'énorme lit, courir dans l'escalier et l'écraser sur leurs têtes de Nazis. J'aurais pu les étrangler de mes propres mains, leur briser le cou sur mon genou.

J'aurais pu ; j'aurais pu ; mais je ne l'ai pas fait.

Au lieu de cela, je suis resté allongé sous le lit de ma grand-mère pendant ce qui m'a semblé une éternité.

J'ai fait un serment. « Grand-mère, je survivrai. Quoi qu'il arrive, je survivrai. Grand-mère, je ne t'oublierai jamais. Je leur ferai payer ça, je le dois. »

Quand tout s'est calmé dehors, je suis sorti de sous le lit et j'ai quitté l'immeuble. Je suis allé vers la rue Smocza. Il fallait que je retrouve papa, notre cave. J'avais besoin d'un endroit pour faire le point.

Soudain, une compagnie de S.S. conduisant une colonne de gens est sortie de la rue Nowolipki. Ils venaient droit vers moi. J'ai tourné rapidement dans la rue Pawia.

Plusieurs soldats ukrainiens en armes ont tourné le coin. Ils ont commencé à arrêter les gens sur le trottoir. J'ai regardé en arrière. Des policiers juifs et d'autres Ukrainiens étaient derrière moi. Je n'avais nulle part où courir. Pas une cour. Pas un porche. J'étais pris au piège.

Les Ukrainiens m'ont repoussé avec d'autres Juifs du trottoir dans le caniveau. Puis ils nous ont emmenés vers l'*Umschlagplatz*. Désespéré, je cherchais un moyen de m'enfuir. Mais il n'y avait aucune issue.

J'ai vu au loin la rue Ostrowska. J'ai tourné la tête pour voir la maison de grand-mère Masha. J'ai senti une douleur violente dans les côtes. Un soldat ukrainien m'avait donné un coup de crosse.

« *Idzi vpierod, yobany Zydok!* Avance, sale Juif! »

Frappant, poussant et jurant, les Ukrainiens nous ont fait avancer vers les wagons à bestiaux. J'avais toujours mal et j'ai vu pour la première fois le redoutable dépôt de la déportation. Situé juste à l'extérieur du ghetto, au coin de la rue Dzika, l'ancien chantier de bois était devenu le point de rassemblement de toute la misère du ghetto.

Tandis que les gardes parquaient des milliers de gens misérables dans un long alignement de wagons à bestiaux, j'ai vu se dérouler sous mes yeux toute la tragédie des Juifs de Varsovie. Les gens presque les uns sur les autres étaient entassés à peut-être une centaine par wagon.

Je me demandais comment on pouvait supporter le long voyage jusqu'en Ukraine dans des conditions aussi terribles. Non, ai-je décidé. Ce n'est pas possible. Les histoires sur Treblinka me semblaient plus vraisemblables.

J'observais la façon dont les Allemands brutalisaient les enfants, les vieillards et les malades. Je savais que ce voyage conduisait vers l'agonie et la mort. On ne traite pas ainsi des gens qui doivent vivre.

Des officiers S.S. accompagnés de chiens rôdaient dans le dépôt. Les Ukrainiens gardaient les voies. Et les policiers juifs continuaient à emplir les wagons.

Je m'attendais aux traitements les plus barbares de la part des Allemands et des Ukrainiens, mais la brutalité des officiers de police juifs m'a rendu malade. C'était révoltant. J'avais envie de serrer les mains autour de la gorge de Lejkin, le petit trapu, ou de Szmerling, le grand barbu. Et que dire de leur chef, le prétentieux, le soi-disant aristocrate Szerynski, un converti qu'on avait refoulé dans le ghetto? Ils se conduisaient comme si on allait les épargner pour toujours. Est-ce qu'ils ne savaient pas que tous les Juifs étaient condamnés? Les imbéciles, les salauds. Aujourd'hui en uniforme, demain dans des wagons à bestiaux.

Plusieurs personnes montraient leurs autorisations de séjour. Je les ai rejointes et j'ai prétendu faire partie du corps d'ambulanciers. Ceux qui avaient une carte ont été autorisés à s'en aller, mais un soldat S.S. très costaud m'a frappé au visage. « *Du Scheissjude !* retourne dans les rangs ! » Il m'a poussé dans une colonne qui se dirigeait vers le train.

A nouveau, j'ai quitté les rangs. A droite, plusieurs personnes blessées, allongées sur le sol, demandaient de l'aide. Je me suis penché et j'ai essayé de les réconforter. J'essayais de paraître occupé, de gagner du temps.

Les S.S. et les policiers juifs n'ont plus fait attention à moi. Je me suis relevé et je me suis dirigé vers la porte. Un policier juif m'a couru après. « Hé ! Toi ! Où est-ce que tu vas ?

— Je fais partie du personnel médical.

— Tu parles ! Retourne dans les rangs ! »

Il m'a repoussé avec sa matraque. A nouveau j'avançais vers le train.

J'ai encore quitté la colonne. Je suis retourné vers les blessés et je me suis penché sur une femme en sang. Le même policier juif est venu vers moi.

« Est-ce que tu n'as pas de cœur ? ai-je hurlé. Cette femme est ma mère. Tu ne vois pas qu'elle est blessée ? »

Mon mensonge n'a pas trompé le *Jamnik.* Il a levé sa matraque pour me frapper. Je l'ai vue s'élever au-dessus de ma tête. Je l'ai attrapée et j'ai fait tomber le policier. De toutes mes forces et sans aucune pitié je l'ai frappé avec sa propre matraque. Il est resté inconscient près de la femme en sang. Mon cœur cognait dans ma poitrine. Est-ce qu'on m'avait vu ? Est-ce que quelqu'un avait remarqué ? Est-ce qu'on allait me tirer dessus à ce moment précis et à cet endroit ?

J'ai attrapé sa casquette de policier et je me la suis posée sur la tête. J'attendais une balle, un coup de feu. Rien n'est arrivé. Je me suis relevé la matraque à la main et j'ai regardé autour de moi. Personne ne m'avait vu. Personne ne venait vers moi.

J'ai traversé la foule à grands pas. Je suis passé devant les officiers S.S. Je suis passé devant les Ukrainiens. Je suis passé devant les policiers juifs. Personne ne m'a arrêté.

A la sortie, j'ai salué les gardes S.S. et j'ai continué. Personne n'a fait un geste.

J'étais dehors.

16

Passant pour un policier avec la matraque et la casquette volées, j'ai pu rentrer à la maison par les rues désertes. Mon cœur battait à tout rompre. J'avais peur de me retourner. Je n'arrivais pas à croire que je marchais librement dans les rues et que j'étais sorti de cet enfer, l'*Umschlagplatz*.

Dans la cave du 29, rue Twarda, j'ai trouvé papa assis tranquillement dans un coin comme un prisonnier dans un cachot. Une petite chandelle éclairait en tremblant les pages du livre qu'il lisait. *L'Éthique* de Spinoza.

J'ai commencé à parler, de façon rapide et excitée, il fallait que je lui dise ce que j'avais vu, où j'avais été. Mais après quelques instants, j'ai remarqué qu'il n'avait aucune réaction. Il écoutait patiemment et poliment, mais dans ce que je disais aucun mot ne semblait le toucher. Aucun signe d'émotion n'a traversé son visage. Aucune douleur à propos de grand-mère Masha. Aucune joie pour mon évasion. Rien.

« Papa, tu n'as pas entendu ce que j'ai dit.

— Si, mon fils, j'ai entendu. J'ai tout entendu. Mais à quoi ça sert ? La vie ne vaut plus la peine d'être vécue...

— Tais-toi ! Je ne veux plus entendre parler de ta philosophie. Tu ne peux plus penser qu'à la mort ! Je ne veux pas entendre parler de la mort ! Je veux parler de la vie. Je veux vivre. Je vais survivre. Je les liquiderai tous ! »

Papa est resté silencieux. Il m'a regardé tristement puis s'est replongé dans son livre.

Exaspéré, en colère, je me suis allongé sur mon lit. Tous n'étaient que des défaitistes — résignés, désarmés, prêts à abandonner. J'avais souvent pensé abandonner. Cela aurait été tellement plus facile. Mais je n'avais pas pu. Il fallait que je survive, même quand la vie semblait plus douloureuse que la mort.

J'ai laissé errer mon esprit et, en fin de compte, j'ai pensé à Halina. Chaque jour, je ne cessais d'imaginer nos retrouvailles. Nous tombions dans les bras l'un de l'autre. Nous faisions l'amour toute la nuit, toute la journée. Nous faisions comme si ce monde de haine et de violence n'existait pas. Je me suis endormi et j'ai rêvé d'Halina, j'ai rêvé que je m'enfuyais du ghetto. Au petit matin, j'étais résolu à trouver un moyen pour sortir.

Je m'étais évadé une fois de l'*Umschlagplatz* mais je savais que je ne devais pas trop compter sur la chance. Les S.S. étaient trop diaboliques, trop préoccupés d'arrêter les Juifs jusqu'au dernier. Il fallait simplement que je m'en aille avant qu'il ne soit trop tard. Je contacterais Franek en qui on pouvait avoir confiance et avec sa fille Ania j'irais à Milanowek retrouver Halina. Maintenant que Hela et maman étaient en sûreté à la fabrique d'uniformes de Toebbens où les Allemands avaient besoin de leur travail, tout ce qui me restait à faire c'était de trouver un moyen de franchir le mur.

J'ai inspecté les voies habituelles de passage : le

cimetière, les toits, la rue Wolnosc. Toutes étaient maintenant sévèrement gardées. J'ai essayé de peser les chances mais je n'ai rien pu décider. Aucune voie ne semblait sûre. Aussi, un matin de bonne heure, je suis sorti pour traverser le ghetto de long en large afin de trouver une idée, une sortie. Je ne pouvais rester tranquille avant d'avoir trouvé une issue.

Les rues grouillaient déjà de soldats S.S. et de policiers juifs qui avançaient implacablement de maison en maison, de rue en rue. Aussi je me suis déplacé en passant par les greniers et par les toits en surveillant ce qui se passait en bas. Le toit d'un immeuble près du pont de bois gardé de la rue Chlodna était un excellent point d'observation. Je n'étais pas loin de la porte du ghetto Lezno et je pouvais voir la partie aryenne de Varsovie par-dessus le mur ouest de Zelasna.

J'ai entendu du bruit. Deux camions dans lesquels se tenaient plusieurs jeunes hommes attendaient au coin en bas. On hurlait des ordres et plusieurs Allemands en uniforme entraient et sortaient par la porte.

Cela m'a surpris. Ce n'était pas une compagnie de S.S. Ces Allemands-là venaient de l'extérieur du ghetto. Apparemment, ils avaient besoin de main-d'œuvre. Ils arrêtaient les gens au pont et leur offraient du travail à la place de la déportation.

Je suis descendu jusqu'à un appartement vide du second étage d'où je voyais et entendais mieux. Les Allemands parlaient d'un camp de travail à Rembertow, à trente kilomètres. Instinctivement, j'ai su que si j'arrivais à monter dans un des camions, je pourrais sortir sain et sauf du ghetto. Après je sauterais du camion dans la traversée de la partie aryenne de Varsovie.

Mais papa était tout seul dans la cave et je ne voulais pas l'abandonner. Je me suis mordu les lèvres. C'était une question de temps. Il fallait que je me décide vite. J'ai tout risqué, je suis parti en courant dans les rues. Je savais que si je rencontrais les S.S., c'était fini. Mais je ne voulais pas abandonner mon père.

J'ai couru, immeuble après immeuble. J'espérais, je priais. S'il Te plaît, s'il Te plaît ne me fais pas rencontrer d'Allemands. Enfin, je me suis précipité dans la cave.

« Papa ! Vite ! Prends tes affaires et viens avec moi ! »

Il y avait quelque chose dans ma voix qui rendait toute discussion impossible. Quelque chose d'assuré. Quelque chose d'autoritaire.

Papa a attrapé sa veste et un livre puis un autre livre.

« Papa, nos vies sont en jeu, dépêche-toi ! »

Il a ramassé un autre livre et l'a échangé avec le premier. Ses livres étaient ses enfants ; comment pouvait-il en laisser un derrière lui.

Sans un mot, je l'ai fait sortir. Je me dépêchais en tirant papa derrière moi dans les arrière-cours et les venelles. Nous sommes enfin arrivés au pont de bois. Les camions étaient toujours au coin.

J'ai pris mon courage à deux mains et je me suis approché du garde allemand. Il portait un uniforme vert olive avec un brassard marqué d'une swastika rouge.

« Mon frère et moi, nous sommes costauds. Nous voulons travailler. »

Pendant un instant, l'Allemand m'a regardé, surpris.

« Quel âge as-tu ? »

Je l'ai regardé droit dans les yeux : « Vingt ans. »

153

Il a montré papa du doigt : « Et celui-là ?

— Mon frère ? Il a trente ans. »

Papa était pâle et muet.

« *Auf den Lastwagen. Schnell. Genug Juden !
Abfahren.* »

Il nous donnait l'ordre de monter dans le dernier camion. Ils avaient assez de Juifs.

Quelques minutes plus tard, papa et moi ainsi qu'une centaine d'hommes, nous étions en route pour Rembertow. Tandis que le camion traversait en sautant les rues aryennes de Varsovie, des idées irrépressibles d'évasion me tournaient dans la tête. Mais plusieurs gardes étaient assis en face de nous avec des pistolets mitrailleurs. Tenter une évasion maintenant était trop risqué.

La peur et la logique s'affrontaient à mon désir de liberté. Ce sont la peur et la logique qui ont gagné. J'ai décidé d'attendre pour voir à quoi ressemblait Rembertow. Je trouverais bien une autre occasion pour m'enfuir. Tout d'abord, je verrais comment papa allait réagir.

Nous sommes arrivés au camp en moins d'une heure et immédiatement on nous a répartis en équipes de travail manuel. Plusieurs centaines d'hommes travaillaient là, à la construction d'un énorme dépôt d'essence pour les Allemands. Des civils *Volksdeutsche* surveillaient le chantier. J'ai été soulagé de ne voir ni soldats S.S., ni uniformes rayés, ni murs, même pas de barrières en fil de fer barbelé.

La journée est passée rapidement. Le soir, on nous a conduits dans trois baraquements de bois entourés d'une clôture de fil de fer barbelé et gardés par de vieux Allemands. A côté des conditions de vie dans le ghetto, c'était le paradis.

La nourriture du camp n'était pas mauvaise. Le

travail était dur et le traitement dépendait du chef d'équipe. Les civils étant *Volksdeutsche* parlaient polonais. J'ai vite découvert qu'on pouvait faire des affaires avec eux. Je suis devenu l'ami de Willy, un type rond comme une citrouille, *notre Schachmeister,* contremaître en chef. J'ai découvert que c'étaient les bijoux qui l'intéressaient. J'ai commencé à lui échanger des montres et des bagues que certains d'entre nous avaient réussi à cacher, contre certaines faveurs.

A Rembertow, bien que la discipline fût stricte, l'atmosphère faisait penser par bien des aspects à celle d'un chantier civil. L'après-midi, des marchands ambulants venaient sur les lieux de travail pour vendre de la limonade et des produits du coin. Les chefs d'équipe ordonnaient une pause et permettaient aux travailleurs d'acheter de quoi manger et boire.

Un après-midi, j'ai rencontré Mietek, un vieux copain du temps de la contrebande. Il avait plusieurs années de plus que moi et passait dans le ghetto pour un fameux escroc. Nous étions heureux de voir que nous étions encore en vie.

Très vite, Mietek m'a fait confiance. « Jacku, ça te dirait de t'évader ? »

Je n'ai pas hésité.

« Je savais que tu serais d'accord, a-t-il dit. Alors, écoute. J'ai un plan. » Il a baissé la voix. « Regarde de l'autre côté de la route à ta gauche. »

J'ai regardé.

« Tu vois la moto avec le side-car ? »

J'ai fait oui de la tête.

« Elle appartient à un des ingénieurs. Tous les matins, il la range exactement à la même place.

— Et alors ?

— Alors voilà, a dit Mietek. Cet imbécile de

Yeke ne prend jamais la clef. Regarde et tu vas la voir sur le contact.

— C'est vrai. Je la vois.

— Tout ce qu'on a à faire c'est de sauter dessus et de disparaître.

— Mais comment faire ? ai-je demandé. Je n'ai jamais conduit de moto.

— Ça ne fait rien. Je conduirai. Mais il faut faire vite. Qu'est-ce que tu en dis ? »

Le plan avait l'air simple, mais l'enjeu était élevé. Si nous étions pris les Allemands nous tueraient sur place.

« Dès qu'on est partis d'ici, a continué Mietek, on abandonne la moto et on rentre à pied à Varsovie. On peut prendre les petites routes. C'est plus sûr et certainement aussi rapide.

— Et mon père ? Je ne peux pas le laisser ici.

— Emmène-le, a dit mon ami. Il pourra s'asseoir dans le side-car. Mais il faut que je sache ce soir parce que je m'en vais demain. »

A ma grande surprise papa ne s'est pas opposé au plan quand je l'ai mis au courant. Mais d'un autre côté, il n'a pas dit non plus qu'il était d'accord. Je me suis dit que le moment venu, je n'aurais qu'à l'entraîner avec moi.

Le lendemain après-midi pendant la confusion de la pause, Mietek s'est approché de moi. « C'est maintenant ou jamais », a-t-il murmuré.

J'ai attrapé la main de papa. « Papa. On y va. » Je suis parti mais papa s'est immobilisé.

« Qu'est-ce qu'il y a ?

— Je ne peux pas Jacek.

— Et pourquoi tu ne peux pas ?

— Je ne peux pas. C'est tout.

— Nom de Dieu ! Allons-y, papa ! C'est maintenant ou jamais !

— Non, vas-y, toi. S'il te plaît. »

Mietek commençait à s'énerver.

« Papa, je t'en prie ! »

Papa restait pétrifié. Il ne voulait pas bouger.

Quelques instants plus tard, Mietek traversait la route — seul. Je le regardais, un jeune Juif courageux, froid et réfléchi, risquant sa vie pour être libre.

Il lui restait cinquante pas à faire. Quarante. Vingt. Il marchait lentement et posément, comme pour ne pas attirer l'attention. Maintenant, il était sur la moto.

Il a lancé un coup d'œil dans ma direction et a tourné la clef de contact. Le moteur a rugi et Mietek a disparu dans un vrombissement et un nuage de poussière.

Je l'enviais.

« Je ne pouvais pas. Je ne suis pas fait pour de telles aventures », ne cessait de se répéter papa. Il se sentait coupable et n'osait pas me regarder dans les yeux.

J'ai eu soudain pitié de lui. Il avait vécu tellement plus longtemps que moi, il avait lu tellement plus que moi. Sa déception devant la vie était plus grande que la mienne.

« Ce n'est pas grave, papa. Demain, il fera jour.

— Demain, si tu en as l'occasion, pars sans moi. Je ne plaisante pas, Jacku. Pars. »

L'évasion de Mietek a entraîné des changements dans le camp. On a doublé le nombre des gardes. On a renforcé la surveillance. Et on a supprimé les privilèges. Pourtant, il fallait que je trouve un moyen pour m'échapper.

L'occasion s'est enfin présentée quand Willy, mon chef d'équipe cupide, a dû aller à Varsovie faire des achats. Je lui ai promis de le conduire là où des Juifs déportés avaient enterré de l'argent et des bijoux s'il m'emmenait avec lui. Il a été d'accord.

J'ai dit rapidement au revoir à papa et je suis monté sur la plate-forme du camion qui partait pour la capitale. Willy était assis dans la cabine avec le conducteur et un garde armé.

Quand le camion s'est approché des faubourgs de Varsovie, je me suis préparé à agir. Le garde avait posé le canon de son pistolet mitrailleur sur le bord de la fenêtre, derrière lui, pointé dans ma direction, et il parlait avec Willy et le conducteur.

Ma chance de réussite dépendait de lui. S'il ne me remarquait pas, je pouvais être libre dans quelques minutes. Je me suis raidi quand le camion est entré dans les faubourgs tout en gardant un œil sur lui. Je connaissais chaque rue, chaque angle. Tout m'était familier : les immeubles, les cours, les boutiques, les gens.

Lentement, j'ai rampé sur la plate-forme vers l'arrière du camion, et là j'ai fait semblant de replacer une énorme bâche qui recouvrait quelque chose. Les trois Allemands dans la cabine ne faisaient pas attention à moi. Ils parlaient toujours. Le camion a ralenti en tournant à un croisement encombré. Je me suis lancé.

J'ai roulé de la plate-forme, je suis reparti dans la rue d'où nous venions et je me suis mêlé à la foule. Peu de temps après, j'étais rue Lucka, à la porte de Franek.

Ania et sa mère, une fois encore, m'ont accueilli avec chaleur et bienveillance. Elles m'ont proposé un bain, un copieux petit déjeuner et des vêtements de rechange. Ania rayonnait de joie. Elle m'a dit que Halina était saine et sauve mais qu'elle se faisait du souci pour moi parce qu'elle ne m'avait pas vu depuis des semaines.

Franek est arrivé à midi. Nous avons échangé quelques mots. Puis il m'a emmené dans une autre pièce et m'a confié qu'il avait rejoint la Résistance. « Voici mon arme », a-t-il dit en sortant de sa chemise un nouveau parabellum. « C'est pour toi, Jacku. Fais-en bon usage. »

J'ai regardé ce « trésor », cette arme brillante qui signifiait pouvoir et vengeance ! Je fixais le revolver et Franek. J'avais vraiment envie de lui dire : « Tu es fou de t'en séparer. »

Mais je n'ai rien dit. Et Franek n'était pas fou. C'était le véritable ami de papa, qui restait assis avec lui pour parler des progrès de la civilisation. Mais les deux hommes, qui avaient été deux pacifistes convaincus, avaient différé dramatiquement dans leurs rapports avec la réalité.

Cette arme était un miracle. Je l'ai touchée d'une main tremblante. « C'est pour moi, vraiment pour moi, *Panie* Franku ?

— Bien sûr, c'est pour toi. Nos forces sont en contact avec la résistance juive derrière le mur. Ils nous ont dit que les déportations sont sur le point de se terminer. La plupart des Juifs sont partis, mais pas tous. Il reste encore un noyau que les S.S. n'arrivent pas à trouver. Ils sont concentrés dans une petite zone — ils appellent ça le ghetto central. Evidemment, tu sais que les Allemands ont réduit la taille du ghetto ?

— Combien est-ce qu'il reste de Juifs ? ai-je demandé.

— Je ne sais pas. Des rumeurs disent qu'on en a déporté plus de deux cent cinquante mille. Mais ceux qui restent sont en train de s'armer. Ce sont des jeunes, comme toi. Ils ont décidé de se battre jusqu'au bout. »

J'ai senti la fierté m'envahir. Une résistance armée. Une résistance armée *juive*.

« Ils sont en train de construire des abris souterrains. Ils ont constitué une force militaire juive. »

Plus j'en entendais, plus j'étais excité. « Franek, je veux y aller. Je veux les rejoindre. »

Franek m'a entouré de son bras. « Je savais que tu voudrais y aller, Jacku. Je savais que tu voudrais te battre. Nous aussi, nous nous battons. Nous allons joindre nos forces. Nous allons nous organiser et les combattre ici, de ce côté-ci du mur. »

Il s'est détourné et a marché vers la fenêtre. « Les Allemands ont pris ces milliers de Juifs et les ont assassinés de façon scientifique dans des usines de mort. Il n'y a aucune réinstallation en Ukraine. Ce n'étaient que des mensonges. Ils ont envoyé les gens à Treblinka, un immense camp d'extermination. Avec leur bestialité, ils ont gazé et brûlé tout le monde — les hommes, les femmes et les enfants ; les vieillards, les jeunes, les malades. Tout le monde. Et ils ont jeté leurs cendres dans des fosses. »

La voix de Franek était emplie de colère.

« Tu es sûr, Franek ? Tu es vraiment sûr que ça se passe comme ça ?

— Oui, Jacku. Beaucoup de Polonais qui travaillent aux chemins de fer racontent la même chose incroyable. Beaucoup de Juifs qui ont réussi à s'échapper de Treblinka rapportent la même histoire. La nouvelle résistance juive, le Z.O.B., a envoyé des agents pour enquêter. Et eux aussi ont découvert que c'est vrai. »

Je tremblais. Je n'arrivais pas à y croire. Je ne voulais pas y croire. Des usines de mort ? Une technique scientifique de la mort ? Et j'ai pensé que cela correspondait à l'esprit des cruautés nazies que je connaissais déjà. C'était si efficace, si allemand.

Je bouillais. Il fallait que je rende coup pour coup. L'idée d'une résistance armée m'enthousiasmait. J'allais les combattre dans le ghetto. *J'aurais ma revanche.*

Mais tout d'abord, il fallait que j'aille à Milanowek pour voir Halina. Je savais qu'elle était courageuse et qu'elle se joindrait à moi. Nous retournerions dans le ghetto et ne serions plus jamais séparés. Nous allions combattre les Allemands. Même si nous n'avions que nos poings, nous allions combattre.

17

Milanowek semblait plus paisible que jamais. Les premières couleurs d'automne, les ors, les bruns, les roux, magnifiaient le paysage.

Un air de liberté flottait sur la campagne.

Je respirais profondément et je m'arrêtais souvent pour regarder autour de moi. Comme la nature était belle dans le monde aryen !

Ania me tenait la main et marchait silencieusement à côté de moi. Mon étrange conduite la surprenait mais elle ne disait rien. Comment aurait-elle pu comprendre ce que cela signifiait pour moi, un esclave du ghetto, de marcher librement sur une route de campagne, sans peur et vivant ?

Tout était calme près de la maison. Pas un bruit. Aucune fumée ne sortait de la cheminée. Aucun signe de vie. Mais nous savions que Halina et Mala étaient là. Ania a ouvert la porte de derrière. Nous sommes entrés, nous avons fermé la porte et nous avons attendu. Nous avons regardé derrière nous si personne ne nous avait suivis, puis nous sommes descendus dans la cave où Halina et Mala se sont jetées sur moi, en me serrant dans leurs bras, en m'embrassant et en hurlant de joie.

Des larmes roulaient sur les joues roses d'Ania

quand elle nous a pris dans ses bras. Elle voulait participer à la fête. Halina et Mala lui ont pris les mains et elles se sont mises à danser tandis que je restais là à les regarder ahuri et amusé.

Elles ont fermé portes et fenêtres et se sont allongées sur le sol pour m'écouter leur donner des nouvelles de Varsovie. Elles croyaient qu'il ne restait plus un seul Juif vivant. Elles avaient entendu des rumeurs cruelles et déprimantes lors de leurs rares sorties au marché, des rumeurs qui les avaient laissées sans aucun espoir. Notre réunion était un mélange de joie et de tristesse.

Halina ne pouvait laisser ses mains au repos. Elle s'est assise près de moi et m'a caressé, câliné tout en me donnant mes bonbons préférés, des *Krowki Pomorskie,* une friandise de Milanowek.

Mala me harcelait de questions qui révélaient ses craintes au sujet de sa famille. Je n'avais rien de précis à lui dire. Je ne connaissais pas leur sort. Mais elle ne renonçait pas. Elle refusait d'admettre qu'ils puissent avoir péri.

« Je ne peux pas le croire. C'est trop horrible. »

Ania a essayé de la réconforter. Elle essayait d'apaiser la douleur de chacun. C'était la plus jeune d'entre nous et la seule non juive. Une chrétienne sensible entraînée dans une tragédie juive.

J'avais prévu de ramener Halina et Mala dans le ghetto et c'est ce qu'elles attendaient que je leur dise. Mais je leur ai parlé du début de la résistance juive et je leur ai dit que je devais d'abord retourner seul dans le ghetto pour voir la situation et ensuite je me débrouillerais pour les faire venir. Je leur ai montré le pistolet que Franek m'avait donné. « J'en aurai un pour toi, Halina. C'est le seul moyen. C'est la dernière chose qui nous reste. »

Halina était accablée par ces nouveaux développements.

« Tu veux dire qu'une poignée de pauvres Juifs affamés vont s'attaquer au monstre allemand ? Comment ? »

Mala et Ania étaient près de nous sans voix. Ce que je disais semblait n'avoir absolument aucun sens pour elles.

« Oui, Halina. Nous allons les combattre au grand jour, dans les rues de notre ghetto, des fenêtres, des toits et des greniers. Nous allons les combattre avec des bâtons et des bouteilles. Avec des pierres. Avec des fusils.

— Oh, mon Dieu, c'est merveilleux et effrayant, Jacku, a dit Halina. Je peux à peine le croire. J'espère seulement que tu me donneras un peu de ton courage. Je vais en avoir besoin. » Elle m'a pris dans ses bras. « Je ne peux pas attendre, je veux que tu sois fière de moi. »

Nous sommes montés. Nous avons eu besoin de toute la nuit pour partager notre amour, notre joie et notre incertitude devant l'avenir.

Nous avons eu besoin de toute la matinée pour nous dire au revoir.

L'après-midi, dans l'appartement de Franek, ma décision de retourner dans le ghetto s'est renforcée. Franek a reconnu que ce qu'il savait des conditions derrière le mur venait principalement de rumeurs et il m'a prévenu de ne pas compter entièrement sur ce qu'il me disait.

« Mais tu connais les Allemands mieux que

n'importe lequel d'entre nous. Fais comme tu voudras, suis ton instinct. C'est le conseil que je te donne. » Nous nous sommes serré la main et nous nous sommes embrassés. « Tu sais que tu peux toujours venir à la maison, Jacku. Tu y seras toujours chez toi. »

Il a voulu m'accompagner mais je l'en ai empêché. « Non, à partir de maintenant je dois être seul. Tu en as assez fait pour moi. J'essaierai de t'appeler si le téléphone marche toujours. Sinon je reviendrai pour prendre Halina. »

Je me suis mis en route avec le pistolet dans ma chemise et de la nourriture dans mon sac. J'étais prêt à me battre. Je me suis dirigé vers le cimetière juif, l'endroit que je connaissais le mieux. De là, je rentrerais dans le ghetto.

J'ai descendu la rue Zelazna du côté aryen. Là où quelques semaines plus tôt des Allemands bien armés patrouillaient, il n'y avait plus qu'un gendarme ou deux qui passaient le temps. Tout doit être fini à l'intérieur, ai-je pensé. Quel calme.

Je suis entré dans la rue Okopowa, j'ai tourné dans la rue Kacza et je me suis arrêté. Une enseigne se balançait doucement dans la brise : Restauracja Pod Kacza. Cela m'a ému. Mais il n'y avait rien d'autre.

J'ai monté les marches. Une planche était clouée en travers de la porte sur laquelle était écrit : « Propriété du Troisième Reich », avec un avertissement : « Peine de mort pour quiconque entrera sans permission. » J'ai fait le tour jusqu'à la porte de derrière. Une autre planche avec le même avis. Tout était calme à l'intérieur. Pas une voix. Rien que des souvenirs.

Je revoyais le visage chaleureux de Jadzia. Puis son père — *Knajpiarz* Maciek. De vrais chrétiens.

Si seulement il y en avait plus comme eux. Je me suis demandé où les Allemands les avaient emmenés. Je me suis demandé s'ils étaient encore vivants.

Une pluie fine tombait du ciel nuageux de septembre. J'ai passé une heure environ dans le cimetière catholique. Il était plus sage d'attendre la nuit pour ce que j'avais à faire.

Pour escalader le mur, j'ai choisi l'endroit où nous nous étions si souvent arrêtés avec la bande. Un énorme monument était adossé au mur. L'inscription disait : « E. J. Wedel, fondateur des Chocolats Wedel. » Quand on avait escaladé le monument, on était à mi-hauteur du mur. Yankele s'arrêtait toujours au sommet, il touchait le monument, se léchait les lèvres et disait : « Bande de salauds, *yekes,* venez donc m'attraper. Je mourrai dans le chocolat. »

« Hé, Yankele, lui avais-je dit une fois, même si je t'enveloppais pour t'offrir à Satan, il te renverrait dans ce monde. Il n'aime pas ce qui est sucré. » Toute la bande avait éclaté de rire.

Ce n'était pas loin d'ici que Yankele était tombé de l'arbre, quand les Allemands lui tiraient dessus. Je me suis demandé combien de milliers de Yankele mouraient chaque jour dans les usines de mort des Allemands.

A la nuit tombante, j'ai escaladé le mur pour aller dans le cimetière juif. J'ai décidé de passer la nuit dans l'*ohel* du rabbin Radzyminer dans lequel je me cachais du temps de la contrebande. Est-ce qu'il n'y avait qu'un an ? Je me souvenais de la joie et de l'énergie de la bande. Je me souvenais qu'en dépit du danger constant, nous avions un sentiment d'aventure, la fierté de tromper les Allemands tandis que nous aidions nos familles à survivre. Mais par-dessus tout, je me souvenais que nous avions l'impression que tout était possible, l'optimisme de la jeunesse et l'espoir dans l'avenir nous inspirait et nous permettait de continuer.

Tout cela était du passé. J'étais le garçon de quinze ans le plus vieux du monde.

Le lendemain de bonne heure, j'ai descendu avec précaution les allées du cimetière. J'allais à droite et à gauche en faisant attention à l'extérieur aux patrouilles allemandes. A la porte d'entrée, j'ai vu deux gardes polonais. Des centaines de cadavres étaient empilés partout autour d'eux. Des corps étaient entassés de chaque côté de la porte et le long du mur. Ils semblaient être là depuis des semaines.

Les gardes ont été surpris de me voir.

« Où est-ce qu'est mon ami Shmerl ? ai-je demandé. Il travaillait ici. Où est-il ?

— D'où est-ce que tu sors ? Et de qui est-ce que tu parles ? a répondu un des gardes.

— De Shmerl, le chef des gardes. Mon ami Shmerl. Vous devez avoir entendu parler de lui. »

Les deux hommes se regardaient abasourdis. « Les S.S. ont arrêté tous les gardes et leurs familles il y a quelques jours. Nous sommes restés pour nous occuper des enterrements. Nos familles sont parties et nous mangeons et dormons dans le cimetière. Nous avons peur de sortir et de retourner dans le ghetto. Toutes les rues sont vides. Il n'y a plus que les Allemands et les Ukrainiens qui rôdent.

« Mais les Juifs, ils ont bien dû laisser quelques Juifs », ai-je insisté.

Je leur ai posé d'innombrables questions qui sont restées sans réponse. Ils bégayaient et tremblaient de peur. Mais ils ont fini par confirmer les rumeurs selon lesquelles il restait un petit ghetto. Quelques rues non habitées, peut-être Zamenhofa, Gesia, Mila, Niska...

J'ai attendu dans le cimetière l'ombre amicale de la nuit. Avec mon pistolet prêt, je me suis glissé par la porte du cimetière et j'ai avancé avec prudence dans les rues désertes.

Je me suis dirigé vers Gliniana, au-delà de l'endroit où nous jouions au football. Je suis passé devant la maison de grand-mère Masha rue Ostrowska. J'ai retenu mes larmes et j'ai couru jusqu'en bas de la rue. Je me cachais dans les coins sombres, dans les portes ; je tendais l'oreille au moindre bruit. Mon arme était toujours prête. Elle me donnait un sentiment de sécurité et, ce qui était plus important, de dignité.

Soudain, j'ai entendu de nombreuses voix ; des hommes, des femmes et des enfants.

Je me suis précipité dans l'immeuble le plus proche, j'ai grimpé les escaliers jusqu'au grenier, je suis passé sur le toit et j'ai redescendu dans la cour de derrière qui donnait dans la rue Mila. La cour était pleine de Juifs.

J'étais transporté de joie d'en trouver autant encore en vie. Mais mon bonheur a été de courte durée. Quelques minutes plus tard, des soldats S.S. et des Ukrainiens sont arrivés. En jurant et en hurlant des ordres, ils ont commencé à faire sortir tout le monde de la cour en poussant les gens avec les crosses de leurs fusils.

J'ai fait demi-tour et j'ai essayé de m'enfuir par où j'étais venu mais des S.S. bloquaient la voie. J'avais risqué ma vie pour venir jusqu'ici et à nouveau j'étais pris au piège. Les S.S. avaient encerclé deux pâtés de maisons rue Mila, de la rue Zamenhofa jusqu'à la rue Smocza. Des soldats patrouillaient sur les trottoirs tandis que les Juifs étaient regroupés sur la chaussée.

J'ai vite compris ce qui se passait. Maintenant

que les Allemands avaient envoyé la plupart des Juifs dans les usines de mort, ils liquidaient les classes privilégiées du ghetto, ceux qui avaient possédé les précieuses cartes d'exemption. C'étaient principalement des policiers juifs, des employés du *Judenrat* et du cimetière et d'autres collaborateurs. Maintenant qu'ils avaient accompli les sales besognes pour les Allemands, on n'avait plus besoin d'eux. Leur tour était arrivé. Les Allemands avaient appelé la zone privilégiée du ghetto la *kociol*, la chaudière. C'était une plaisanterie des S.S. à usage interne, parce que c'est là qu'ils avaient prévu à la fin de faire « bouillir » les « bons » Juifs. Mais maintenant que je me trouvais parmi eux, je ne savais pas si je devais me réjouir de voir ces salauds récolter ce qu'ils méritaient ou regretter de voir partir pour leur ultime voyage les derniers Juifs de Varsovie.

J'ai fait quelques pas en assistant à des scènes d'horreur. Des mères affolées essayaient de calmer leurs enfants devenus hystériques ; des hommes bien mis se disputaient pour savoir qui était responsable ; de vieilles femmes, faibles et pathétiques, se serraient les unes contre les autres. La plupart des policiers s'étaient déjà débarrassés de leurs casquettes et de leurs uniformes. Un sentiment accablant de culpabilité flottait dans l'air. J'étais sûr que si je tendais la main, je pourrais le saisir.

J'ai entendu un jeune homme et sa femme qui se disputaient, désespérés. La femme hurlait à l'adresse de son mari : « Tu es une ordure ! Tu mérites d'aller à l'*Umschlagplatz*. Tu pensais que ma mère n'était pas assez bien pour se cacher avec nous. Maintenant nous sommes tous au même point. Même toi, monsieur le Gros Malin ! »

L'homme, un ancien laquais de la police, pleu-

rait. « J'ai essayé de te sauver, toi et les enfants. »
Il est tombé à genoux et a saisi ses enfants endormis, des jumeaux.

A côté, un *jamnik* piétinait sa casquette de policier et se frappait la tête avec sa matraque. « Maman ! Maman ! a-t-il crié, pardonne-moi ! Je me suis conduit comme un imbécile ! Et comme un égoïste ! » Il avait le visage couvert de sang mais il continuait à se lamenter et à délirer. « Non, je ne peux pas vivre ! Je ne veux pas vivre ! Je ne mérite pas de vivre ! »

Finalement, j'en ai eu assez de marcher au milieu des gens. Je me suis allongé dans le caniveau parmi les misérables êtres humains qui étaient là et j'ai sombré dans un sommeil troublé.

Le bruit d'un pistolet mitrailleur, un réveille-matin S.S., a tiré tout le monde du sommeil à l'aube. Un groupe d'Allemands installaient des tables au coin des rues Mila et Zamenhofa. Je me suis avancé dans la foule pour voir ce qui se passait.

Les Juifs de la « chaudière » s'en allaient à gauche dans la direction de l'*Umschlagplatz*. Mais une sélection avait lieu. Un officier S.S. d'âge moyen, portant des lunettes et un fouet à la main, faisait partir certains hommes en bonne santé sur la droite, loin de l'*Umschlagplatz*.

« *Los ! Schnell ! Alles rechts !* »

Des S.S. hurlaient et pressaient cette masse d'hommes, de femmes et d'enfants abrutis vers la gauche — en les poussant, les bousculant et les frappant avec la crosse de leurs fusils et des fouets. La violence exercée contre ces anciens privilégiés était sans commune mesure avec ce que j'avais vu auparavant.

Maintenant, ce que je voulais avant tout, c'était être touché par le fouet du S.S. qui faisait la sélection, je voulais m'en aller loin de l'*Umschlagplatz*. Au plus profond de moi, je savais que tous les autres allaient vers la mort.

J'avais peur des wagons à bestiaux, mais j'étais prêt. J'avais mon arme et je comptais bien m'en servir au bon moment. J'étais presque arrivé, prêt à agir, quand j'ai senti le fouet du S.S. me frôler les cheveux. Immédiatement, quelqu'un m'a saisi le bras et m'a tiré à droite. J'étais avec ceux qu'on avait choisis pour rester derrière.

J'ai regardé les autres Juifs s'en aller vers le dépôt.

L'*Hauptsturmführer* Geipel s'est mis debout sur une table dans la rue et a ajusté ses lunettes pour regarder le groupe de jeunes gens « sélectionnés », rassemblés devant lui. Des soldats S.S. épuisés d'avoir énergiquement fouetté des Juifs toute la matinée flânaient détendus autour de nous.

Un jeune aide de camp de Geipel a hurlé : « *Achtung! Achtung!* »

On a tiré une rafale de pistolet mitrailleur et la rue est devenue immédiatement silencieuse. Alors Geipel a commencé à parler.

« C'est un jour de chance pour vous. Vous avez été choisis pour servir le Troisième Reich. Chacun de vous fait partie d'une équipe — *die Werterfassung*. Votre mission est double — charité et propreté. Tout d'abord, vous allez aider la pauvre Allemagne. L'hiver arrive et vous allez fournir un *Winterhilfe*. Ensuite, vous allez aider à nettoyer la saleté que vos amis ont laissée derrière eux. »

L'ironie de cette situation absurde m'était insupportable. L'*Hauptsturmführer* Geipel s'adressait à nous comme un entraîneur s'adresse à une équipe de football. Nous étions un « heureux » groupe de Juifs au supplice et nous restions dans le ghetto pour une période indéterminée. Nous devions sélectionner, rassembler et aider à transporter en Allemagne tout ce qu'un demi-million de Juifs que les Allemands avaient envoyés à la mort avaient laissé derrière eux — les meubles, les vêtements, la literie, les jouets.

J'avais envie de hurler : « Assassins ! Sadiques ! » Mais je ne l'ai pas fait.

18

« Il ne faut pas avoir peur », disaient les affiches allemandes. « La réinstallation est terminée. Maintenant tous les Juifs peuvent vivre en paix. Ce n'est plus nécessaire de se cacher. Rejoignez les unités de travail allemandes. »

Le nouveau *Bekanntmachung* nazi était affiché partout, aussi bien dans les zones soi-disant « vides » du grand ghetto déserté que dans les quelques rues peu peuplées du nouveau ghetto central.

On a construit un nouveau mur au milieu de la rue Gesia avec une porte au coin de la rue Zamenhofa. Les S.S. ont réquisitionné un pâté de maisons entier pour loger les travailleurs *Werterfassung.* La maison la plus proche du mur se trouvait au 4, rue Niska. Je m'y suis installé dans un appartement confortable de quatre pièces.

Pour souligner leurs bonnes intentions, les Nazis ont annoncé la construction d'un nouveau jardin d'enfants pour tous les jeunes enfants qui étaient encore cachés. Des milliers de gens ont commencé à sortir de nulle part — des caves, des greniers, de pièces camouflées, des égouts. Ils avaient réussi on ne sait comment à se cacher des compagnies de S.S.

pendant les mois de déportation. Quarante mille personnes environ ont convergé vers le nouveau ghetto.

C'était pour la plupart des jeunes, des militants, prêts à combattre.

Après quelques jours au dépôt de stockage du *Werterfassung,* où je travaillais dans une unité de *Kommando* qui transportait les meubles des appartements juifs abandonnés dans les camions allemands, je me suis débrouillé pour me faire nommer à un emploi sédentaire. Je suis devenu l'assistant d'un chef de groupe dans l'énorme centre au 44, rue Zamenhofa. Ce groupe réparait et nettoyait les meubles avant leur expédition en Allemagne.

Mon nouvel emploi me permettait de mener une double vie. Légalement, j'étais employé par les S.S. et illégalement je faisais de la contrebande d'armes, de nourriture et de matériaux de construction pour les abris.

J'aimais l'ironie de la situation. Nous nous préparions pour l'heure H, pour un fantastique affrontement, juste sous le nez des Nazis. Nous préparions notre revanche, notre défi et la guerre psychologique. Enfin, nous allions essayer de les battre à leur propre jeu.

Chaque nuit, dans mes rêves, je faisais des plans et je bâtissais des combinaisons.

Je rêvais que je dirigeais un nouveau groupe, un groupe d'adolescents.

Je rêvais d'un énorme abri situé sous les fondations du 4, rue Niska : un abri avec des armes, des cocktails Molotov, de la nourriture, des provisions et des entrées camouflées. Un abri plein de Juifs.

Je rêvais d'Halina et de Mala, de maman et d'Hela, de papa. Je rêvais de les réunir tous.

Je rêvais que Lutek et Shmulek vivaient encore

174

quelque part. Avec certains de mes cousins et de mes tantes. Et grand-mère Masha.

Je rêvais, je m'agitais, je suais et je rêvais encore.

Mais tôt le matin, quand la pâle lumière du soleil d'octobre pointait à travers les rideaux usés de ma chambre vide, je me suis dressé sur mon matelas humide et j'ai regardé par la fenêtre avec colère et amertume. J'étais seul. Telle était ma réalité.

C'est à ce moment que j'ai décidé d'aller chez Toebbens pour ramener maman et Hela. Ce serait ma première tâche.

J'ai eu une conversation codée avec Halina au téléphone.

« S'il te plaît, Jacku, ne me fais pas attendre plus longtemps. Je veux être avec toi. Il le faut.

— Ça ne va plus tarder. Il faut encore que j'arrange deux ou trois choses. Alors je serai prêt. Pas plus de quelques jours. Je te le promets. D'abord, je dois retrouver maman et Hela. Je t'en prie, sois patiente. »

Ma tâche semblait impossible. Pour atteindre l'usine Toebbens, il fallait que je traverse plus de trois kilomètres de rues désertes où patrouillaient des soldats S.S., des gendarmes et des policiers polonais. Quiconque était arrêté dans cette zone sans autorisation était fusillé sur-le-champ. En fait, on avait déjà fusillé beaucoup de Polonais chrétiens qui s'étaient aventurés là pour voler ce qui restait dans les maisons vides du ghetto.

Puis je devrais pénétrer dans l'enclave gardée de Toebbens, trouver maman et Hela, retraverser la partie déserte du ghetto, passer la porte du ghetto central sans autorisation — et tout cela à la tombée de la nuit, avant le couvre-feu.

Je savais que seul un plan audacieux pouvait marcher.

Et j'en avais un. Déguisé en policier polonais, je pourrais facilement traverser les rues désertes. Tout ce que j'avais à faire, c'était de me procurer l'uniforme, l'étui de pistolet et la casquette.

Je suis allé jusqu'à quelques pâtés de maisons en évitant les patrouilles allemandes. Finalement, j'ai repéré deux policiers polonais rue Leszno. Ils s'approchaient d'un bar abandonné au coin de la rue Solna. Je suis entré en vitesse dans le bar par une fenêtre de côté et j'ai attendu qu'ils soient plus près. Puis, exprès, j'ai cassé quelques bouteilles. Ils se sont arrêtés et ont sorti leurs armes.

« Toi, là-dedans, a ordonné l'un d'eux, sors avec les mains en l'air ! »

Ils ont regardé par la fenêtre en essayant de voir dans l'obscurité. Une bouteille à la main, j'ai titubé vers eux, en faisant semblant d'être un jeune chrétien saoul.

« Eh ! Les mecs, ai-je dit en bredouillant. Je croyais que ces sales Juifs crevaient de faim. Ben merde ! C'est plein, là-dedans ! Il y a une cave pleine de marchandises, du champagne, du cognac, de la vodka. Vous ne le croiriez pas ! »

Les policiers ont ignoré ce que je disais. « Garde les mains en l'air et avance !

— Nom de Dieu ! ai-je insisté. V'nez j'ter un coup d'œil ! Christ ! Y'a des caisses pleines de marchandises ! » J'ai ouvert la porte et j'ai reculé en titubant. « V'nez. J' vais vous montrer la cave. »

Les policiers sont entrés prudemment. Ils ont levé leurs armes vers moi. Je gardais les mains en l'air en jouant toujours la comédie. Je pensais que leurs revolvers n'étaient pas chargés, mais si les choses avaient changé ? Je ne pouvais en être sûr.

« C'est là derrière, les mecs. L'escalier est juste là. » Je me suis déplacé vers le fond, vers l'endroit le plus sombre du bar.

Soudain, un des policiers a dirigé une lampe électrique vers moi. « Nom de Dieu ! Si c'est un piège, tu sortiras pas vivant d'ici !

— Y'a pas d' piège ! Christ ! J' le jure ! » J'ai ouvert la porte de la cave et j'ai montré du doigt. « C'est en bas. Tout est en bas. Des caisses et des caisses. V'nez, j' vais vous faire voir. »

Les policiers hésitaient, je pouvais sentir la tempête sous leur crâne. La perspective de trouver des trésors cachés les attirait. Mais comment pouvaient-ils me faire confiance ?

« On va rester ici, a dit l'un d'eux. Et tu vas remonter une caisse. Et ne nous joue pas de tour. »

Je savais que le moment était venu. « D'accord. Je r'monte. »

J'ai descendu une marche ou deux et je me suis retourné avec mon revolver au poing. J'avais agi très rapidement.

« Haut les mains ! Celui-là est chargé ! »

Les policiers ont laissé tomber leurs armes et ont levé lentement les mains. Je les avais eus complètement par surprise.

J'ai saisi la lampe de poche et je les ai poussés dans la cave obscure. « Fermez vos gueules ou je vous fais éclater la tête. »

Les deux hommes, entre deux âges, ont demandé grâce. « S'il vous plaît, ne nous tuez pas. Nous avons des enfants.

— Je ne plaisante pas, ai-je dit. Faites ce que je vous dis et il ne vous arrivera rien.

— Oui, oui. Tout ce que vous voulez. »

J'ai donné l'ordre à l'un d'eux de se déshabiller. En quelques minutes j'avais revêtu son uniforme.

« S'il vous plaît, ne nous prenez pas nos armes, ont-ils supplié. Nous allons perdre notre travail. La Gestapo peut même nous faire fusiller. Par Jésus-Christ, ayez pitié. »

Je leur ai laissé leurs pistolets vides mais j'ai pris une ceinture et un étui pour compléter mon déguisement. J'avais l'air d'un vrai policier. Je les ai enfermés dans la cave, je me suis enfoncé la casquette sur la tête et j'ai remonté avec entrain la rue Solna. J'ai croisé deux patrouilles allemandes, que j'ai saluées avec élégance en souriant. A la porte de l'usine Toebbens, j'ai salué les gardes et je suis passé sans m'arrêter. Une fois à l'intérieur, je me suis dirigé vers l'ancienne école de commerce et, sans hésiter, j'ai demandé un renseignement au garde *Volksdeutscher.*

« Je cherche une Juive, ai-je dit. J'ai un mandat d'arrêt contre elle. » Je lui ai montré une fiche avec le nom de maman.

Il a approuvé de la tête et m'a conduit au premier étage où le chef d'équipe juif a amené ma mère effrayée. Je lui ai parlé durement. « Oui, c'est celle-là, *parch Zydowa,* sale Juive. Tu es arrêtée ! » je voulais que tout le monde entende.

Maman me regardait avec de grands yeux. Elle a voulu hurler et me toucher mais je lui ai mis la main sur la bouche et je l'ai fait sortir de l'immeuble et l'ai poussée dans la rue. Je ne l'ai pas laissée parler ni se retourner avant que nous soyons arrivés chez elle. Là, nous nous sommes jetés dans les bras l'un de l'autre. Elle semblait si fine et si frêle dans mes bras. Elle pleurait, riait et regardait stupéfaite son fils, le « policier ».

Je l'ai interrogée sur Hela.

« Mon Izaakl ! Mon Izaakl ! Si seulement tu étais venu quelques jours plus tôt. La semaine dernière, le soir de *Kol Nidre,* ces sadiques d'Allemands ont arrêté toute l'équipe de nuit dans laquelle travaillaient les jeunes filles. Ils les ont conduites directement à l'*Umschlagplatz.* Hela était toujours faible après sa typhoïde, tu sais, mais elle se souvenait de ce que tu lui avais dit : toujours essayer de s'échapper. Et c'est ce qu'elle a fait. Elle et plusieurs autres jeunes filles ont essayé de sauver leurs vies en courant vers la porte. Et les S.S. les ont tuées. Ces bandits qui assassinent des enfants ! » Elle a éclaté en sanglots.

J'ai donné un violent coup de poing dans le mur. « Merde ! Merde ! Si seulement j'étais venu une semaine plus tôt, Hela serait encore en vie. Les salauds ! Je le jure, je le jure maman, un jour ils paieront ! »

Je lui ai expliqué mon plan en ce qui la concernait. « Tu es maintenant sous ma garde, maman. J'ai des ordres pour te conduire dans le ghetto central. Tu ne me connais pas. Tu ne m'as jamais vu. Ne dis rien. Pas un mot. Aie seulement l'air triste ou pleure. Je serai peut-être dur avec toi si on rencontre des *yekes.* Mais c'est le seul moyen. »

J'ai mis ma casquette de policier, j'ai glissé mon pistolet dans l'étui et je l'ai conduite jusqu'à la porte de Toebbens.

« *Herr Feldwebel, eine Judin verhaftet.* Une Juive arrêtée. » Il m'a fait signe de passer. Nous avions réussi sans problème.

Pendant une heure et demie j'ai conduit maman dans les rues de l'ancien ghetto. Je la bousculais et lui donnais des coups de pied chaque fois que passait une patrouille. Enfin, j'ai salué la sentinelle et je lui ai fait passer la porte du ghetto central. Personne ne m'a posé de question.

Je suis allé directement dans mon appartement de

la rue Niska. Une fois arrivée, maman n'a pas pu contenir sa joie. Elle m'a serré dans ses bras et m'a embrassé. Son admiration pour moi et pour la façon dont je l'avais fait passer à travers tous ces dangers m'embarrassait.

« Je savais que tu survivrais, disait-elle. Je savais que tu trouverais un moyen. » Mais ses yeux se sont à nouveau emplis de larmes. « Mon Hayele, ma chère Hayele, assassinée de sang-froid... »

Pendant la nuit je l'ai apaisée et consolée. Je lui ai parlé de papa, d'Halina et de l'opération *Werterfassung.*

« Je vais te trouver un travail à l'entrepôt central, lui ai-je dit. Cela officialisera ta présence en cas de contrôle S.S.

— Tout ce que tu voudras, mon Izaakl. C'est toi l'expert dans cette guerre. C'est toi le professeur. »

Je l'ai conduite dans une autre pièce. « Cette chambre est pour papa. Je vais le ramener bientôt, lui aussi. Je lui ai même mis quelques livres de côté. »

Puis avec le sentiment d'être un adulte, je lui ai montré la chambre que je partagerais avec Halina. C'était la première fois que je lui parlais de nos relations. Elle ne m'a pas pris au sérieux.

« Encore des enfants et déjà amoureux. C'est la guerre. » Elle a secoué la tête. « Même l'amour est sens dessus dessous. C'est ton univers, Izaakl. Mais seulement le temps que les Allemands le permettront. Aussi n'hésite pas. Sois amoureux. Et que Dieu vous bénisse ! »

19

Les trois cours derrière l'entrepôt du 44 de la rue Zamenhofa étaient immenses et très longues. Dessous, il y avait de vastes abris souterrains. Avant-guerre, les commerçants du coin les utilisaient comme réserves. Maintenant, en tant que chef d'un groupe de contrebande, je m'en servais pour atteindre un réseau de tunnels qui conduisaient jusqu'aux rues Kupiecka et Nalewski.

Rudy Mietek ou *Geiler Motl* d'après son surnom, était mon bras droit. Musclé comme un adulte, Rudy avait les cheveux roux et des centaines de taches de rousseur qui lui couvraient pratiquement tout le visage. Il venait d'une famille hassidique et à seize ans était déjà non croyant.

Rudy parlait pendant des heures avec maman et essayait de la convaincre que Dieu n'existait pas ; et s'Il existait Il était du mauvais côté.

« Toute ma famille et en particulier mon père et mon grand-père, disait-il, étaient des gens qui craignaient Dieu. Ils suivaient l'enseignement du célèbre Gerer Rebe, un saint. Pourtant les Allemands les ont tous massacrés. Où est-ce qu'était Dieu à ce moment-là ? Je vais vous dire autre chose. Quand les Allemands viendront me chercher, je mourrai avec les mains autour de leur gorge ! Si je dois descendre à la tombe, ils viendront avec moi. »

Rudy était un dur. Il se cachait dans des caves, sautait des toits et s'était échappé deux fois de l'*Umschlagplatz*. Quand, finalement, les Allemands l'ont mis dans un wagon à bestiaux, il a sauté du train pendant le voyage à Treblinka.

Je me souvenais de la nuit où il était revenu dans le ghetto. Je l'avais regardé alors qu'il parlait à un groupe d'enfants dans une cour, rue Mila.

« Croyez-moi, les mecs, ils tuent tout le monde. Ils ont des camps gigantesques pour nous gazer. Combattons-les à mort, *yatn*. Combattons-les avec nos poings, avec des pierres, des bâtons, des couteaux. Saignons-les comme ils nous saignent. »

Il était sale, pas rasé et fatigué par son long et dangereux voyage vers Varsovie. Impressionné par sa volonté de combattre, je l'ai saisi par les revers de sa veste. Je l'ai provoqué :

« Hé ! Mouflet, t'es un beau parleur !

— Retire tes pattes ! » En un éclair, j'avais son cran d'arrêt sous les yeux. Je suis parti en souriant.

J'ai su que Rudy était un type pour moi.

Puis il y avait Yosek qui avait seize ans comme Rudy et moi. Maigre et délicat, Yosek avait des manières distinguées qui contrebalançaient le caractère explosif de Rudy. Mais sa volonté de venger le meurtre de son frère à l'*Umschlagplatz* quelques jours plus tôt, n'avait rien de distingué.

Ils avaient été élevés tous les deux dans l'orphelinat du docteur Korczak, rue Krochmalna. Quand les S.S. avaient traîné le docteur Korczak, ses employés et les enfants vers les wagons à bestiaux, Yosek s'était révolté. Il avait escaladé le mur derrière la voie ferrée et s'était échappé. Son plus jeune frère avait été tué juste derrière lui.

Mais mon ami intime c'était le troisième membre du groupe, Shmulek Grinberg, mon ancien complice de la contrebande et le frère de Mala. Je ne l'avais retrouvé que quelques jours plus tôt quand par curiosité je m'étais arrêté à l'entrepôt de la rue Swietojerska et que je m'étais renseigné sur la famille Grinberg. A ma grande surprise, Mme Grinberg et Shmulek habitaient toujours le cachot qui leur servait d'appartement. Ils étaient presque morts.

Ils ont immédiatement accepté ma proposition de venir avec maman et moi, rue Niska. Et grâce à mon amitié avec Fritz Rosen, le contremaître de l'entrepôt, j'ai obtenu un travail pour Shmulek.

Avec son caractère singulier et ses origines, Fritz, un Juif allemand, était un cas dans le ghetto et nous sommes devenus amis. Il avait une trentaine d'années et vivait avec sa femme, Rita, qui était très belle, et son fils de quatre ans, Kurt. Son ami d'enfance de Berlin, le S.S. *Untersturmführer* Helmut Werner, le protégeait. Dès que Werner se déplaçait, Fritz se déplaçait. Responsable du département meubles de la *Werterfassung,* Werner avait nommé Fritz contremaître.

Chaque jour, Fritz emmenait Rita et Kurt travailler avec lui ; il avait peur de les laisser rue Niska si les S.S. faisaient une descente. Rita était la secrétaire de Werner et ils cachaient Kurt pendant les heures de travail.

L'officier S.S. Werner était un théoricien nazi précis qui considérait que les Juifs étaient indignes de vivre. Fritz et Rita Rosen étaient les seules exceptions. Souvent, ils dînaient même en secret avec Werner dans son bureau du second étage. Mais Fritz comprenait la situation : en tant que Juif, il savait qu'il devrait au bout du compte partager le destin des Juifs. Aussi il nous aidait à chaque fois qu'il le pouvait ; la résistance devait continuer.

Notre stratégie consistait à faire la contrebande de fourrures, d'argent et toutes choses précieuses que nous trouvions dans les appartements du ghetto. Nous les faisions rentrer dans l'entrepôt cachés dans les meubles. Puis, par les abris souterrains, des tunnels spécialement construits ou les égouts, nous les faisions passer pour les vendre dans la partie aryenne de Varsovie. Avec l'argent, nous achetions toute sorte de marchandises au marché noir : des armes, des munitions, de l'essence, de la nourriture, des équipements pour les abris, des batteries et tout ce qui était nécessaire. Nous ramenions tout par le même chemin souterrain.

Mes contacts dans la partie aryenne de Varsovie en cette fin 1942 étaient pour la plupart mes habituels revendeurs du marché Kiercelak. Franek me fournissait les armes. Il était devenu un membre important de *Gwardia Ludowa*, l'aile gauche de la résistance polonaise. Stas et son gendre Antek avaient repris leur trafic par la *melina* de la rue Wolnosc.

Le jour est enfin arrivé où j'étais prêt à ramener Halina et Mala dans le ghetto. Par un triste matin d'octobre j'étais perché au sommet d'un arbre dans le cimetière juif et j'attendais. Mon pistolet était chargé et je pouvais voir toute la zone autour de moi.

Le calme était impressionnant. Une petite pluie tombait. Puis j'ai vu trois silhouettes qui se dirigeaient vers moi. Franek s'est arrêté près d'un monument dans le cimetière catholique. Il a embrassé les filles et a indiqué l'endroit où j'attendais. Au moment où je m'apprêtais à descendre, je l'ai vu me faire un geste.

Un moment plus tard, les filles avaient passé le mur et étaient dans mes bras. Rapidement et calmement nous avons traversé les rangées de monuments, de pierres tombales et de buissons en direction de l'*ohel,* le mausolée. A l'intérieur, j'ai pris Halina dans mes bras, j'ai regardé son visage et j'ai bu ses larmes salées. Nous nous tenions étroitement enlacés. Nous nous embrassions et nous regardions. Dès que Halina commençait à dire quelque chose, je lui fermais la bouche d'un baiser.

« Ne dis rien. Serre-moi dans tes bras, embrasse-moi », ai-je murmuré. Elle me comprenait si bien, si facilement.

Souvent j'avais rêvé qu'elle flirtait avec d'autres hommes. J'imaginais qu'elle m'oubliait, qu'elle ne voulait plus de moi. J'imaginais ma belle Halina aimant et embrassant d'autres garçons. C'était absurde ; illogique. Elle voyait à peine d'autres hommes. Cependant j'étais jaloux comme un fou et j'imaginais l'inimaginable.

Nous avons quitté le cimetière à la tombée de la nuit, dans la semi-obscurité, et nous avons traversé les rues désertes du ghetto abandonné.

« S'il y a des problèmes, les ai-je averties, précipitez-vous dans la première cour et montez au grenier. Je resterai en arrière pour vous couvrir. »

Je leur ai montré le pistolet que je portais dans un étui sous ma veste de cuir.

« Quand est-ce que j'aurai un pistolet ? m'a demandé Halina. Tu me l'as promis Jacku, tu t'en souviens ? Franek m'a dit que tu aurais deux *spluwy* la semaine prochaine. Il y en a un pour moi. D'accord ?

— D'accord. »

Mala n'en revenait pas. « Tu veux dire que tu

185

serais vraiment capable de tuer, Halina ? Tu pourrais le faire ?

— Absolument, Mala. J'y ai beaucoup pensé. Pour ma mère et mon père et pour tous les autres. Je tirerais sur ces brutes maintenant si j'en avais l'occasion !

— Taisez-vous toutes les deux, ai-je ordonné. Contentez-vous de me suivre. On va traverser la rue Smocza. Au-delà c'est le ghetto central. » Je leur ai indiqué le nouveau mur. « Vous pouvez déjà entendre le bruit. »

Nous avons escaladé le mur et nous nous sommes précipités à l'appartement de la rue Niska où une fête nous attendait. Mme Grinberg et Shmulek n'avaient pas vu Mala depuis deux ans. La réunion a été pleine de larmes, de joie et de peine. Ils s'embrassaient et se serraient dans les bras. Ils parlaient séparément et tous ensemble. Ils couraient partout. Ils s'asseyaient. Ils restaient debout. Ils mangeaient et buvaient.

J'ai présenté Halina à maman. Oui, elle se souvenait de la petite fille maigre de Swider mais elle pouvait à peine la reconnaître dans cette belle jeune fille. Puis je l'ai présentée à la bande — à Rudy, à Yosek et à Shmulek.

La fête s'est terminée bien après minuit quand j'ai porté mon dernier toast, le dixième peut-être de la nuit. « Il manque une personne — papa. Je promets que je vais le ramener de Rembertow dans une semaine. C'est à cela que je lève mon verre. »

J'ai tenu ma promesse le samedi suivant. Franek a tout arrangé avec *Schachmeister* Willy au camp de Rembertow. Suffisamment de zlotys et de pièces d'or l'ont persuadé d'envoyer papa dans la partie aryenne de Varsovie, dans un des camions. J'attendais à un endroit convenu et nous sommes partis pendant que le garde regardait de l'autre côté.

«Avant de rentrer dans le ghetto nous sommes allés déjeuner chez Franek, rue Lucka. La vue de son vieil ami a réveillé papa. Il a abondamment remercié Franek et sa famille pour leur courage.

Le soir même, j'ai aidé papa à escalader le mur et à rentrer dans le ghetto. Nous nous sommes à nouveau réunis dans l'appartement de la rue Niska et nous avons fait à nouveau la fête. Mais maman a flanché quand elle s'est souvenue du meurtre de Hela. « Elle n'avait que quinze ans, et ces assassins l'ont tuée », ne cessait-elle de répéter.

Mon pistolet dans une main et une bouteille dans l'autre, j'ai appelé à la vengeance. « A partir de maintenant, nous allons combattre et répandre un peu de sang allemand ! Il sera aussi rouge que le nôtre. Buvons à cela ! »

Rudy a sorti son pistolet et nous nous sommes jetés dans les bras l'un de l'autre. Nous avons bu à la même bouteille et nous avons juré de nous battre, de nous venger.

Des coups de feu ont arrêté la fête au moment où j'expliquais à Halina le maniement du nouveau P. 38 que je venais de lui donner. Elle le tenait très bien, avec fierté et d'une main habile.

« Chaque balle est un diamant, lui ai-je dit. Mais la pierre la plus précieuse, c'est toi. »

Elle m'a embrassé avec passion. « C'est le meilleur et le plus beau cadeau que tu ne pourras jamais m'offrir, Jacku. Tu vas voir, tu seras fière de moi. Je vais me battre comme un homme. Je jure que je n'aurai aucune pitié pour ces salauds de Nazis. »

Notre conduite, notre bravade et notre façon de boire ont choqué mes parents et Mme Grinberg qui nous regardaient, ébahis. Notre langage leur semblait étrange. Ils étaient intimidés et gênés. Ils ne voulaient pas d'armes chez eux. J'ai dû leur assurer qu'elles seraient bien cachées, enfermées dans le nouvel abri que nous construisions.

Nous l'avions creusé nous-mêmes. Nous avions travaillé lentement et de façon méticuleuse, chaque nuit après le couvre-feu, et nous avions évacué plusieurs tonnes de sable et de gravier. Nous avions tout jeté dans les bouches d'égout des environs. J'avais passé un accord avec un chrétien de la partie aryenne pour qu'il vienne nous aider ; il était spécialiste de ciment et de maçonnerie.

Nous avions prévu deux entrées. Une dans la salle de bains de notre appartement. De là, on devait descendre par la conduite de l'égout jusque dans le sous-sol, en dessous des fondations.

L'autre entrée qui était plus compliquée et qui nécessitait un tunnel, était presque terminée. Le tunnel allait jusqu'au fond de la cour où un énorme coffre à ordures était cimenté au sol. L'abri contenait de l'huile, des fruits et du pain séchés, des boîtes de sardines, des conserves, un réchaud à pétrole, des lampes, une douzaine de cocktails Molotov, et tout ce que nous avions pu trouver comme produits pharmaceutiques. L'abri pouvait soutenir un siège de six mois.

Notre abri n'était pas le seul. On construisait presque en plein jour dans toutes les cours. Le ghetto central devenait de plus en plus indépendant, un camp juif en armes au cœur du Troisième Reich. Comme la résistance avait exécuté un certain nombre de collaborateurs, la police juive ou polonaise n'osait plus s'aventurer dans les rues du ghetto en uniforme. Ceux qui s'y risquaient étaient retrouvés avec une balle dans la tête. Les officiers

S.S. et les gendarmes eux-mêmes n'entraient plus dans le ghetto qu'en groupe. Ils ne venaient plus y flâner pendant leurs loisirs pour s'amuser avec le sang juif.

L'instruction pratique d'Halina a continué tranquillement dans notre chambre cette nuit-là. Je la regardais, le pistolet bien en main. C'était un vrai spectacle — dure, agressive et cependant féminine et pleine de grâce. Un large sourire illuminait son visage. Elle portait un fichu de couleur noué autour du cou ; et un autre retenait ses longs cheveux blonds. Ses grands yeux bleus me provoquaient continuellement et elle laissait toujours les premiers boutons de son chemisier ouverts.

J'aimais sa façon de m'aimer. « Halina, qui pourrait te résister ? »

Elle s'est approchée de moi et m'a murmuré : « N'essaie jamais. Je suis toute à toi. Entièrement. »

J'ai saisi ses tresses couleur de soie et je l'ai attirée vers moi. « Alors qu'est-ce qu'on attend ?

— Aime-moi, embrasse-moi, frappe-moi », m'a-t-elle dit en me taquinant. « Mais ne te détourne jamais de moi. »

Nous avons ri et joué et j'ai enfoncé ma tête dans ses cheveux. J'en respirais le parfum. Nous nous sommes enlacés dans la joie et nous nous sommes déclaré mille fois notre amour.

Nous n'avons pas pu dormir cette nuit-là. Nous avons fait l'amour puis nous sommes restés allongés l'un près de l'autre à parler et à rêver de nous et des autres. Nous étions dans un univers qui nous appartenait. Nous réalisions dans l'avenir tout ce que nous désirions : une existence normale, humaine. Ce qui nous réjouissait le plus c'était d'imaginer que nous nous promenions ensemble dans le parc Saski ; nous prenions des photos ou nous allongions quelque part sans cette angoisse profonde qui était devenue une part intégrante de nos corps.

Soudain, Halina m'a pris la tête dans les mains et m'a regardé au plus profond des yeux. « Jacku, est-ce que tu vas m'épouser bientôt ?

— Evidemment, Halina, un jour. Nous serons toujours ensemble. Une équipe. »

Mais mon enthousiasme s'est tempéré quand j'ai regardé la réalité en face. J'étais appuyé contre un énorme édredon qui recouvrait la moitié du lit. La lampe à pétrole baissait et la mèche courte jetait une dure lumière sur notre existence clandestine et éphémère.

Je me suis vu dans le miroir bleu-gris de ses yeux. J'y étais grand, puissant, agrandi à une dimension supérieure. C'est comme cela que je voulais être pour l'entourer, l'envelopper, la protéger. Cependant sa question m'effrayait. Elle venait de mes pensées les plus secrètes dans lesquelles je m'étais interdit d'aller. J'avais survécu pendant trois ans dans le ghetto en luttant et en supprimant mes rêves et mes émotions. J'avais dû si souvent reculer devant la douleur. J'en étais devenu si souvent encore plus amer. J'étais déjà brisé, dominé par la déception et la désillusion devant la vie, la société, les gens.

J'avais peur de devenir comme mon père, complètement apathique. Je ne voulais pas connaître les mêmes déceptions que lui. Devant moi, un esprit brillant et intelligent s'était réduit à une vie végétative. Je voulais vivre, survivre, tant dans mon âme que dans mon corps.

« Mais il n'y a plus de rabbins. » Halina a interrompu le cours de mes pensées. « En outre, qu'est-ce qu'un mariage sans une belle robe blanche ? »

Je n'ai pas répondu.

« N'y aura-t-il plus jamais de rabbins ? »

Je n'ai toujours pas répondu.

« Est-ce que je pourrai me marier sans ma mère et mon père ? a-t-elle continué pensivement. Est-ce qu'une orpheline à droit à un mariage comme les autres ? Avec des fleurs, une bague et un dais ? Et une lune de miel et des quantités de beaux cadeaux ? »

Halina s'est détournée et a regardé le ciel rempli d'étoiles. J'ai éteint la lampe qui vacillait. La lune éclairait nos visages et nos corps à demi nus, son éclat n'était pas encore terni par la violence dans laquelle nous vivions.

« Jacku, ta mère ne sera pas d'accord. N'est-ce pas ? Elle me hait.

— Halina ! Comment peux-tu dire cela ? Maman ne te hait pas. Elle ne hait que les Allemands. »

Halina m'a regardé à nouveau. Je sentais sa tension. « J'aimerais que ma mère soit ici, en ce moment même, en train de me disputer. Mais elle ne me disputera plus jamais. J'avais encore plus peur de mon père. Jacku, je t'en prie, ne ris pas. Je veux vraiment me marier et avoir un enfant.

» Est-ce que je t'ai raconté ce que sont devenues mes poupées ? a-t-elle continué doucement. On en a brûlé ou détruit un certain nombre. Les autres, on les a envoyées en Allemagne pour que des enfants allemands jouent avec. Même celles que je préférais. Mais maintenant, je veux un enfant dont je pourrai prendre soin et protéger. Un enfant qui pourra grandir et être libre de s'en aller loin d'ici, à l'autre bout du monde !

» Oh ! Ce n'est pas la peine de me le dire, je sais que je rêve. Je sais que c'est idiot de penser à des choses comme ça. Mais je ne peux pas m'en empêcher. Je veux vivre. Je veux donner naissance à une nouvelle vie. Toute cette saleté, ce n'est pas ça la vie. Ce n'est pas possible. Dis-moi que j'ai raison Jacku ! Dis-moi que j'ai raison ! »

Elle me montrait le mur du ghetto qu'on pouvait voir par la fenêtre. « Je sais qu'il y a un monde meilleur et plus raisonnable quelque part. Il le faut ! Réponds-moi Jacku, je t'en supplie. » Sa voix s'est brisée et elle s'est mise à sangloter.

Je l'ai prise dans mes bras et nous nous sommes serrés l'un contre l'autre. Notre silence était plein des réponses que je ne pouvais lui donner.

20

Par un froid matin de novembre, Halina et moi nous étions devant chez Stas, dans la partie aryenne de Varsovie. Nous avions retrouvé la vieille *melina* de la rue Wolnosc et nous attendions Rudy et Yosek. Ils arrivaient par le cimetière juif, avec des fourrures, des bijoux en argent et des tissus damassés. Nous avions repris avec succès la contrebande.

Avec un pistolet chargé sous nos vêtements, nous n'avions plus peur des *szmalcowniki*. Un jeune homme très grand accompagné de quatre compagnons au visage sinistre est passé près de nous en flânant. J'ai échangé un regard avec le grand type. Soudain il s'est arrêté.

« Jack Eisner ! *Servus !*

— Artek Milner de la rue Panska ! »

Nous nous sommes ouvert les bras. Artek et moi, nous étions voisins et nous allions à la même école avant la guerre. Je l'ai invité chez Stas avec ses copains pour bavarder un peu. Nous ne nous étions pas vus depuis plus de deux ans et nous avions beaucoup de choses à nous dire.

« Jésus, Marie ! Qu'est-ce qui se passe ? » s'est écrié Stas quand nous sommes entrés dans son salon.

« Tout va bien, Stas. Ce sont des amis. Nous voulons seulement parler un peu. »

Stas était inquiet et mal à l'aise. Il n'avait pas l'habitude de voir son salon envahi par des Juifs armés. « S'il vous plaît, a-t-il demandé, ne restez pas trop longtemps. Les Allemands...

— Qu'ils aillent se faire voir, les Allemands ! » ai-je dit.

Stas m'a regardé impuissant et a quitté lentement la pièce.

Artek avait deux ans de plus que moi et était d'une beauté saisissante. Il mesurait un mètre quatre-vingts, avait les cheveux blonds et les yeux bleus, et n'avait donc aucune difficulté à passer pour un chrétien. C'était le plus jeune des trois fils d'un riche marchand de textile, et sa fierté. Ses deux frères aînés avaient pu s'échapper en Roumanie et de là à Paris avant que les Allemands ne ferment le ghetto. Je lui ai présenté Halina. Elle a rougi et n'a pas osé le regarder droit dans les yeux. Manifestement, c'était un séducteur expérimenté. Il a souri et lui a baisé légèrement la main. J'étais extrêmement jaloux.

Artek et moi, nous avons compris quelles étaient les activités de l'autre mais personne n'a rien dit ni n'a posé de questions embarrassantes. Artek a sorti une liasse de billets. « Je cherche un pistolet mitrailleur — un Schmeisser. Tu crois que tu peux me trouver ça ?

— Un Schemeisser ? » Je l'ai regardé, incrédule. Un pistolet mitrailleur. Je pensais qu'il était absurde d'en chercher.

« Je vais voir ce que je peux faire, ai-je dit. Donne-moi quelques jours.

— Très bien. Rendez-vous 25, rue Mila, dimanche à six heures de l'après-midi. Je serai à l'entrée de derrière. Sois prêt Jacek. »

J'ai montré la liasse de billets dans la main d'Artek. « Avec ça, cela ne devrait pas être trop difficile. Hitler lui-même m'en vendrait un. »

Tout le monde a ri.

La rencontre avec Artek a été le début de mes vraies relations avec la Résistance. Jusque-là je n'étais qu'un trafiquant d'armes avec un abri comme beaucoup d'autres dans le ghetto central. Mais très peu — quelques centaines — appartenaient à la Résistance. Il s'agissait de jeunes gens et de jeunes filles dévoués et déterminés. Halina et moi étions prêts à y entrer.

J'ai eu du mal à attendre le dimanche. Tout ce qui concernait Artek était excitant et prestigieux. Sa façon de s'habiller. Sa façon de parler. Son argent. Ses gardes du corps. Je sentais qu'il avait des projets pour combattre. Halina comptait les jours avec moi. Cependant je lui ai clairement expliqué que je voulais être seul pour cette première rencontre.

Et le Schmeisser ? Sans grand espoir, j'ai contacté Franek, mon fournisseur d'armes. A ma grande surprise, il m'a dit qu'il allait arranger cela. On venait d'en voler un dans un dépôt S.S. Cela coûtait mille dollars. Une fortune. Je savais qu'Artek ne pourrait pas payer un tel prix. Mais enfin, j'avais une offre.

Le dimanche, à six heures juste, je suis entré dans la cour du 25, rue Mila. Je n'ai rien remarqué d'anormal. Les gens allaient et venaient dans la rue comme d'habitude. Soudain, un homme pauvrement habillé qui semblait être le concierge, s'est approché de moi.

« Vous êtes perdu, jeune homme ?

— Non, j'attends quelqu'un.

— Venez attendre chez moi. »

L'homme a ouvert la porte du sous-sol et m'a invité à entrer. J'ai hésité un peu et je l'ai suivi.

Artek est sorti de nulle part.

« Juste à l'heure, Jacek, a-t-il dit. J'aime ça.

— Hé ! Artek, quelle organisation ! Un concierge pour annoncer le seigneur ! »

Artek a souri mais n'a pas répondu. A ce moment le « concierge » a ôté sa moustache. J'ai reconnu un des gardes du corps d'Artek. Nous sommes entrés dans une cave dont la porte était dissimulée par un large buffet. Après avoir descendu une échelle, je me suis retrouvé dans une pièce bien meublée pleine de jeunes hommes et d'une seule fille.

Artek n'a pas perdu de temps. « Je vous présente Jacek Eisner, a-t-il dit, notre nouveau compagnon. » Puis il s'est tourné vers moi. « Mais où est Halina ?

— Je ne savais pas si tu acceptais les femmes ici. »

Il a souri. « Ne sois pas *yold,* vieux jeu. Certaines filles nous valent bien. » Il a désigné son amie, Roza. « Certaines sont meilleures. »

Une fille brune et mince avec de grands yeux espagnols s'est avancée en souriant et m'a donné une solide poignée de main. « Où est Halina ? Artek a tellement parlé d'elle. »

Je n'ai pas eu le temps d'expliquer. Janek Zloto, le bras droit d'Artek, s'est écrié avec un sourire : « Il y a une très belle blonde avec une veste de cuir en haut. Elle dit qu'on l'attend ici. »

Artek a remonté l'échelle et est revenu quelques

secondes plus tard avec Halina à son bras. J'ai rougi quand il l'a présentée comme la première blonde du groupe.

Halina m'a pris maladroitement dans ses bras et s'est excusée. « Je ne pouvais rester derrière. Je veux faire partie de tout. »

Artek a demandé le silence et a annoncé officiellement notre entrée dans le groupe de résistance. Pas un mot sur l'organisation, ses chefs ou ses buts. Tout était secret et je n'ai pas posé de questions. Je pensais que c'était ce qu'il fallait faire.

Je me suis levé et je lui ai parlé du Schmeisser. Artek est venu vers moi et m'a demandé de répéter. Je lui ai assuré que c'était le prix. Sans pouvoir retenir sa joie, il m'a embrassé sur les deux joues et a demandé au groupe de célébrer l'événement.

« Mais Artek, tu ne comprends pas. C'est une fortune. Ils veulent mille dollars ! »

Artek a ri et a pris une bouteille de vodka. « Par Dieu, Jacku, tu ne sais pas qu'un pistolet mitrailleur ça n'a pas de prix dans le ghetto ! Pas de prix ! Ne t'en fais pas. Pour un Schmeisser, on trouvera l'argent. »

Artek m'a immédiatement désigné comme un de ses lieutenants, comme Janek Zloto, son bras droit. Cependant, j'ai insisté pour qu'on m'autorise à continuer ma contrebande. J'avais toujours besoin d'être patron de quelque chose.

A la fin de la réunion, Artek nous a donné l'ordre, à Halina et à moi, d'être au 7, rue Mila, le dimanche suivant. Ce serait notre première tâche dans la Résistance. Pas un mot sur sa nature. Et aucune question. Dans l'intervalle, Artek et moi, nous avons arrangé un rendez-vous chez Franek pour ramener le Schmeisser. Pour ne pas prendre de risques nous y sommes allés séparément.

Quand je lui avais téléphoné, Franek ne pouvait en croire ses oreilles. « Venez chez moi. Je m'occupe du reste. »

Tendus et anxieux, nous étions assis dans le grenier avec une énorme liasse de dollars et nous attendions le Schmeisser. Chaque bruit dans la rue nous faisait bondir. A chaque pas dans l'entrée nous sautions sur nos pieds. Nos pistolets étaient prêts et nos esprits en alerte. Nous nous attendions au pire. Peut-être un piège.

Trois heures après, à la tombée de la nuit, deux jeunes Polonais sont apparus escortant un déserteur allemand en civil. La transaction s'est faite rapidement. Il a compté les dollars et nous avons examiné l'arme. Quelques instants plus tard, ils étaient partis et nous possédions un pistolet mitrailleur flambant neuf.

« Mille dollars ! a dit Franek. Si nous les avions, nous aurions gardé l'arme pour nous. »

Artek rayonnait. Il tournait le Schmeisser de tous les côtés et embrassait presque l'acier de l'arme de mort.

« Jacku, a dit soudain Franek. Il faut que je te dise quelque chose. Je vais devoir partir d'ici. Avec toute la famille. J'ai le sentiment d'être observé. Aussi, ne viens plus jamais ici, s'il te plaît. Contacte-moi à Milanowek. N'oublie jamais que je suis ton ami. Tu pourras toujours compter sur moi. Et salue tes parents. »

Nous nous sommes embrassés et séparés.

Le Juif et le chrétien.

Tous deux en danger.

21

Il neigeait légèrement ce dimanche matin quand Halina et moi, nous avons retrouvé Artek et son groupe rue Mila. Artek nous a expliqué de quoi il s'agissait. « C'est très simple. Il s'agit de prélever un droit de passage. Toute personne qui veut emprunter les tunnels doit payer un droit. C'est à vous de juger combien chacun peut payer. Jacek et Halina, prenez cinq hommes avec vous. Servez-vous de vos armes si c'est nécessaire. Personne ne doit passer sans avoir payé. »

Artek s'est tourné vers moi et a chuchoté : « Pour un boulot aussi tranquille, on n'a pas besoin du Schmeisser. Mais maintenant, tu vas enfin voir d'où vient une partie de l'argent. »

Le dimanche, considéré comme un jour de repos, était le seul jour où la petite minorité employée par les Allemands et l'immense majorité « sauvage » qui vivait cachée se promenaient librement dans les rues. Des centaines de personnes empruntaient les tunnels pour aller et venir de l'enclave des fabricants de balais où travaillaient plus d'un millier de personnes. En poste à l'entrée du tunnel, rue Walowa, j'ai exigé et reçu des « dons » toute la journée.

Ramasser de l'argent une arme à la main était une chose nouvelle pour moi. Jusqu'ici j'avais risqué ma vie en faisant de la contrebande afin de gagner de l'argent pour m'acheter des armes. La plupart des gens donnaient librement quand ils savaient où allait l'argent. Ils étaient fiers d'avoir une force juive combattante dans le ghetto. Certains cependant ronchonnaient. Ils disaient que c'était du chantage. Mais tout le monde admirait Halina. Elle ramassa plus d'argent que les autres. Avec sa veste de cuir, son pantalon de cheval, ses bottes — et son revolver — elle était irrésistible. Les gens l'appelaient la « *shikse* juive ». Et les billets s'entassaient par milliers dans son panier.

A la fin de la journée, le groupe avait ramassé plus de cent mille zlotys — de quoi acheter une demi-douzaine de cocktails Molotov et plusieurs pistolets. Cela a été la première des collectes auxquelles Halina et moi avons participé. La plupart avaient lieu le dimanche. Mais parfois quand nous avions un besoin pressant d'argent, nous apparaissions dans les tunnels en milieu de semaine, le soir, entre six heures et le couvre-feu de neuf heures.

Un jour, Artek m'a pris à part et m'a dit de me préparer pour une tâche importante.

« Je veux que tu trouves Kronenberg et que tu exécutes cette fripouille.

— Kronenberg ? L'officier de la police juive ! Tu veux que ce soit moi qui nous débarrasse de ce salaud ? Vraiment ? »

Je restais là à regarder Artek ; la joie me paralysait.

Kronenberg. Je connaissais bien son nom ! Je l'avais vu à l'action à l'*Umschlagplatz :* donnant des coups de pied aux vieillards, aux malades, aux mères avec leurs bébés pour les faire monter dans les wagons à bestiaux, comme si c'étaient des immondices. Pour lui, les Juifs ne représentaient rien. Et ce salaud savait très bien qu'ils allaient vers la mort.

On a découvert que Kronenberg se cachait avec sa petite amie et sa sœur dans un appartement près de la porte de la rue Gesia. Halina et moi, nous avons surveillé l'immeuble. Nous observions son appartement, notions ses déplacements et nous avons établi son emploi du temps. Puis j'ai mis au point un plan. J'ai décidé de demander l'aide de mon ami Yosek. J'avais besoin de son habileté à grimper sur les toits et aux gouttières. J'ai choisi le jour — un dimanche — quand la foule dans les rues nous permettrait de nous dissimuler en cas d'ennuis.

Halina, Yosek et moi, nous avons pénétré au 20, rue Gesia par les toits. Comme les gendarmes gardaient la porte d'entrée de l'immeuble, nous avons traversé l'immeuble contigu en passant par-derrière, rue Kupiecka. A l'intérieur, Halina et moi nous sommes descendus nu-pieds en passant par le grenier. A l'extérieur, Yosek descendait par la gouttière. A un moment prévu, revolver au poing, il a fait irruption dans l'appartement de Kronenberg par la fenêtre.

« Pas un geste ou je te fais sauter la cervelle ! »

Au même moment j'ai enfoncé la porte d'un coup de pied. « Haut les mains ! Vite ! Pas un mot sinon c'est ton dernier ! »

Kronenberg était en pyjama, assis près de sa sœur et de sa petite amie et nous regardait abasourdi. Nous l'avions eu complètement par surprise. Ils se sont levés tous les trois, les mains au-dessus de la tête. La rapidité de notre attaque les avait empêchés d'alerter les Allemands à l'extérieur.

Halina a pointé son arme sur les femmes et leur a donné l'ordre de sortir. « Dans la chambre ! Avancez ! »

Kronenberg est tombé à genoux et a demandé grâce. « S'il vous plaît, ne me faites pas de mal. Je croyais bien faire. Je vous assure. Je suis désolé. J'ai simplement essayé de sauver ma famille. »

Je me suis approché de lui avec mon revolver pointé sur sa tête.

Yosek s'est posté à la porte de la chambre et Halina a commencé à lire le texte de la sentence de la Résistance.

« Pour crimes contre les Juifs, contre des hommes, des femmes et des enfants innocents... »

Soudain, Artek est sorti de nulle part. Il connaissait bien Kronenberg. Tous deux avaient été des chefs dans le ghetto mais pas du même côté.

D'une voix moqueuse, Artek a rappelé à cet homme, maintenant pathétique, son arrogance et ses cruautés d'autrefois. « Tu te souviens quand tu fouettais les enfants pour les faire monter dans les wagons à bestiaux ? Tu te souviens du vieil homme que tu as précipité dans un escalier d'un coup de pied ? Tu te souviens... »

Kronenberg baissait la tête et évitait le regard d'Artek, le regard d'un témoin devenu juge. Il nous a suppliés pour qu'on l'épargne. « Je vous en prie, ne me tuez pas. Ils m'ont forcé... je suis désolé... désolé... »

Artek n'a pas pu en supporter plus. Il a fait feu à bout portant. Kronenberg s'est effondré sur le sol. Artek avait l'air triste mais soulagé.

J'ai donné l'ordre à Halina et à Yosek de remonter l'escalier. Ils ont averti les femmes dans la chambre de rester où elles étaient et de ne pas faire de bruit. Puis ils sont sortis de l'appartement en courant. J'ai achevé le collaborateur d'une balle dans la tête. En quelques minutes, nous étions sur le toit et nous sommes repassés par l'immeuble de la rue Kupiecka.

Artek est parti de son côté, Halina, Yosek et moi du nôtre.

Dans mon appartement de la rue Niska, on avait préparé un grand repas pour Chanukah. C'était le huitième et dernier jour de la fête juive des lumières. Maman, papa et Mme Grinberg nous attendaient. Ils n'avaient pas le moindre soupçon de l'endroit où nous avions été ni de ce que nous avions fait.

Ils n'auraient jamais pu imaginer que nous étions devenus des tueurs. Pour nous défendre. Pour nous venger. Pour survivre.

22

En janvier 1943, Heinrich Himmler a visité
Varsovie. Rendu furieux d'y trouver encore un
ghetto plus de trois ans après la conquête de la
Pologne par l'Allemagne, il a donné l'ordre qu'on le
liquide immédiatement.

Le commandement S.S. de Varsovie a envoyé
rapidement plusieurs centaines de soldats et quelques bataillons d'Ukrainiens pour accomplir la
besogne en une semaine. Quelques mois plus tôt, ils
avaient déporté environ quatre cent mille personnes. Ils étaient sûrs que les quarante ou cinquante
mille qui restaient ne leur poseraient pas de problème sérieux. Evidemment, les Allemands ne
pouvaient plus se servir des policiers juifs qui, eux
aussi, avaient pris récemment le chemin des wagons
à bestiaux. Ils ne pouvaient plus non plus compter
sur aucun collaborateur juif. Mais il s'agissait là de
problèmes mineurs... pensaient-ils.

Aux premières heures du 18 janvier, des troupes
allemandes fraîches sont entrées dans le ghetto par
la porte de la rue Gesia afin d'encercler les Juifs.
Quelques instants plus tard, ils défilaient sous une
pluie de cocktails Molotov et de balles.

Les Allemands étaient entrés dans le ghetto

comme ils avaient l'habitude de le faire, en tirant des coups de feu en l'air et en hurlant pour faire sortir les Juifs de chez eux. Mais la plupart des femmes, des enfants, des malades et des vieillards étaient partis. Ceux qui restaient étaient jeunes, déterminés et préparés à combattre. Nous savions que la mort était la seule issue. Nous savions que nous ne pouvions pas vaincre, que la bataille ne pouvait s'achever que sur notre extermination. Nous ne comptions sur aucune aide, aucun allié, aucun miracle. Mais nous savions aussi que nous ne pouvions plus attendre. Nous serions les premiers civils de l'Europe occupée à nous dresser ouvertement dans les rues contre les Allemands.

Le troisième jour des combats, des rumeurs ont commencé à circuler disant que les Allemands avaient battu en retraite. Halina, Rudy et moi, nous avons quitté nos positions sur des toits et nous sommes allés rue Kupiecka et, dans les immeubles voisins, nous avons entendu des bruits inhabituels.

Nous avons grimpé sur le toit du 11, rue Kupiecka, et nous avons regardé dans les arrière-cours des 6 et 8 de la rue Gesia. Une section de S.S. était réunie autour de grandes plates-formes tirées par des chevaux. Avec leurs compagnons de meurtre, les S.S. des immeubles, ils étaient en train de liquider un des hôpitaux de fortune du ghetto. Sous nos yeux, les S.S. jetaient des malades par les fenêtres du deuxième, du troisième et du quatrième étage. Au sol, la section de chargement empilait les corps sur les plates-formes. Les hurlements permanents étaient horribles à entendre.

Halina a réussi à dire : « Mon Dieu ! Est-ce qu'on va rester ici et regarder ce massacre les bras croisés ? »

Rudy et moi, nous avons sorti nos armes et nous

avons rampé jusqu'au bord du toit. Nous avons visé et nous étions prêts à tirer quand soudain je me suis reculé.

« Qu'est-ce qu'on peut faire avec seulement des revolvers ? ai-je dit. On ne fera que donner l'alerte et ils viendront avec des pistolets mitrailleurs. Rudy, va chercher Artek avec le Schmeisser. Nous aussi nous allons les massacrer ces salauds ! »

Rudy est parti aussitôt ; Halina et moi nous sommes descendus dans le grenier. Pendant ce temps, le massacre continuait à l'extérieur. Certains malades essayaient de s'enfuir par les escaliers mais les S.S. leur tiraient dessus.

En regardant par la lucarne du grenier nous avons vu un grand Allemand blond sur un balcon qui tenait un enfant de deux ou trois ans. Le petit garçon pleurait et couvrait son corps à demi nu avec ses mains.

« Hans ! a crié l'Allemand à son camarade, tu es capable de l'avoir ? »

Il a jeté le garçon en l'air. Hans a levé son automatique et a tué l'enfant.

« Tu me dois une bouteille de champagne ! » Il a brandi son arme et a éclaté de rire.

J'avais envie de hurler. Mais Rudy est arrivé avec Artek et Janek Zloto.

« Jacek et Rudy vous allez me couvrir, a-t-il ordonné. Halina et Janek vous allez surveiller l'escalier.

— Je ne vais pas voir ces salauds se faire descendre ? a demandé Halina.

— Fais ce qu'on te dit ! » l'ai-je interrompue. Elle est partie.

Un nouveau groupe de S.S. est entré dans la cour.

Artek a murmuré : « C'est maintenant ou

jamais », il a pointé son Schmeisser et a arrosé la cour. En quelques secondes une demi-douzaine d'Allemands étaient allongés dans leur sang. Les chevaux paniqués sont partis au galop dans toutes les directions. Rudy et moi, nous avons commencé à tirer avec nos pistolets.

« Merde ! C'est ce que j'attendais ! hurlait Rudy. Ça vaut le coup de vivre. Les S.S. en débandade ! »

J'étais en extase : « Regarde ! Leur sang est aussi rouge que le nôtre ! »

Les Allemands se sont regroupés et ont commencé à nous répondre.

« Ils tirent des fenêtres, a crié Artek. Tirons-nous d'ici ! Nous avons fait ce que nous avons pu ! »

Tandis que les S.S. tiraient en l'air rue Gesia, j'ouvrais le chemin des tunnels vers les sous-sols du centre de stockage. Nous y sommes restés jusqu'à la nuit tombante. Quand nous sommes sortis, les Allemands étaient partis. Ils avaient battu en retraite en emportant certains de leurs blessés. Seuls le mur et la porte de la rue Gesia étaient encore gardés.

Après trois jours de descentes dans le ghetto, les Allemands n'ont réussi à déporter que quelques centaines de victimes. Et le prix à payer avait été élevé. Ils avaient perdu plusieurs véhicules blindés et beaucoup de soldats étaient étendus morts ou blessés dans les rues.

Pendant tout le temps des combats, le *S.S. Obersturmführer* Konrad, le nouveau commandant de la *Werterfassung,* avait interdit aux S.S. l'entrée de son domaine, l'enclave de la rue Niska. Plus astucieux que ses prédécesseurs, il voulait garder le plus longtemps possible son poste à la *Werterfassung* afin de ne pas être envoyé sur le front russe. Il voulait sauver sa peau et devenir riche. Si pour cela plusieurs centaines de Juifs devaient survivre, cela ne lui semblait pas trop tragique.

Malgré la protection de Konrad, je n'ai pas pris de risques et j'ai donné l'ordre à tous de descendre chaque nuit dans notre abri de la rue Niska. Halina, la bande et moi, nous restions sur le toit pour monter la garde. Je savais que les Allemands pouvaient revenir n'importe quand pour achever leur mission — liquider définitivement les Juifs du *Judenrein* de Varsovie.

Ce soir-là, maman m'a accueilli avec colère et mépris : « Vous, les jeunes *shnieks*, les rebelles, tout ce que vous allez faire, c'est nous attirer encore plus d'ennuis. Contre qui voulez-vous vous battre ? Contre l'armée allemande ? En plus, qui a jamais entendu parler de Juifs en armes ? C'est honteux ! Qu'est-ce que vous allez devenir ? Des gangsters ? Je ne veux pas d'armes chez moi ! »

Papa a continué le sermon sur un ton plus calme : « Le miracle d'aujourd'hui, la retraite des Allemands, c'est l'œuvre de Dieu. Ce ne sont pas les Juifs qui ont pris leur destin en main. Vous, les jeunes combattants, vous voulez changer le monde. Mais nous, les Juifs, cela fait deux mille ans que nous connaissons les persécutions. Ce n'est pas la première fois qu'on nous chasse comme du gibier. Regardez notre passé, les Croisades, l'Inquisition en Espagne, les pogroms tsaristes. Nous avons survécu à tout cela sans armes. Les armes ne sont pas faites pour nous. »

J'ai avalé un verre de vodka pour ne pas exploser. « Vous devriez être fiers de nous. Vous devriez nous bénir pour ce que nous sommes en train d'essayer de faire. J'ai lu tes livres sur l'Inquisition espagnole. Comment peux-tu la comparer au massacre actuel ? Autrefois, les Juifs avaient le droit d'émigrer, et la plupart ont quitté l'Espagne et ont trouvé des endroits pour survivre. Il se peut que toi et moi nous soyons les descendants de ces survivants. Mais maintenant, papa, écoute-moi bien. Ne te ferme pas les oreilles et l'esprit ! Est-ce que je peux quitter la Pologne aujourd'hui ? Est-ce que les Allemands vont me laisser partir ? »

Mes parents et Mme Grinberg restaient silencieux. Je n'avais pas fini. « Il y a autre chose que vous oubliez. Pendant l'Inquisition, les Juifs pouvaient se convertir et continuer leur vie — comme les Marranes. Mais pas aujourd'hui ! Regardez les voisins de Franek. Ils sont nés catholiques. Leurs grands-parents s'étaient convertis il y a cinquante ans. Mais les Allemands les ont quand même tués à Treblinka. Ils n'étaient pas assez aryens. Et savez-vous qu'actuellement on tue plus de Juifs et on détruit plus de choses leur ayant appartenu en une semaine, qu'en trois cents ans de pogroms ! Vous comparez des cailloux au mont Everest. On ne peut pas soigner toutes les maladies avec le même médicament. Cet ennemi-là est nouveau. Ils veulent nous détruire complètement. Une fois pour toutes ! »

J'ai élevé la voix : « Vous ne vous rendez pas compte ? Les prières ne suffisent pas ! Vos anciennes méthodes ne nous sauveront pas. Peut-être que la vérité c'est que vous préféreriez mourir plutôt que de voir des enfants prendre la relève ! Vous êtes aveugles. Vous ne savez qu'apaiser, faire des compromis et prier. Vous êtes des défaitistes. J'en ai fini avec vous ! »

Rudy a essayé de me calmer : « Qu'est-ce que tu attends d'eux, Jacku ? Mon père si pieux, avec son *tallis,* priait encore le Messie quand les Allemands l'ont poussé dans les wagons à bestiaux. Je lui ai crié : " Papa, essayons de nous enfuir ! Viens, suis-moi ! " Mais tout ce qu'il a pu me dire c'est : " Non, telle n'est pas la volonté de Dieu. Il n'y a que le Messie qui peut changer les choses. " Et tu sais ce qui est arrivé ? Le Messie n'est jamais venu le voir. Mais les Allemands l'ont envoyé voir le Messie, par les cheminées de Treblinka ! C'est comme ça qu'ils veulent que nous nous conduisions !

— Pas question ! Une nouvelle génération de Juifs est née, ici et maintenant. Dans le ghetto de Varsovie ! »

Le fossé qui séparait la nouvelle génération de l'ancienne s'est creusé. Aucune des deux n'a voulu céder, mais nous savions que nous avions raison de résister. Et la vie dans le ghetto a continué comme avant. Et chacun attendait le dernier jour, celui des comptes.

La bande et moi, nous avons continué nos expéditions de contrebande avec plus d'entrain que jamais. Nous avons acheté des fusils, des cocktails Molotov, de l'essence et d'autres équipements de première nécessité pour notre abri.

Un jour de mars, Artek a réuni toute la bande pour une importante déclaration. Il a parlé avec fierté :

« A partir de maintenant, nous sommes des militants du Betar, le Z.Z.W., placé sous la direction de Rodal et de Frenkel. Le Z.Z.W. n'est pas aussi important que le Z.O.B. sous la direction d'Anielewicz, mais ses membres sont plus combatifs et mieux armés. Ils ont de bons contacts avec la résistance polonaise. J'ai choisi de rejoindre le

Z.Z.W. Je suis sûr que vous serez d'accord avec moi. »

Dominateur et dictatorial, Artek n'a autorisé aucune discussion à ce sujet. Il obtenait toujours ce qu'il voulait. J'avais toujours admiré le Betar. A douze ans, j'avais appartenu à son mouvement de jeunesse, et l'idée d'être en relation avec la principale branche de la résistance juive me plaisait. Nous n'étions plus une petite fraction. Halina souriait. Elle a félicité Artek et lui a promis de combattre là et où ce serait nécessaire.

Le groupe d'Artek comptait maintenant quarante membres. Il avait absorbé depuis longtemps ma petite bande. Je la contrôlais toujours directement dans les opérations de contrebande à la *Werterfassung* et nous avons continué comme par le passé sous le commandement d'Artek.

Cependant, beaucoup de nos marchandises s'en allaient directement au quartier général Z.Z.W. de Muranowski. Et, en cas d'action totale, il était entendu que le groupe d'Artek se mettrait à la disposition du commandement général de Frenkel et Rodal.

Au printemps de 1943, le haut commandement allemand a compris que le temps jouait contre lui. La « racaille » qui restait dans le ghetto avait pris avantage de chaque jour écoulé pour renforcer et fortifier ses positions. A l'évidence, la tentative de janvier pour liquider la « lie juive » avait échoué.

On a confié au général S.S. Jürgen Stroop, un expert des combats de guérilla et de partisans, la tâche d'exterminer la « vermine juive ». Mi-avril, il avait regroupé des milliers de soldats allemands, des douzaines de tanks et de véhicules blindés et d'innombrables pièces d'artillerie près du mur du ghetto de Varsovie.

Ils attendaient les ordres de Stroop pour attaquer.

23

Dimanche, 18 avril 1943, la veille de la Pâque. Halina et moi nous revenions de ramasser de l'argent au tunnel.

Artek nous a accueillis et nous a dit d'un ton sérieux et tendu : « Nous avons eu des nouvelles par la résistance polonaise, l'A.K. Les S.S. vont encercler le ghetto cette nuit. Avec des bataillons mécanisés. »

Halina et moi, nous sommes devenus pâles et nous nous sommes regardés en silence. « C'est sûr ou c'est encore une rumeur ? ai-je balbutié.

— Je ne sais pas, a répondu Artek. Allons au quartier général. Ils doivent en savoir plus maintenant. »

Nous n'avons pas perdu de temps et nous sommes allés avec Artek à l'abri de la place Muranowski, quartier général du Z.Z.W.

« Ils ont encore choisi un jour de fête juive pour nous détruire », disait Frenkel alors que nous passions devant les jeunes gens au visage grave qui gardaient l'entrée de la « boutique ». « Peut-être veulent-ils nous dire quelque chose. Peut-être veulent-ils nous faire voir que Dieu ne les condamne pas. »

C'était ma seconde rencontre avec la direction du Z.Z.W. Frenkel m'impressionnait car c'était un stratège de premier plan. Mais c'était Rodal, un ancien Hassid, qui semblait l'âme de l'unité. Il n'avait pas trente ans, était à la fois passionné et éloquent et avait des yeux sans peur et sans cesse en alerte. Depuis longtemps membre du Betar, c'était l'orateur du groupe. Dans la réunion récente pour notre admission, il avait exposé le but principal du Z.Z.W.

« Nous devons combattre les Allemands, non seulement parce qu'ils tuent et torturent notre peuple. Non seulement parce que ce sont des brutes sadiques. Non seulement parce qu'ils sont le mal. Nous devons les combattre pour montrer à la postérité que même devant une mort inéluctable, presque sans armes, une poignée de Juifs ont eu assez de cran pour se dresser devant la puissante armée allemande. »

Rodal avait été inspiré alors ; il ne l'était pas moins maintenant. Il a confirmé la nouvelle de l'A.K. et a demandé à chacun de faire de ce prochain affrontement sa dernière bataille glorieuse. « Nous allons leur faire payer cher chaque position, chaque vie juive. Nous allons faire de la place Muranowski le signe lumineux de notre défi. »

Plus tard ce soir-là, dans son propre abri de la rue Mila, Artek nous a donné ses dernières instructions : « Jacek, emmène ton groupe au 44, rue Zamenhofa. Réunis les cocktails Molotov, les fusils, la nourriture et le pétrole. Transporte tout à l'abri principal du Z.Z.W. On ne se battra pas ici, rue Mila. Nous allons laisser l'endroit aux unités du Z.O.B. Nous allons concentrer nos forces place

Muranowski. Retrouvez-moi là-bas avant le lever du soleil. »

Les nouvelles d'une bataille imminente se sont vite répandues dans le ghetto. Des gens anxieux et désespérés tournaient en rond dans les rues bien après le couvre-feu. La plupart avaient déjà pris leurs précautions pour passer la nuit dans leurs abris ou pour rejoindre des postes de combat.

De retour chez moi, j'ai préparé mes parents à leur existence dans l'abri. Mme Grinberg, Halina, Mala et tous ceux qui devaient partager l'abri se sont entraînés à descendre par l'entrée camouflée des toilettes.

Quand avec mon groupe je me suis préparé à partir, maman s'est soudain inquiétée : « Où est-ce que vous allez ? C'est une histoire de fous. Qu'est-ce que vous comptez faire ? Les *Yekes* vont vous tuer. Ce combat n'a pas de sens. C'est du suicide !

— Non, maman. Il n'y a pas d'autre issue. Souviens-toi de ce qu'ils ont fait à Hayele et à tous les autres. Cette fois, enfin, nous allons en emporter quelques-uns avec nous. Je reviendrai dès que je le pourrai. Nous n'avons qu'à réunir nos marchandises. »

Nous sommes partis avant l'aube et nous nous sommes dirigés vers le dépôt de la rue Zamenhofa. Quelques étoiles brillaient encore dans le ciel.

« Rudy et les autres, vous allez attendre les triporteurs au bout du tunnel, ai-je indiqué. On vous retrouvera là-bas. »

Au dépôt, Halina et moi, nous nous sommes glissés furtivement dans l'immeuble en passant par les toits et le grenier. Nous avons jeté un coup d'œil dans la cour. Deux gendarmes étaient encore là. « On a dû les oublier », ai-je murmuré.

Ils emballaient leurs affaires sur un triporteur et s'apprêtaient à partir dans la rue. Je les ai reconnus.

« Il faut qu'on leur prenne leurs armes et leurs uniformes, ai-je chuchoté.

— Je vais descendre l'escalier, a dit Halina en ôtant ses bottes. Tu les auras par la cour.

— Très bien. On va les prendre en tenaille. Il faut leur faire croire qu'on est plus nombreux. »

Quelques instants plus tard, nu-pieds et silencieuse, Halina a levé son arme. « *Hände hoch! Halt!* »

Les Allemands ont laissé tomber leurs armes et ont levé les bras.

Je suis sorti. « Pas un geste! *Kein Tritt!* »

Nous étions en face des deux Allemands avec nos revolvers pointés sur eux. Ils avaient l'air ahuris. Leurs lèvres bougeaient comme s'ils avaient voulu dire quelque chose. Ils devaient penser qu'ils vivaient leurs derniers instants. Mais ils n'arrivaient pas à y croire. Pendant ces derniers mois ils avaient été gardes au centre de stockage. Ils avaient eu droit de vie et de mort sur nous et soudain c'était l'inverse.

Nous les connaissions bien; ils étaient originaires de petites villes de Bavière et étaient pères ou grands-pères. Ils n'avaient jamais rien fait de cruel mais j'étais sûr qu'ils auraient tué ou torturé des Juifs si on leur en avait donné l'ordre. Halina s'est tournée vers moi.

« Est-ce que tu vas les tuer? » Elle était partagée et sur la défensive.

« Non, nous allons les laisser partir s'ils nous donnent leurs armes et leurs uniformes. »

Halina était soulagée, moi aussi. Tuer n'était pas

notre spécialité. Halina m'a couvert tandis que je ramassais leurs fusils, leurs ceintures et leurs pistolets. Je les ai poussés vers le sous-sol. « Enlevez vos vêtements ! Vite ! Je ne veux pas vous tuer. »

Ils ont commencé à se déshabiller.

« Plus vite ! *Los !* Sinon je vous arrache vos uniformes de sur le dos ! »

J'ai vu dans leurs yeux qu'ils se méfiaient. Ils ne me croyaient pas. Ils étaient sûrs que j'allais les tuer. Ils étaient incapables d'imaginer une autre issue. Soudain, l'un d'eux m'a jeté ses bottes avec violence pendant que l'autre se précipitait sur Halina. Elle a ouvert le feu. L'Allemand s'est effondré dans l'escalier. Une fontaine de sang jaillissait de son ventre alors qu'il dégringolait dans le sous-sol.

J'ai bondi sur l'autre. Quand je suis arrivé devant lui j'ai appuyé sur la détente et je lui ai vidé mon pistolet dans la poitrine. Il a poussé un cri et s'est effondré devant moi. Il a culbuté lui aussi dans le sous-sol.

J'ai regardé Halina. Elle tremblait. C'était la première fois qu'elle tuait. « Ce n'est pas facile, a-t-elle murmuré. Comment peuvent-ils faire cela ? Pourquoi est-ce que c'est si simple pour eux de tuer ? Est-ce qu'ils sont si différents de nous ?

— Couvre-moi pendant que je vais vérifier, l'ai-je interrompue. Nous avons du travail devant nous. »

J'ai attaché les deux gendarmes grièvement blessés et je les ai laissés à leur destin. Puis nous avons rapidement chargé leurs affaires sur le triporteur et nous sommes partis vers notre rendez-vous.

« Deux fusils et des munitions ! ai-je dit. Attends un peu qu'Artek voie ça ! » Rudy sautait de joie.

Pendant les deux heures suivantes, nous avons travaillé fébrilement et nous avons chargé tout ce que nous avons jugé utile. Au lever du jour, mon groupe et moi, nous sommes arrivés place Muranowski, avec les triporteurs surchargés.

Nous avions accompli notre mission.

La direction du Z.Z.W. avait choisi les immeubles sud de la place Muranowski, au coin de la rue Nalewki, comme principale ligne de défense. C'étaient pour la plupart des immeubles d'habitation de quatre à six étages. Les toits offraient une vue dégagée sur la place et un bon abri pour les rues Mila et Muranowska. Des murs les fermaient au nord-est. Les immeubles de la rue Nalewki n'étaient accessibles que par les toits et étaient stratégiquement favorables. On pouvait les défendre facilement et ils protégeaient nos arrières.

Artek nous avait confié la tâche, à Halina et à moi ainsi qu'à une vingtaine d'autres, de couvrir les toits et les greniers des numéros 5, 7, 9, et 11. Puis Frenkel a demandé à Artek de lui donner deux jeunes. Artek n'a pas hésité. Il s'est tourné vers Halina et moi. « Hé ! *Cwaniaki,* vous allez entrer dans l'histoire ! Grimpez sur le toit du numéro 7. Rudy, suis-les. Couvre le numéro 5 sur la droite. On va dresser le premier drapeau juif, peut-être le premier depuis deux mille ans ! »

Sa voix avait des accents de fierté.

« Protégez ce drapeau au prix de votre vie, a dit Frenkel, en nous regardant droit dans les yeux. Protégez-le même s'il est en lambeaux ! »

Armés de pistolets et de cocktails Molotov, Halina, Rudy et moi, ainsi que d'autres jeunes combattants, nous avons gravi les six étages du numéro 7 jusqu'au toit. C'était l'immeuble le plus haut du voisinage. Plus nous grimpions et plus nos esprits s'élevaient.

Du toit, la vue était à vous couper le souffle. Le soleil du printemps brillait. Le ciel était entièrement dégagé. En dessous de nous s'étendait la mer calme des toits.

Une poignée de jeunes gens et de jeunes filles ont commencé à attacher nos couleurs à une cheminée. Ils ont fait un trou dans le toit pour maintenir la hampe. Quelques instants plus tard, le drapeau bleu et blanc flottait sur Varsovie.

Halina s'est précipitée pour le caresser. Elle a promené ses doigts sur l'Etoile de David. « Je suis si fière, Jacku. J'en ai la chair de poule, comme si c'était une part de moi. »

Je l'ai attirée vers moi. Nous nous sommes regardés, puis nous avons regardé le drapeau et le paysage des toits. Artek s'est approché derrière nous. « Très bien, les enfants. On a du travail. Il faut se servir de son cerveau, pas de ses émotions.

— Oui, je comprends, a dit Halina en s'essuyant les yeux. C'est... c'est la première fois que je vois un drapeau juif. »

Artek s'est rapproché. « Je sais ce que tu ressens. Ce n'est pas seulement le drapeau. C'est tout ce bazar. Tout va finir.

— Mais je veux vivre », s'est écriée Halina.

Tout le monde s'est tourné pour la regarder.

« Nous allons vivre, Halina. Toi, moi, et tout l'univers juif. Nous allons en faire baver aux Allemands ! Nous allons survivre. Nous allons les voir descendre à la tombe ! »

Elle s'est serrée contre moi et a pris une profonde respiration. Puis elle a souri. « Tu as raison. Nous allons combattre, Jacku. Et nous allons survivre à ces salauds de Nazis ! »

Rodal, Frenkel et Janek Zloto ont vérifié la fixation du drapeau. « Si seulement nous avions un appareil, a dit Frenkel. Quelle photo pour le monde. »

Le 19 avril s'est passé sans incident notable pour la résistance Z.Z.W. Ce sont les unités du Z.O.B. qui ont été engagées dans les combats ce premier jour. Des batailles ont eu lieu çà et là dans tout le ghetto. La place Muranowski est restée aux mains des Juifs. Et le magnifique drapeau bleu et blanc avec l'Etoile de David palpitait dans le vent.

Pendant toute la journée, Halina et moi, nous avons écouté les coups de feu qui venaient principalement du quartier des fabricants de balais. Puis, juste avant la tombée de la nuit, les Allemands ne se sentant plus en sécurité se sont retirés au-delà des murs du ghetto.

Le soir, dans l'abri de mes parents au 4, rue Niska, nous avons débarqué en plein séder, le rituel qui rappelait la libération de nos ancêtres dans l'Egypte ancienne. Nous savions que notre dernière bataille se terminerait par la mort, pas par la liberté, cependant nous avons bu à la vie. *L'Chaim.*

L'histoire de Moïse et de l'esclavage juif était un conte de fées à côté du danger immédiat. « Nous aurions besoin d'un nouveau miracle », a dit Rudy avec une pointe d'amertume.

« Si un seul de nous survit pour tout raconter, ai-je répondu, ce sera un miracle suffisant. »

Nous sommes sortis de l'abri et nous avons repris nos positions dans la forteresse du Z.Z.W. Artek nous a arrêtés. « Nous venons d'avoir un message de l'A.K. Ils sont en effervescence parce que le drapeau national polonais ne flotte pas à côté du nôtre.

— Qu'est-ce qu'on peut y faire ? ai-je demandé.

— Nous venons d'avoir une réunion au quartier général. Tout le monde est d'accord. Le drapeau rouge et blanc doit être là-haut. Ils vont nous en envoyer un demain à midi. »

Artek s'est passé la main dans les cheveux. « Jacek, c'est toi qui connais le mieux les égouts. Tu vas conduire leur messager. »

Il s'est arrêté et a regardé Halina. Puis il s'est retourné vers moi. « Tu iras seul. Halina et les autres resteront à leur poste sur les toits. »

Des combats violents ont fait rage dans le ghetto le jeudi matin. C'était le second jour du soulèvement. Mais les Allemands n'avaient pas encore lancé de véritable offensive sur la place Muranowski.

Vers dix heures, j'ai embrassé Halina et je suis parti pour ma mission. Un revolver au poing, je suis descendu dans les égouts au coin est de la place Muranowski. J'étais un vieux contrebandier, cependant je ne m'étais jamais aventuré dans les égouts de ce côté de la ville.

J'avais pour tâche de me rendre à la sortie du stade de football, rue Konwiktorska, près de l'hôpital psychiatrique. C'était un endroit facile à trouver, éclairé par la lumière des rues et pas loin du mur du ghetto. A l'entrée, j'ai accroché une lampe à pétrole à l'intérieur de la bouche d'égout pour me guider au moment de mon retour. Puis, le cœur battant, je me suis dirigé lentement dans les tunnels à l'odeur infecte. Au bout de quelque temps, j'ai reconnu le chemin. Mais j'ai remarqué que le niveau de la boue et de l'eau m'arrivait au-dessus des genoux.

Ce n'était pas comme cela dans mon souvenir. Quelque chose n'allait pas. A chaque tournant, à chaque raccordement, je m'enfonçais plus profondément dans l'eau sale. J'avançais plus lentement et mes sens s'aiguisaient. Je luttais contre ma peur et j'essayais de me contrôler pour ne pas me laisser aller à la panique. J'étais terrifié à l'idée de mourir noyé comme un rat, cependant j'étais déterminé à atteindre la sortie et à ramener le drapeau polonais.

Soudain j'ai entendu du bruit — une sorte de sanglot, de gémissement. J'ai retenu mon souffle. Est-ce que ça pouvait être un chat ? Aucun chat n'aurait pu survivre ici. J'ai sorti mon pistolet et j'ai allumé ma lampe de poche. Devant moi, dans le rayon de la lumière, j'ai vu une jeune fille épuisée, accrochée désespérément à la paroi humide de l'égout. Elle avait une grosse corde enroulée autour de la taille et dont l'extrémité flottait dans l'eau boueuse.

« Qui es-tu ? Qu'est-ce que tu fais ici ? »

La fille ne s'est pas retournée. Elle s'est penchée un peu plus comme si elle s'asseyait et seuls ses bras et sa tête dépassaient du flot nauséabond.

« Je ne suis pas juive, a-t-elle dit. Mon oncle est prêtre à Praga. Sauvez-moi, je vous en supplie. Je suis malade. Je ne veux pas mourir ici. »

Je l'ai attrapée par les cheveux et je l'ai retournée vers moi. Pas juive ? Peut-être, ai-je pensé — blonde, des yeux verts. « Comment es-tu arrivée ici ? »

Sans me répondre, elle a saisi mon écharpe et s'y est accrochée fermement.

« Allez, viens, ai-je dit. Marchons. Tiens-toi à moi.

— Je ne peux pas. Je suis malade. Mes pieds. Je ne les sens plus. »

Je lui ai redressé la tête et je l'ai regardée droit dans les yeux. « *Amhu ? Swojska ?* »

J'ai senti qu'elle tremblait.

« Oui, je suis juive. Je suis ici depuis lundi. Je voulais sortir du ghetto. Tout était en flammes. Notre maison. L'abri. Mes parents ont des amis chrétiens à Praga. Ils ont pensé que je pouvais passer du côté aryen de Varsovie. S'il vous plaît, aidez-moi à y aller. Je suis perdue. Je vais mourir. »

J'ai senti qu'elle lâchait prise. Elle a fermé les yeux. Je l'ai giflée plusieurs fois. « Reste éveillée et accroche-toi. »

Mon pistolet dans une main, la lampe de poche dans l'autre et la fille sur le dos, j'ai continué à avancer péniblement dans l'égout. L'eau gluante m'atteignait presque la taille. A chaque fois que je m'arrêtais pour me reposer, la fille s'accrochait à mon cou. « Non. S'il vous plaît, ne m'abandonnez pas. Je vous en supplie. Je vais mourir. »

Au bout de quelque temps, elle s'est mise à parler.

« Je m'appelle Sala. J'ai seize ans. Les Allemands ont tué mes parents et je suis seule. J'ai peur. Je ne veux pas mourir.

— Sala, je suis ton frère et ton ami, ai-je dit. Et tu vas vivre. Je vais dire à mes amis que tu es aryenne et ils t'aideront à aller à Praga. »

Lentement, j'ai progressé, en me guidant grâce aux faibles rais de lumière qui tombaient par les trous des bouches d'égout. Je m'arrêtais à chaque fois pour écouter. Bientôt j'ai entendu parler polo-

223

nais et j'ai reconnu le bruit de la circulation. J'ai su que nous avions atteint le côté aryen.

J'ai vu au loin une lumière brillante qui traversait l'obscurité. J'étais sûr qu'on avait ôté une plaque de bouche d'égout. C'était peut-être un piège. Est-ce que des S.S. m'y attendaient? J'ai chassé mes craintes et je me suis avancé vers la lumière. Soudain, j'ai entendu une voix reprise par l'écho : « Kazik. »

J'ai pris une grande respiration et j'ai attendu. C'était le nom que j'attendais. J'ai repris ma progression. A nouveau la voix et l'écho.

« Laisse-moi me préparer à tirer », ai-je murmuré à Sala qui se serrait à moi, paniquée. Je n'étais pas encore certain d'être en sûreté.

J'ai jeté un regard en l'air et j'ai vu un adolescent qui commençait à se glisser par le trou lumineux. Le garçon ne pouvait pas voir dans l'obscurité mais moi, je pouvais le voir distinctement.

« Kazik, a-t-il appelé.

— Kazik », ai-je répété.

Dire le vrai nom n'était pas suffisant. Il fallait qu'il me fasse voir le drapeau. Kazik a déboutonné sa chemise et j'ai vu son corps maigrichon enveloppé d'un tissu rouge et bleu. « Hé! Qu'est-ce que c'est que ça? » Il a fait un geste vers Sala en accoutumant ses yeux à l'obscurité. « Tu devais être seul.

— Ce n'est pas grave, ai-je dit. C'est une chrétienne. Je l'ai trouvée dans l'égout.

— Sainte mère de Czestochowska! Quelle sale histoire!

— Elle est de Praga et elle fait de la contrebande, ai-je expliqué. Elle s'est perdue dans les égouts.

« — Très bien, a répondu Kazik. On va s'occuper d'elle. »

Il a passé la tête par l'ouverture. « Hé ! Wacek ! On a trouvé une fille en bas. Elle a besoin d'aide. Il faut la raccompagner à Praga. »

Tandis que nous hissions Sala à l'extérieur, je lui ai fait un sourire entendu. « Que la Vierge Marie te protège, Sala », ai-je dit pour que tous puissent entendre. « Et n'oublie pas d'aller à l'église. »

Quand la fille a été partie, nous avons parlé librement avec Kazik. Nous étions deux adolescents avec une même cause. Kazik avait l'ordre de porter lui-même le drapeau dans le ghetto. Il n'a pas voulu me le confier. Et nous sommes partis tous les deux dans les égouts.

Je l'ai mis en garde contre les dangers. « La place Muranowski sera peut-être pleine d'Allemands. »

Mais Kazik n'était aucunement ébranlé. L'A.K. lui avait donné l'ordre de donner le drapeau comme le symbole de l'aide au ghetto combattant et c'est ce qu'il voulait faire.

J'admirais son déguisement. Il était habillé en employé des services sanitaires municipaux. Comme ses complices à l'extérieur de l'égout. Tout semblait officiel.

Nous sommes devenus amis pendant le lent retour. Nous connaissions tous deux les mêmes gens, des contrebandiers, des revendeurs au marché noir, en particulier au marché Kiercelak.

Nous avons atteint la lampe vacillante et nous avons attendu. Artek avait donné comme instructions de ne pas sortir par nous-mêmes. Nous avons attendu avec impatience. Pas un bruit. Quelques coups de feu au loin. Il était presque six heures du soir quand nous avons entendu des voix. La plaque a bougé. Je l'ai poussée, je me suis hissé par le trou et j'ai trouvé Halina qui m'attendait. Elle m'embrassait tandis qu'Artek me tirait. J'étais sale et je puais mais elle ne s'en occupait pas. J'ai présenté Kazik qui était pressé de rentrer.

« Il faut qu'il arrive dans la partie aryenne avant le couvre-feu et il ne lui reste que trois heures », ai-je expliqué.

Artek l'a immédiatement escorté jusque sur le toit du numéro 7. En quelques minutes le rouge et le blanc de la Pologne flottaient à côté du bleu et du blanc juifs.

Deux symboles de la résistance contre des forces supérieures.

24

Le mercredi 21 avril, les Allemands en rangs serrés ont réuni leurs forces rue Muranowska. Ils avaient déployé leur infanterie le long des immeubles. Leurs véhicules occupaient le centre de la rue. Un half-track avec du matériel de transmission, entouré par quatre véhicules blindés, était installé non loin de la place et servait de quartier général de campagne. Apparemment le général Stroop dirigeait la bataille en personne.

Je l'ai vu du toit où j'étais posté au 20, rue Muranowska. Artek m'avait placé là pour rendre compte des forces allemandes et de leurs déplacements. Si j'avais eu une mitrailleuse, le Schmeisser d'Artek peut-être, j'aurais pu descendre ce salaud.

A neuf heures précises, les tanks, les voitures blindées et l'artillerie ont commencé une attaque sans merci. Ils en avaient aux immeubles sud de la place Muranowski — au numéro 7 en particulier, où flottaient les drapeaux polonais et juif.

A midi, les combattants du Z.Z.W. ont décidé de contre-attaquer sur leurs arrières. Ils n'avaient pas les moyens pour un assaut de front. Vingt-cinq jeunes Juifs environ, certains en uniformes S.S., ont traversé les immeubles au sud de la place Muranowski. Un par un, ils sont montés dans les greniers et sur les toits. Les soldats S.S. qui se méfiaient tiraient en permanence à la mitrailleuse sur les immeubles qui se trouvaient derrière eux. Néanmoins, les combattants juifs, armés de cocktails Molotov et de quelques pistolets mitrailleurs Sten, ont réussi à traverser. Au signal, ils ont bombardé la rue en bas.

Les S.S. ont tout reçu. Plusieurs véhicules, dont un half-track Panzer, ont pris feu. Du toit où je me trouvais, j'ai vu les troupes d'assaut courir pour chercher des abris. J'ai crié à Halina et à Yosek : « Regardez les surhommes qui se sauvent. Il y en a qui sont en feu. »

Après quelque temps, les S.S. se sont regroupés. Deux colonnes d'Allemands ont descendu la rue en rasant les murs. En même temps, les mitrailleurs ont dirigé un feu nourri vers les étages supérieurs des immeubles de la place Muranowski.

Certains étaient en feu.

Puis les S.S. ont pris d'assaut les boutiques au niveau de la rue et les étages inférieurs. Une violente bataille s'est engagée. Les Juifs lançaient tout ce qu'ils avaient sur les S.S. Dans plusieurs immeubles les Allemands ont réussi à atteindre le premier étage. Chaque fois, ils étaient refoulés derrière leurs Panzers. Dans ces combats rapprochés, les Juifs retranchés avaient l'avantage. Plusieurs étages étaient en feu, mais ils réussissaient à attaquer des fenêtres et des greniers.

Tandis que la bataille faisait rage, Halina et moi, sur le toit du numéro 7, nous montions la garde près des drapeaux. Nous y avons passé toute la journée, nous abritant des balles, observant la bataille, dans les odeurs de poudre et de fumée, et essayant d'éteindre les flammes. Aucun S.S. n'a réussi à grimper aussi haut.

En fin d'après-midi, le général Stroop a donné l'ordre de la retraite. Les Allemands se sont retirés à l'abri du côté aryen. La bataille avait pris fin temporairement. A la nuit tombante nous sommes redescendus du toit. La place Muranowski, bien que toujours couverte de fumée, était emplie de combattants du Z.Z.W. au comble de la joie.

Le troisième soir du soulèvement, le ghetto combattait toujours avec un moral d'acier. La plus grande partie de sa population était indemne et toujours dans les abris.

Jusque-là, tout allait bien. Artek nous a donné l'ordre de nettoyer la place. On a éteint les feux épars et on a soigné les blessés, dont plusieurs soldats S.S. Quand tout a été fini, Artek m'a fait un clin d'œil. C'était le signal qui nous autorisait, Halina et moi, à rentrer à l'abri de mes parents, 4, rue Niska.

« Hé ! *Yatn,* nous a-t-il avertis, pas plus tard que cinq heures. Demain, ça ne sera pas facile. Stroop va revenir avec des forces supérieures. On lui pose un sacré problème, vous savez. »

Tôt le jeudi matin, le général Stroop est revenu avec encore plus de soldats, plus d'artillerie et de véhicules blindés. Les canons allemands ont pilonné la place Muranowski pendant des heures. A midi, l'attaque de l'infanterie a repris. Les obus explosaient. Les murs s'effondraient. Les fenêtres volaient en éclats. Les gravats pleuvaient dans les rues.

Dans chaque immeuble des étages étaient en feu. Le toit près des drapeaux était couvert de fumée.

Halina et moi, étouffés et noircis par la fumée, nous nous sommes mis un mouchoir humide sur la bouche pour pouvoir respirer. La chaleur intense nous a obligés à nous replier sur le toit du numéro 5, près de la position de Rudy.

Nos drapeaux flottaient toujours. Des obus les avaient déchirés. Des balles les avaient transpercés. Les bords étaient carbonisés. Le tissu était en lambeaux. Mais en dépit de tout, nos couleurs étaient toujours levées, défiant les Allemands.

Maintenant les S.S. luttaient pour avancer dans les immeubles.

« Qu'ils viennent ! » a hurlé Artek.

Tous ceux qui étaient sur les toits ont ouvert le feu. La plupart de nos combattants étaient dispersés dans les immeubles en flammes. Ils tiraient des pièces, des fenêtres, des greniers, des escaliers.

Mais les tirs de l'artillerie et des mitrailleuses allemandes leur ont coupé le chemin. Des soldats ont atteint les troisième et quatrième étages. Ils faisaient des signes avec de petits drapeaux vers les voitures de commandement dans la rue.

Sur le toit, je tirais allongé dans la gouttière. Soudain Halina a crié : « Jacku ! Regarde ! »

Le casque d'un Allemand est sorti par un vasistas. Puis un autre.

« Attends ! Ne tire pas ! » ai-je ordonné.

Nous avons couru derrière une cheminée et nous avons regardé. Les S.S. ont commencé à ramper sur le toit. Ils regardaient autour d'eux avec précaution. Puis à demi accroupis, ils se sont dirigés vers les drapeaux. J'ai attendu pour voir si d'autres Allemands ne les suivaient pas. Aucun n'est apparu.

Quand les soldats se sont approchés des drapeaux, j'ai fait signe à Halina. Nous sommes sortis de derrière la cheminée en ouvrant le feu. Les deux hommes ont roulé jusqu'au bord du toit et ont disparu dans la rue emplie de fumée.

Une volée de grenades à main a jailli par l'ouverture.

Nous avons retenu notre souffle tandis que les engins de mort roulaient sur la pente du toit ou explosaient en l'air. Apparemment les S.S. n'avaient pas abandonné. Bientôt, ils ont installé une mitrailleuse dans le vasistas. Ils ont commencé à tirer en cercle. Tout le monde sur le toit a fui à quatre pattes vers un abri, sauf Rudy.

Il a roulé jusqu'au bord de l'immeuble en serrant un cocktail Molotov, avec des balles qui sifflaient au-dessus de lui. Il a descendu accroché à la gouttière. Quelques instants plus tard, une énorme explosion a fait trembler le toit. Devant nous, la mitrailleuse a disparu dans le grenier. A sa place, un nuage de fumée s'est élevé dans le ciel. Rudy est revenu en rampant.

Il avait le visage noirci, les cheveux en broussaille, et le souffle court. Nous l'avons mis à l'abri.

« Je les ai eus, les salauds ! a-t-il crié tout excité. Je les ai eus ! Par la fenêtre. Un grenier plein de *yekes* ! »

Les mots se bousculaient dans sa bouche. Personne ne l'a interrompu. Personne n'a bougé. Il avait sauvé les drapeaux ; il nous avait tous sauvés.

En fin d'après-midi, le général Stroop a de nouveau arrêté la bataille. Les Allemands ont de nouveau quitté le ghetto.

Artek, Rodal et Frenkel sont montés féliciter Rudy. Mais nous n'avions plus la force de fêter l'événement. Pas le temps non plus. La plupart de nos positions étaient en ruine. La journée de combats se soldait par un prix très lourd en blessés et en morts. Ceux qui n'étaient pas blessés se sont occupés à soigner ceux qui l'étaient. Nos réserves dans les abris avaient aussi baissé. Nous manquions surtout d'armes à longue portée.

Halina et moi, nous avons passé des heures à chercher des armes et de l'essence dans le dépôt à demi brûlé du 44, rue Zamenhofa. Nous n'en avons pas trouvé beaucoup. Déçus, nous sommes revenus dans la forteresse du Z.Z.W. Frenkel et Artek parlaient au groupe et exposaient leur plan pour la journée du lendemain. L'enthousiasme s'était éteint. Nos combattants étaient épuisés. Ils avaient désespérément besoin de repos.

Artek n'a pas voulu que Halina et moi nous rentrions dans l'abri de nos parents. Il nous a mis de garde. Nous aussi, nous avions cruellement besoin de repos mais nous avons grimpé péniblement sur le toit et nous nous sommes allongés près des drapeaux. L'air chaud des toits environnants qui fumaient nous a encore donné envie de dormir.

Rudy, Yosek et Shmulek sont venus de leurs positions proches. Ils se sont assis en cercle autour de la cheminée. Toute ma bande était à nouveau réunie, et chacun recherchait une consolation dans la présence des autres.

« Artek va sûrement nous garder ici encore pendant deux ou trois jours, ai-je dit. Après on s'en ira.

— Si nous sommes toujours en vie, a ajouté Rudy.

— Tu t'en es bien sorti aujourd'hui, Rudy. Alors, parlons de la vie, pas de la mort. De toute façon, il n'y a aucune raison de se préoccuper de ça en ce moment. »

Je me suis tourné vers Shmulek et Yosek. « Les

gars, il faudra vous décider si vous partez ou si vous continuez le combat quand le moment arrivera. Mais ce qu'il ne faut jamais oublier, c'est de *survivre*. Nous avons vu que les Allemands peuvent perdre leur sang. Nous savons aussi qu'ils peuvent avoir peur, exactement comme nous. Ils peuvent souffrir et mourir. Et nous avons fait la preuve que les Juifs peuvent et veulent se battre.

» Aussi, quand tout sera fini, je veux vivre. Et je veux aussi que vous surviviez tous. »

Rudy s'est dressé sur ses pieds : « Nom de Dieu, Jacek ! Tu veux qu'on continue à vivre ? Eh ben moi, grosse tête, j'ai quelque chose à te dire. Ta survie tu peux te la prendre et te la mettre dans le cul ! »

Halina, Yosek et Shmulek ont regardé Rudy, étonnés. Moi aussi, j'étais déconcerté.

« Où sont-ils tous ? a continué Rudy. Où sont tous les Juifs ? Qu'est-ce qu'ils leur ont fait ? Toi et ta survie ! S'accrocher à la vie à n'importe quel prix ! Où est-ce que tu trouves cette passion pour continuer à respirer quand tous ceux que nous avons connus et aimés ont été assassinés ? Tu te crois meilleur que les autres ? Que tu as des liens particuliers avec Dieu ? La vérité, c'est qu'Il ne veut pas de toi ! N'oublie jamais que tu es juif ! Et Lui, le père du Messie, en ce moment il dîne à Berlin. Il est leur associé ! Survivre ? Pour quoi faire ? »

Il a sorti son pistolet de dessous sa chemise. « Tu vois Jacek, tout ce que je veux c'est ça. Leur vider mon pistolet dans leur ventre d'Allemands. Les faire éclater en morceaux. Et la dernière balle, la dernière je me la tirerai dans la tête !

» Tu peux survivre. Et quand tout sera fini, le monde te mettra dans un musée pour que les gens viennent te voir, le dernier des Juifs, une contribution de la civilisation à une espèce disparue. Une pièce de musée. Une antiquité. Où sont-ils ? Les Américains, les Russes, les Anglais ? Nos alliés ! Même pas un bout de papier pour nous dire : " Bonjour ! Désolés ! " Quelque chose ! N'importe quoi !

» Merde à la civilisation ! Merde aux musées ! Merde à leur culture — leurs opéras, leurs salles de concert, leurs bibliothèques ! Salauds d'hypocrites, tous ! Je vais tous les mettre en pièces ! Donnez-moi assez de bombes ! »

Rudy hurlait à la limite de son souffle. Il avait la voix enrouée, les yeux fous. Halina s'est plongé le visage dans les mains. Yosek et Shmulek restaient sans parler. Soudain Rudy s'est penché, il a saisi un cocktail Molotov et a couru au bord du toit.

« Rudy ! Attends ! ai-je crié. Je veux te parler !

— Va te faire foutre ! Que tout le monde aille se faire foutre ! Tout m'est égal. » Rudy a brandi son pistolet et a secoué le cocktail Molotov au-dessus de la place Muranowski pleine de fumée. « Salauds de *Yekes* ! V'nez donc me chercher ! Venez ! Je vais tous vous faire sauter ! »

Ses bottes étaient à la limite du toit, sur la gouttière de l'immeuble de six étages.

Il continuait à insulter les Allemands ; j'ai rampé vers lui et j'ai lancé mes jambes autour de lui. J'ai tiré d'un coup sec et il est tombé en arrière sur moi. J'ai sauté sur lui, j'ai saisi le cocktail Molotov et je l'ai passé à Shmulek qui m'avait suivi en silence.

« Rudy, Rudy, ai-je crié, t'es dingue ! C'est facile de mourir. Tu crois que je ne le sais pas ? Il faut vivre et survivre à ces animaux et à leur Reich. C'est ça qu'il faut faire ! »

Je le tenais par ses cheveux roux et je lui parlais avec toute la passion dont j'étais capable. « Toi et moi, nous devons vivre pour les voir se noyer dans leur bain de haine et de sang ! Combats ! Mais ne te suicide pas, espèce d'idiot ! »

Une corde est tombée à côté de moi. J'ai levé les yeux et j'ai vu Artek à l'autre bout. Shmulek et moi nous avons enroulé la corde autour du corps de Rudy. Mais il ne protestait plus. La passion et l'hystérie de Rudy s'étaient transformées en désespoir. En quelques secondes, nous l'avons remonté près de la cheminée.

Artek n'a rien dit. Il a simplement caressé la tête de Rudy. Puis il a pris le cocktail Molotov et il a disparu dans le grenier. Il redescendait dans l'abri souterrain.

Halina était allongée près de moi, la tête sur mes genoux. Ses cheveux blonds, pourtant souillés de suie et de cendres, brillaient dans la lumière de la lune.

Shmulek s'est tourné vers Rudy et Yosek et a rompu le silence. « Hé, *yatn,* si on laissait les amoureux tranquilles. Venez, on va faire un tour. » Ils ont rangé leurs revolvers et ont disparu sur les toits.

Halina était fatiguée mais ne pouvait pas s'endormir. Elle ouvrait les yeux à intervalles réguliers comme pour s'assurer que j'étais toujours là. Je me suis penché et j'ai embrassé son visage noirci par la suie. Nous nous sommes enlacés sans un mot. Nous étions submergés par l'amour, le désespoir, les regrets, la sympathie, la colère et la peur : la peur d'être séparés, d'avoir à décider demain, peur que cette nuit finisse.

Halina m'a tiré vers elle et a collé sa bouche sur la mienne. Nos lèvres ne se séparaient que quand nous ne pouvions plus respirer. Chacun cherchant la chaleur du corps de l'autre, nous avons ignoré les ruines qui nous entouraient et peut-être pour la dernière fois, nous avons fait l'amour avec passion comme un défi.

Notre étreinte s'est achevée dans les larmes qui coulaient sur nos visages couverts de suie.

La nuit est devenue froide. Mon âme, mes pensées et mes sentiments étaient aussi sombres et tristes que le ciel couvert de nuages. Appuyé contre la cheminée, je tournais le dos aux drapeaux. Je ne voulais pas les voir, je ne voulais pas savoir que le symbole de notre existence était en lambeaux.

Halina s'est endormie la tête posée sur moi tandis que je jouais avec ses cheveux. Je m'épuisais à chercher une réponse. Je me suis entendu m'adresser à Dieu. « *Adojshem, Adojshem, Eil Rachum Vechanun;* Oh, Dieu, Seigneur de pitié et de compassion. » C'était mon solo dans le chœur de la synagogue Tlomackie. Ce que ma grand-mère préférait ; je le lui avais si souvent chanté. Ma voix s'est élevée et la mélodie sereine est allée au-delà des immeubles en flammes du ghetto. Je chantais et pleurais et j'ai senti que j'étais seul avec Dieu.

Quand le soleil est apparu et que l'obscurité de la nuit s'est lentement dissipée, je les ai vus, tous assis autour de moi — Halina et Rudy, Yosek et Shmulek — qui écoutaient une voix du chœur de Tlomackie. Une voix qui appelait « Oh, Dieu, Seigneur de pitié et de compassion. »

25

Le lendemain, les S.S. sont entrés dans le ghetto par la porte de la rue Dzika. On pouvait facilement identifier la voiture de commandement mais aucun signe du général Stroop.

De ma position sur les toits, j'ai regardé les Allemands se disposer en arc de cercle dans les rues autour de la place Muranowski. Il y avait plus de véhicules blindés, plus d'artillerie, plus de mitrailleuses mais moins d'infanterie qu'avant. Je me suis demandé ce que cela signifiait.

J'ai noté le nombre de véhicules S.S. et de canons. J'ai retenu leurs positions. Puis j'ai fait mon rapport à Artek.

« On dirait qu'ils veulent nous envoyer en enfer, a dit Artek. Il faut que je le dise à Frenkel. Nous avons perdu presque quarante jeunes hier. Nous ne pouvons pas nous permettre cela aujourd'hui. »

Il a pris son Schmeisser et est parti pour l'abri du Z.Z.W. Il est revenu très vite. « Rodal et Frenkel ont décidé de reculer. Ils pensent que les *yekes* ont l'intention de raser la place Muranowski.

— Et les drapeaux ? » ai-je demandé.

Artek m'a regardé droit dans les yeux. « Chaque

heure pendant laquelle les drapeaux flottent est une victoire pour l'humanité, pour la dignité des Juifs.

— D'accord. Je vais rester en arrière avec Halina. Nous allons rester ici aussi longtemps que ce sera possible. Combien peux-tu nous donner de cocktails Molotov ?

— Pas beaucoup, a dit Artek. L'A.K. nous promet toujours des munitions, mais ils prétendent qu'ils ne peuvent pas passer. Je n'ai pas confiance en eux. Ils ne nous ont livré que dix ou vingt pour cent de ce qu'ils nous avaient promis. On aurait pu penser qu'ils auraient ouvert un autre front du côté aryen pour nous aider un peu. Mais non. Ils sont comme le reste du monde. »

Artek a craché de dégoût.

Halina a allumé une cigarette et la lui a placée entre les lèvres. Elle lui souriait. Ses vêtements déchirés et son visage sale juraient avec son sourire. Ils se sont enlacés.

« Mais ne vous inquiétez pas trop, a continué Artek. D'autres restent aussi. Nous nous reverrons. »

Notre conversation a été interrompue par l'explosion d'obus. L'attaque des S.S. avait commencé. Nous sommes retournés à nos postes respectifs. Les Allemands ont pilonné toute la matinée. Des étages s'effondraient. Des flammes s'élevaient. Halina et moi nous étions accroupis ensemble sur le toit du numéro 7. Les immeubles autour de nous fumaient. L'air sentait la poudre. Tout dans le ghetto n'était que désolation.

A la mi-journée, les immeubles de la place Muranowski étaient à nouveau en feu. Les flammes ont atteint les toits. Nous avons battu en retraite vers les immeubles de l'arrière.

Soudain les tirs d'artillerie ont cessé. A nouveau,

les Allemands lançaient leur infanterie. Les bombardements avaient été si intenses que la plupart des immeubles étaient soit en flammes, soit envahis par la fumée. Les Allemands ne s'attendaient pas à une grande résistance.

Un petit détachement de S.S., avec des masques à gaz sur le visage, a traversé la place Muranowski. Ils se dirigeaient vers un seul immeuble — le numéro 7. Il était évident qu'ils avaient pour objectif de capturer les drapeaux. Sans rencontrer d'opposition, ils ont vite atteint les étages supérieurs et le grenier.

Artek nous retenait en arrière, sur le toit des immeubles contigus. Il voulait que les S.S. aient fait tout le chemin. Nous attendions que le vasistas s'ouvre. Finalement, une demi-douzaine de S.S. sont sortis du grenier un par un. Quand tous ont été sur le toit, Halina, Rudy et moi, nous avons attaqué en faisant feu de trois côtés.

Les S.S. ont été pris complètement par surprise. En quelques secondes ils étaient morts jusqu'au dernier. Le toit était redevenu silencieux et nos drapeaux flottaient toujours. Mais ils étaient en lambeaux. Les déchirures tombaient comme des larmes trop lourdes, les larmes d'un peuple à l'agonie.

J'ai fait signe à Halina et nous avons rampé jusqu'au bord du toit. Nous avons regardé en bas vers la place totalement enfumée. Nous ne pouvions savoir si les Allemands étaient encore là. On voyait un S.S. qui était tombé du toit. Son corps était accroché de façon grotesque à l'enseigne d'une ancienne boucherie qui indiquait aux « bouchers » allemands : Viandes, salamis, S. Wolff.

Halina et moi, nous nous sommes regardés et nous avons souri. Puis nous avons éclaté de rire.

Nous avions le visage noirci par la fumée. Nous avons regardé la scène en bas et nous ne pouvions plus nous arrêter de rire.

Après trois jours de combats, Rodal, Frenkel et Artek étaient toujours en vie et en forme. Mais on ne pouvait pas en dire autant de leurs jeunes combattants. Le prix à payer en morts et en blessés avait été élevé. Les abris étaient en mauvais état, de la fumée avait pénétré partout et les réserves de balles et de cocktails Molotov étaient épuisées.

Quand l'obscurité est tombée, Artek nous a fait signe de partir pour la nuit. Les Allemands avaient à nouveau quitté le ghetto. Les Juifs commençaient à sortir de leurs cachettes.

Ils erraient dans les espaces découverts à la recherche d'une rue plus tranquille, d'une maison, d'un abri, quelque chose qui ne soit pas en feu. Il restait peu d'oasis cette nuit-là. Personne n'a trouvé la paix. Ils erraient hébétés. Ils recherchaient une consolation, se rassuraient en disant que le feu et la fumée auraient peut-être disparu au matin, que les greniers et les abris seraient peut-être à nouveau habitables. Ils n'osaient pas penser au-delà parce qu'il ne leur restait aucun choix. Rien que la mort, ou au mieux, un wagon à bestiaux vers les chambres à gaz.

Quand nous avons atteint la rue Niska, j'ai commencé à m'inquiéter. Je n'avais pas vu mes parents depuis quarante-huit heures. La rue était calme et déserte. La cour du numéro 4 était jonchée de gravats et de débris encore fumants.

Je suis entré dans l'abri le cœur battant. En un instant tous mes soucis se sont envolés. Tout le monde était là : maman, papa, Mala, Mme Grinberg et tous les voisins qui se cachaient avec eux.

L'abri s'est transformé en maison de fous. Tout le monde essayait de parler en même temps. J'étais à la fois rassuré et abattu. On nous avait dits perdus. Nous revenions de la mort. Il y avait des larmes et des rires. Des baisers et des félicitations. Maman comme d'habitude pleurait sur son sort. Et, comme d'habitude, Mala et Mme Grinberg essayaient de la calmer. Halina affirmait à maman qu'il était toujours possible de vivre. Mais maman ne voulait rien entendre.

Tout le monde voulait sortir mais ils avaient peur que les S.S. les attendent dans les rues. Ils avaient peur de rester dans l'abri mais ils craignaient encore plus de le quitter. Notre arrivée leur a redonné courage et leur a assuré que toute vie juive n'était pas éteinte. Nous, les jeunes combattants, nous en étions une preuve tangible.

Mais vivre dans l'abri était devenu un cauchemar. Nous avions tout prévu, sauf une chose. La fumée étouffante qui venait des immeubles en feu.

Je n'étais pas sûr qu'on puisse continuer à vivre à l'intérieur de l'abri. Mais personne ne pouvait rien y faire, sauf espérer et prier pour que la maison au-dessus de nous ne brûle pas jusqu'au sol. J'ai cependant insisté pour que tout le monde quitte l'abri et aille prendre l'air.

« Sortez. Sortez maintenant. Allez faire un tour. Tout est calme. Profitez de l'obscurité. L'air vous fera du bien. »

Lentement, tout le monde est sorti dans la cour. Ils ont fait quelques pas en regardant les ruines. La rue Niska n'était plus qu'une scène de carnage. Si la petite sortie avait remonté le moral de chacun, cela n'a été que temporaire.

Tôt le matin, l'officier S.S. Konrad, escorté par un détachement blindé, était arrivé rue Niska. Dans un haut-parleur, il avait pressé tous les travailleurs de la *Werterfassung* de sortir de leurs cachettes. Il garantissait personnellement leur sécurité. Tous seraient transférés dans un camp où ils pourraient travailler et vivre en paix. L'autre issue, a-t-il annoncé, c'était le peloton d'exécution.

Une centaine de gens sont sortis et sont devenus à nouveau la proie des promesses allemandes. Mais la majorité, des milliers, ont refusé de se laisser tromper une nouvelle fois. Dès que les volontaires ont été partis pour l'*Umschlagplatz,* les canons ont bombardé systématiquement les immeubles de la rue Niska et y ont mis le feu. Les tirs ont cessé à la tombée de la nuit. La plupart des gens étaient toujours dans les abris.

Notre apparition dans les abris voisins a donné à quelques-uns le courage de s'aventurer à l'extérieur. Beaucoup cependant n'ont pas pu. Leurs abris avaient été emplis de fumée et les gens étaient asphyxiés. Certains dans les greniers avaient été brûlés vifs. D'autres s'étaient tués en sautant par les fenêtres.

Quelques survivants hébétés erraient à la recherche d'un abri en ne sachant comment ni où le trouver. Beaucoup de gens dont l'abri avait été détruit recherchaient un endroit qui leur permettrait de vivre un jour de plus. Les gens perdus et paniqués suivaient instinctivement les plus assurés, en espérant être en sûreté à l'aube prochaine.

Les abris encore en état étaient archicombles. Les occupants étaient prêts à en empêcher l'entrée, sous la menace des armes, même à des parents ou à des amis. Les accepter aurait signifié perdre un peu de cet air précieux dont ils avaient eux-mêmes besoin pour respirer. Et la tragédie s'est ainsi poursuivie toute la nuit dans les rues en feu et les cours emplies de fumée.

Tous les occupants de notre abri, un peu moins enfumé maintenant, étaient revenus. Halina, ma bande et moi, n'y sommes pas restés longtemps, quelques heures de sommeil cruellement désirées.

J'ai eu d'énormes difficultés avec maman. Dès le début, elle avait détesté l'abri et maintenant elle voulait le quitter à tout prix. Elle s'accrochait à moi en hurlant : « Tu verras mon fils, tu verras, un jour tu me retrouveras enterrée ici. Souviens-toi de ce que je te dis. Ne me laisse pas ici. Ne laisse pas ta maman dans cet horrible trou. »

Ses plaintes me déchiraient les entrailles. Je savais qu'elle avait raison. Mais je savais aussi qu'à l'extérieur elle se ferait tuer. Est-ce que j'avais le choix ? J'ai pris une profonde respiration et je me suis efforcé de ne pas paraître troublé.

Pendant plusieurs jours encore, ma bande et moi, nous avons réussi à aller et venir entre la place Muranowski et l'abri. Mais cela aussi a pris fin, le mercredi 28 avril.

Pendant plus d'une semaine, les S.S. avaient subi de lourdes pertes sans remporter de victoire décisive sur les Juifs. Le général Stroop a décidé de changer de tactique. Au lieu de combattre les survivants maison par maison, rue par rue, il a simplement bombardé le ghetto nuit et jour avec de l'artillerie. Des avions ont même survolé le ghetto en lançant des centaines de bombes incendiaires. Tout ce qui n'avait brûlé qu'à moitié est devenu la proie des flammes et de la fumée.

La place Muranowski est devenue un enfer. Des rues brûlaient à plusieurs kilomètres autour. Même les résistants coriaces et organisés, ou ce qu'il en restait après dix jours de combats, ne savaient plus ce qu'ils devaient faire. Il ne restait qu'une quarantaine de combattants du Z.Z.W. Frenkel vivait toujours, mais Rodal avait été tué. Près d'Artek il ne restait plus que Janek Zloto. Avec son Schmeisser, Artek avait tué des douzaines d'Allemands. Mais il n'était pas satisfait pour autant. Il était irrité que l'enfer de feu rende tout contact avec l'ennemi impossible.

L'heure H est enfin arrivée. Les abris du Z.Z.W. étaient vides, complètement enfumés. Les drapeaux avaient disparu, ils avaient brûlé ensemble sur le toit du numéro 7. Ceux qui restaient étaient totalement épuisés.

Noirs de suie et de cendre, les vêtements en lambeaux, nous nous sommes réunis pour la dernière fois au milieu de la place Muranowski. Comme toujours, Artek était charmant avec Halina. Même aux pires heures, il avait toujours un compliment ou un sourire pour elle. Il s'est adressé à tous avec tristesse.

« Je n'ai pas grand-chose à vous dire. Vous en savez tous autant que moi. Nous ne sommes plus beaucoup. Nous avons perdu beaucoup de bons garçons, de bons combattants. Mais nous allons essayer de passer par les égouts.

— Les égouts sont inondés, l'ai-je interrompu. Ils les ont inondés il n'y a pas longtemps.

— Je sais. Pourtant, nous devons essayer. Si nous réussissons à passer, nous rejoindrons les partisans de l'A.K. Ils nous disent de partir depuis plusieurs jours.

« Et le tunnel », ai-je demandé. Tout le monde m'a regardé. Le tunnel avait été aménagé en secret par le Z.Z.W. ; aucun de nous n'y était jamais allé et personne n'en connaissait les entrées et les sorties.

« Le tunnel n'existe plus non plus, a répondu Artek. Les S.S. l'ont découvert. » Il a haussé les épaules. « Il y a seulement deux jours on aurait pu passer. Mais vous nous connaissez, Frenkel et moi. Nous devions continuer à combattre. Et maintenant les *yekes* nous le font payer. Ils vont certainement bombarder le ghetto encore pendant au moins une semaine, ensuite ils le passeront au peigne fin pour trouver ceux qui restent. »

Tout le monde est resté silencieux pendant un moment. Puis Artek s'est tourné vers moi : « Voilà, Jacek, c'est comme ça. Je suis content de t'avoir rencontré. »

Il a pris Halina dans ses bras et l'a embrassée sur les joues. « Tu es une combattante et une dame. J'espère que tout ira bien avec Jacku. » Halina était en larmes et s'accrochait à Artek.

— Pourquoi ce discours d'adieu ? ai-je demandé. Nous pouvons te suivre dans les égouts.

— Oui, a ajouté Halina, nous pouvons peut-être aller avec toi. »

Mais sa réponse a été ferme : « Non. Sortir avec nous est trop risqué. Nous avons peu de chance. Vous, et surtout toi, Jacek, vous avez vos parents et votre abri est toujours en bon état. Restez-y aussi longtemps que vous le pourrez. N'utilisez les égouts qu'en dernière extrémité. »

Tous nos arguments n'ont pas réussi à le faire changer d'avis. Artek avait décidé pour moi. Nous avons encore parlé, retardant le moment des adieux.

Finalement, nous sommes partis. Nous nous sommes dirigés vers l'abri de la rue Niska. Halina était tellement fatiguée qu'elle pouvait à peine lever les pieds. J'ai dû l'aider à marcher. Nous nous sommes arrêtés pour regarder la place pleine de fumée. Artek était toujours là avec Janek Zloto, et nous disait au revoir du bras.

Halina, Yosek, Shmulek, Rudy et moi, nous restions là pétrifiés. Chacun avait peur de parler, de dire quelque chose. Chacun avait peur de se mettre à pleurer.

26

Même la nature était contre nous. Un vent violent poussait l'air chaud et asphyxiant dans les rues. Nous n'avions pas d'eau, et des gorges sèches. Une mer de flammes nous environnait.

Des soldats S.S. ratissaient le ghetto quand nous avons essayé de gagner l'entrée de l'égout place Muranowski, notre dernière chance. Le bombardement continuel nous avait en fin de compte obligés à quitter notre abri. Une fumée âcre emplissait l'air, nous empêchant de rester plus longtemps.

Les rues étaient des couloirs de feu. Les gens descendaient des fenêtres et des balcons en se servant de draps noués ensemble. Certains tombaient et se tuaient. D'autres brûlaient comme des torches vivantes.

Nous marchions au milieu des rues tandis que des débris enflammés s'écrasaient autour de nous. J'avais peur des soldats S.S. qui rôdaient. Je ne pouvais pas les voir. Mais je savais qu'ils étaient là, prêts à fondre sur nous à tout moment. Nous nous sommes dirigés vers l'angle sud-est de la place envahie par la fumée. Je connaissais bien l'entrée des égouts mais je n'ai pas pu la retrouver. Il y avait partout des monceaux de poutres et de débris en feu.

« Il faut qu'on la trouve, il le faut.

— Au diable les égouts ! a dit Rudy. De toute façon c'est un piège. »

Rudy, tendu et impatient, voulait se battre une dernière fois avec les S.S. Il voulait en finir tout de suite et ici. Je l'ai attrapé par sa chemise, je l'ai attiré vers moi et je lui ai crié : « Soit tu me suis, soit tu fous le camp d'ici ! Tu veux te suicider ? Pas moi ! »

Il m'a repoussé et m'a donné un coup de pied dans le ventre. Je l'ai jeté au sol. Nous nous sommes battus en silence par terre tandis que les autres autour de nous, nous regardaient. De toutes mes forces, je lui ai coincé la tête entre mes genoux et je lui ai donné des coups de poing. Rudy était plus fort que moi mais il ne se battait pas vraiment. Il encaissait les coups et me laissait le calmer.

C'est alors que nous avons entendu l'ordre qui ne pouvait pas tromper : « *Hinlegen ! Hände hoch !* Les mains en l'air ! »

Les soldats allemands sont sortis de la fumée. Comme des fantômes portant des masques à gaz, ils ont braqué leurs pistolets mitrailleurs sur nous. Je me suis relevé. Rudy s'est retourné et a saisi son pistolet, prêt à faire feu.

« *Alles hinlegen !*

— Ne tire pas Rudy, ai-je dit, c'est inutile. » J'ai fait quelques pas et je lui ai pris le bras. Personne n'a dit un mot. Même ma mère pourtant expansive est restée silencieuse.

L'officier S.S. a enlevé son masque à gaz et a donné l'ordre qu'on nous fouille. Puis ils nous ont jetés à terre les mains derrière la nuque.

« *Verfluchte Banditen !* J'aimerais vous liquider

tout de suite. Mais vous avez de la chance. Vous allez à l'*Umschlagplatz.*

— Il y a encore de l'espoir, ai-je murmuré à Halina et à Rudy. Attendons. Si nous tentons quelque chose ici, nous sommes perdus. »

Nous sommes restés assis sur la place pendant ce qui nous a semblé des heures. Les S.S. ont amené d'autres Juifs qu'ils avaient capturés. A la fin, quand nous avons été environ cinquante, l'officier S.S. nous a donné l'ordre de nous lever. Nous avons traversé le ghetto en flammes pour la dernière fois.

L'*Umschlagplatz,* six cents pieds de long et cinq cents de large, s'étendait devant nous. Des douzaines de wagons à bestiaux vides étaient rangés sur les voies au loin. Des officiers allemands dirigeaient l'ensemble, d'une baraque installée près de l'entrée.

Sur la gauche, un bâtiment long et bas formait un V avec deux autres plus petits qui s'en allaient vers la droite. Sur le toit on avait installé plusieurs mitrailleuses lourdes servies par des soldats ukrainiens. Elles étaient pointées sur le centre de la place où nous nous tenions parmi des centaines d'autres.

Jusqu'ici, nous avions réussi à rester ensemble. Frémissants de haine et de colère, Halina et Rudy attendaient le moment de la vengeance. J'avais toutes les peines du monde à les calmer.

« Nous devons rester ensemble et monter dans le même wagon », ai-je murmuré à Halina. Puis je me suis adressé à Rudy : « Nom de Dieu ! Je vois dans tes yeux ce que tu mijotes. N'y pense pas. On essaiera de sauter des wagons. Je sais que c'est possible. »

Je l'ai supplié, lui et les autres, de ne pas succomber à leurs émotions. « Pas d'héroïsme. Pas maintenant, s'il vous plaît. »

Maman priait, maudissait les Allemands et déplorait le destin des Juifs. Papa était immobile et résigné.

J'ai respiré un grand coup en m'étonnant de la discipline de tous ceux qui m'entouraient sur l'*Umschlagplatz*. Aucune supplication. Aucun cri. Rien que des jeunes gens debout ; des combattants fiers de leur courage ; des gens déterminés à se battre à la moindre occasion.

Il n'y avait pas de policier juif pour nous bousculer ou nous frapper. Personne de qui avoir honte. Nous avions liquidé tous les *jamniki.*

Soudain plusieurs officiers S.S. se sont approchés. Maman était courbée et cela a déplu à l'un d'eux.

« Redresse-toi que je puisse vous compter ! Grosse salope ! » Son fouet s'est abattu sur la tête de maman. Elle a crié sous la douleur. J'ai eu envie de sauter à la gorge de ce sadique. Mais je n'ai pas bougé. Survivre, c'est ce qui comptait.

J'ai senti quelque chose dans mon dos. Halina me mettait un pistolet dans la main. Je l'ai gardé derrière moi tandis que les S.S. passaient.

« Comment est-ce que tu as fait pour le cacher ? ai-je demandé.

— Ne t'occupe pas. Sers-t'en. Vas-y.

— Non. Je ne suis pas prêt à me suicider. Pas maintenant. »

J'avais à peine fini de dire cela quand des coups de feu ont éclaté. Les officiers S.S. sont tombés à terre. D'autres coups de feu sont partis de toutes les directions. Il y a eu un désordre indescriptible. J'ai plongé au sol entraînant Halina et maman avec moi. Les soldats allemands tombaient autour de nous. D'autres se précipitaient vers des abris.

« Tout est perdu maintenant, Halina ! ai-je crié au-dessus du vacarme. Fais comme tu veux. »

J'ai sorti mon pistolet et je l'ai vidé sur les S.S. qui se sauvaient. Sur les toits, les mitrailleuses balayaient le terrain. Il y avait des gens en sang partout. Personne ne savait qui était blessé. Les gens restaient par terre les uns sur les autres.

Des S.S. étaient étendus près de moi dans une mare de sang. Des balles sifflaient au-dessus de moi. J'ai forcé Halina à baisser la tête pour la protéger de mon corps. La fusillade a cessé au bout de quelques minutes. Un half-track est arrivé. Des S.S. en sont descendus avec des fouets et des chiens.

« Debout ! Debout ! Tout le monde debout ! *Los ! Schnell !* Ordures ! Bandits ! »

Les gens se sont redressés. Les chiens aboyaient. Les S.S. hurlaient. J'ai saisi Halina pour être sûr qu'elle reste avec moi. Maman était sur ses pieds avant moi. Papa a refusé de se relever. Il en avait assez. Maman et moi, nous l'avons tiré pour qu'il se mette debout.

Des douzaines de S.S. en colère couraient maintenant dans tous les sens. Ils faisaient monter tout le monde dans les wagons à bestiaux. Quiconque était incapable d'avancer assez vite était tué. Des gens complètement affolés s'aidaient mutuellement pour aller « s'abriter » dans le train.

Nous avons réussi à monter tous dans le même wagon. Quelques instants plus tard, la lourde porte métallique s'est fermée. Le wagon obscur était silencieux. Accablé de douleur, de peur et d'épuisement, chacun restait assis par terre sans bouger. Même Halina était traumatisée. Mais Rudy et moi nous n'avons pas pu rester assis.

J'ai regardé par la petite fenêtre recouverte de fil

de fer barbelé. Une centaine de Juifs morts ou blessés étaient étendus sur la place couverte de sang. Des médecins allemands soignaient quelques S.S.

Nous ne pouvons pas survivre, ai-je pensé. C'est impossible. Soixante-dix millions d'Allemands. Des millions d'Ukrainiens. Et des millions d'autres antisémites. Ils sont partout pour nous tuer. Nous sommes seuls. Même Dieu est de leur côté. Une colère subite s'est emparée de moi. J'ai saisi Halina et je l'ai secouée.

« Ecoute-moi. Ecoute. Tu as promis que tu combattrais. Peu importe ce qui arrive, tu ne peux pas abandonner. Tu m'entends ? Tu dois survivre. Tu le dois. Promets-le-moi. »

Elle m'a regardé tristement. « Je te le promets, je te le promets. »

La brève révolte avait obligé les Allemands à charger les wagons plus rapidement que d'habitude. Il n'y avait que quarante à cinquante personnes dans chaque wagon au lieu des quatre-vingts ou cent habituelles. La place supplémentaire nous donnait plus d'aise et nous permettait de nous déplacer. Maman, papa, Mme Grinberg et les Altman, un couple d'une trentaine d'années, étaient les seuls adultes du wagon.

Des gardes ont grimpé sur le toit et le train a quitté l'*Umschlagplatz*. Il était huit heures du soir.

Tandis que le train se dirigeait vers l'est, la bande et moi, nous avons tenu une rapide réunion. L'est signifiait Treblinka. Cela a été confirmé quand nous avons traversé le pont sur la Vistule, *Most Kolejowy*. Treblinka signifiait les chambres à gaz.

« C'est à quatre ou cinq heures de voyage, a dit Rudy avec impatience. Si on veut faire quelque chose, on a intérêt à le faire maintenant. » Il a commencé à arracher le fil de fer barbelé qui était devant la fenêtre avec ses mains nues. « Ils m'auront pas. Je vous le promets. Si la tête passe, le reste doit suivre. »

Shmulek s'est porté volontaire pour passer le premier et essayer d'atteindre le loquet de la porte pour briser le plombage. Je l'ai poussé à l'extérieur. « Tu n'es pas assez long. Je suis plus grand que toi. »

J'ai passé la tête avec précaution, puis le corps, à travers la fenêtre étroite. Rudy et Shmulek me retenaient par les chevilles. Après quelques minutes je leur ai fait signe de me tirer. J'étais exalté malgré le vent et le froid à l'extérieur du train en marche, et même si je faisais une belle cible pour les gardes du toit.

« Nous pouvons casser le plombage et ouvrir la porte. J'en suis sûr. »

Vingt garçons ont fait queue pour essayer de briser le plombage. Nous voulions tous survivre. Pendant une heure et demie, plus d'une douzaine ont tenté leur chance. Certains sont même sortis deux ou trois fois.

« Le plombage a sauté ! s'est enfin écrié Yosek. Le loquet est décroché ! Nous pouvons ouvrir la porte ! »

La joie a explosé dans le wagon. On pouvait s'échapper.

Tandis que le train longeait la Vistule, j'ai vu l'immense camp de prisonniers de guerre de l'ancienne caserne de Deblin. Ma joie a redoublé quand j'ai compris que nous nous étions trompés. Nous n'allions pas à Treblinka. Nous allions vers le sud-est, ce qui signifiait Maïdanek. C'était une bonne nouvelle seulement parce que le voyage serait plus long. Il serait plus sûr de sauter en pleine nuit ou tôt le matin quand les gardes seraient fatigués.

Vite, Rudy, Shmulek et moi, nous avons poussé la lourde porte de quelques centimètres et nous avons respiré l'air pur de la nuit. Après une courte discussion, tout était prêt. Nous commencerions à sauter à trois heures du matin. Une trentaine d'adolescents, garçons et filles. Tous étaient prêts à tenter leur chance, à saisir l'occasion, à essayer de survivre afin de pouvoir combattre à nouveau.

Maman ne cessait de marcher dans l'obscurité à la recherche de son fils. Elle avait besoin de me toucher de temps en temps pour s'assurer que j'étais vraiment là.

Nous étions assis et nous attendions. Lajzor, qui n'avait pas vingt ans et qui avait sauté du train pour Treblinka huit mois plus tôt, nous a donné quelques tuyaux. « Ne sautez pas. Soyez souples. Laissez-vous aller sur le sol. Roulez en bas du talus dans l'herbe ou les buissons. Et assurez-vous qu'il y a une forêt où vous pourrez disparaître rapidement. »

Nous écoutions attentivement. Nous avons échangé des adresses d'amis chrétiens à Varsovie et des endroits pour se cacher. D'habitude, donner des noms était dangereux, mais en ce moment nous étions tous de la même famille. Trois heures approchaient. La tension devenait insupportable. Maman était au bord de l'hystérie.

« Pourquoi est-ce que tout cela m'arrive ? Qui a maudit mes enfants ? Dieu, pourquoi nous as-tu abandonnés ? »

Ses cris se sont amplifiés ; son regard s'est affolé. J'avais peur qu'elle perde l'esprit. Nous avons tous essayé de l'apaiser. Nous avions peur que les gardes entendent ses cris. Mais soudain elle s'est effondrée et est tombée dans un profond sommeil.

Halina et moi, nous avons rejoint les autres. Le moment de la décision était arrivé. J'ai ouvert plus largement la porte. Le bruit des roues sur les rails s'est engouffré à l'intérieur. Nous roulions dans une campagne dégagée. On voyait des bois au loin.

Rudy a sauté le premier. Il a serré sa ceinture, a embrassé tout le monde et a dit au revoir. Et il s'est laissé rouler sur le talus.

Lajzor l'a suivi. Puis Yosek. Il souriait mais je savais qu'en fait il avait envie de pleurer. Nous sommes restés dans les bras l'un de l'autre quelques instants.

Puis la première fille, Anka Anielewicz, a sauté. Elle avait travaillé au dépôt. Elle et sa sœur, je les connaissais bien. Elle se tenait bien droite. Elle n'a pas dit un mot. Juste un sourire, une poignée de main et elle est partie.

Cela a continué pendant plus d'une heure. Une vingtaine avaient sauté. Le wagon était à moitié vide. Soudain des tirs de mitrailleuses ont éclaté dans la nuit. Apparemment, on s'échappait aussi des autres wagons. Maintenant les S.S. étaient bien éveillés et prêts à tirer sur ceux qui sautaient. Dans l'obscurité, il n'était pas facile de distinguer les ombres qui tombaient du train.

« Jetons un manteau auparavant et sautons juste après », ai-je suggéré.

La ruse a marché. Les gardes tiraient sur les manteaux et non sur ceux qui sautaient. Il n'en restait plus qu'une douzaine à sauter. Shmulek était le premier. Ensuite Halina et moi.

Mme Grinberg a embrassé son fils. Elle avait déjà perdu son mari et ses deux autres fils. Shmulek était le plus jeune. Elle n'avait plus de larmes.

Cependant, Shmulek devait contenir son émotion. Il manquait de force pour sauter. Sa mère l'a ressenti. Elle est venue près de lui et l'a caressé. J'ai jeté un manteau. Shmulek a roulé derrière lui. Mme Grinberg s'est couvert le visage, Mala aussi.

Alors, comme si elle avait reçu un message divin lui disant que son fils allait disparaître, maman s'est éveillée. Elle a bondi vers moi et s'est enroulée autour de mes pieds.

« Non, Izaakl ! Ne saute pas ! Tu vas te tuer ! Les *yekes* vont te tuer. Dieu ! Qu'est-ce que je vais devenir ? Comment peux-tu abandonner ta maman comme ça ? »

Halina et moi, nous la regardions, stupéfaits. J'étais terrifié par son énergie. Mme Grinberg et Mala ont essayé d'intervenir mais cela n'a servi à rien. Les autres ont fini de sauter. Tandis que j'étais sur le plancher à me débattre avec maman, j'ai entendu d'autres tirs de mitrailleuse.

Soudain le train s'est arrêté. Nous sommes tous tombés en avant. Maman m'a lâché et a roulé plus loin. Les gardes S.S. sont descendus des toits. Ils ont ouvert les portes en grand et ont tiré des rafales dans chaque wagon. Puis ils ont refermé les portes et les ont replombées. Quelques minutes plus tard, nous étions à nouveau en route.

J'ai rampé vers Halina, puis vers maman et papa. Ils n'étaient pas blessés. Mme Grinberg et Mala non plus. Mais tous n'avaient pas eu autant de chance. Les Altman et plusieurs jeunes étaient blessés et saignaient. Halina et moi, nous avons déchiré des chemises et nous avons pansé leurs blessures. Puis nous nous sommes assis épuisés et accablés.

Personne n'a dit un mot. Tous nos amis étaient partis mais nous étions toujours dans le piège. Nous étions trop fatigués pour nous demander ce que nous allions faire. Maman s'est approchée et s'est assise près de moi. Elle m'a pris dans ses bras et m'a caressé. Elle ne disait rien. Tout ce qui lui importait c'est que nous étions encore ensemble.

27

Le premier soleil du matin a éclairé les petites fenêtres rectangulaires du wagon à bestiaux. J'ai vu papa près de celle dont nous avions arraché le fil de fer barbelé. Il serrait dans ses mains le seul livre qu'il avait réussi à cacher, *L'Ethique* de Spinoza. Dans cet horrible wagon, sur le chemin des chambres à gaz, papa s'abîmait les yeux à étudier l'humanité, voulant à tout prix la comprendre.

Je me suis serré près d'Halina et j'ai ressenti sa chaleur. Je lui ai embrassé les yeux, les oreilles, le cou, les lèvres. J'ai retenu mon souffle et je me suis recouvert le visage de ses cheveux d'or. J'aurais voulu que cet instant ne finisse jamais.

Bien qu'à moitié endormie, elle s'est rapprochée de moi. J'étais assis dans un angle presque vide et je la tenais dans mes bras, quand dans un hurlement terrible, le train s'est brusquement arrêté, nous séparant l'un de l'autre. Je l'ai tirée vers moi et nous nous sommes enlacés encore plus étroitement. Halina m'a regardé dans les yeux et m'a passé les mains sur le visage. Elle m'a embrassé et m'a exhorté à survivre et à me souvenir d'elle. Nous nous sommes juré de nous retrouver.

Le train roulait sur un embranchement qui

conduisait aux quais. Cet endroit, appelé *Plage Laszkewicz*, était autrefois un atelier de réparation de l'aviation et servait maintenant de centre de réception pour l'immense camp de concentration de Maïdanek. Des voix à l'extérieur nous ont fait nous lever. J'ai aidé maman à se mettre sur ses pieds. Elle ne cessait de demander où nous étions. Elle se sentait coupable.

« Tu vois, ils sont tous morts maintenant. Je t'ai sauvé, Izaakl. Sauter, c'était du suicide. Tu es d'accord ? N'est-ce pas ?

— Non, Zlatha, a dit Mme Grinberg. Ne dis pas cela. C'est le destin. Le destin de mon fils était de sauter. Celui de ton fils était de rester avec nous. » Les deux femmes sont tombées dans les bras l'une de l'autre.

« Tout ça, c'est de la folie, a dit papa. La civilisation est devenue folle. J'ai pitié d'eux. D'eux tous. Un tel déshonneur. Ils devraient avoir honte. »

On a soudain ouvert les portes des wagons. « *Raus ! Raus ! Verfluchte Bande !* Maudite canaille ! Dehors ! »

On a jeté des seaux d'eau dans le wagon. J'ai saisi Halina et maman et je les ai aidées à descendre. Les autres ont suivi. Je suis resté debout, trempé jusqu'aux os, et j'ai vu des centaines et des centaines de prisonniers qui tournaient en rond dans un immense espace. Deux longs baraquements étaient au loin à droite. A gauche, une barrière de barbelés séparait de deux ensembles similaires. Le plus éloigné contenait cinq longs baraquements séparés par des barrières. Le plus proche un immense hangar et deux baraquements plus petits. Au loin, j'ai vu plusieurs miradors équipés de mitrailleuses dirigées dans notre direction.

Au centre, des S.S. avec des fouets et des chiens, aidés par des Ukrainiens et d'anciens prisonniers de guerre juifs (les *yentzes*) poussaient, fouettaient et frappaient les Juifs. Les hommes, les femmes et les enfants dans un désordre total étaient triés — à droite, à gauche, en face. Les Ukrainiens et les *yentzes* les emmenaient.

Notre groupe, qui descendait du train de Varsovie, était relativement peu important et calme. L'autre groupe, plus d'un millier, venaient d'arriver de Hollande. La plupart d'entre eux étaient hébétés. Beaucoup pleuraient des êtres chers morts dans les wagons. On les avait entassés comme des animaux, cent et plus par wagon. Beaucoup s'étaient évanouis, avaient été écrasés, n'avaient jamais repris connaissance. D'autres avaient été étouffés.

Des odeurs d'excréments et de sueur s'échappaient par bouffées de leur train. Certains étaient à demi nus et hystériques. Ils regardaient avec stupéfaction les *Warszawiaki,* les Juifs de Varsovie, relativement calmes et bien habillés. Ils se demandaient sans doute si nous arrivions d'une station balnéaire. Le mélange des passagers des deux trains était fascinant. Des gens d'origines et d'expériences différentes, engagés dans le même destin, les chambres à gaz.

Puis les S.S. ont donné l'ordre que les femmes se séparent des hommes. Les gens se sont regroupés en masses compactes, les familles et les amis essayaient de rester ensemble. J'étais debout dans la foule, mentalement seul, essayant de trouver le moyen de garder Halina et maman avec moi. On m'avait déjà frappé deux fois. Halina avait aussi goûté au fouet, mais elle s'accrochait toujours à moi.

J'ai regardé maman et elle s'est retournée vers moi. Ses yeux m'ont transpercé. Je sentais son tourment intérieur. Je sentais son angoisse. Mais je ne pouvais pas parler. J'ai saisi son visage et je l'ai embrassée. Je l'ai tirée vers moi en voulant la prendre dans mes bras.

Mais elle n'a pas répondu. Elle était raide et immobile. Soudain, elle m'a repoussé. Violemment. Cruellement. Froidement.

Puis, aussi soudainement, elle m'a attiré vers elle. Elle a collé son visage contre le mien et d'une voix tremblante m'a ordonné : « Izaakl, mon enfant, mon fils, pense à toi. Vis. Survis. Ne t'occupe plus de moi. Je suis ta meurtrière. Qu'est-ce que j'ai fait ? Qu'est-ce que j'ai fait ? Sans moi, tu aurais sauté. Je ne me le pardonnerai jamais. Comment aurais-je pu imaginer cet enfer ? »

Sa respiration est devenue haletante. Elle ne cessait de m'embrasser. Puis elle a sorti un mouchoir noué de son corsage et l'a glissé dans ma chemise.

« Ce sont mes bijoux. Pense à toi, Izaakl. Oublie-moi. Tu es jeune et courageux. Tu survivras. Je le sais. Je mourrai en paix parce que je sais que tu survivras à ces assassins. »

Puis, brusquement, sans un autre mot, maman s'est éloignée et a disparu dans la foule. Halina et moi, nous tenant étroitement par la main, nous avons essayé de la suivre. Mais elle allait vite, sans se retourner.

Quelques instants plus tard la foule l'avait engloutie, comme elle avait fait avec mon père, avec Mme Grinberg, avec Mala.

Seuls, Halina et moi, restions ensemble. De toute notre force nous avons essayé de résister aux vagues de la foule, aux fouets. Mais pendant combien de temps pourrions-nous tenir ? Nous nous sommes regardés dans les yeux, chacun essayant de se fondre dans l'âme de l'autre, de devenir un seul être. Nous nous sommes enlacés dans une étreinte désespérée.

« Halina, Halina, ai-je dit. Tu dois survivre. Nous nous retrouverons à Milanowek, chez Franek. Attends-moi là-bas. Et n'oublie jamais que je t'aime. N'oublie jamais. Survis et attends-moi.

— Oui, Jacku, oui. Nous nous reverrons. Je t'aime. Survis et sois fort pour moi. Je t'aimerai toujours. » Sa voix s'est brisée ; ses yeux étaient emplis de larmes.

Les fouets des S.S., les chiens et la foule terrifiée ont été plus forts que notre amour. En quelques secondes nous avons été séparés.

Soudain, comme dans un conte de fées, un magnifique cheval blanc et son cavalier sont apparus au loin. Je ne pouvais en croire mes yeux tout en regardant le cheval s'approcher au galop. Le cavalier était un général majestueux portant monocle, sanglé dans un uniforme aux revers de velours rouge et coiffé d'une casquette de S.S. Une longue cape blanche doublée de satin rouge flottait derrière lui. Plusieurs officiers S.S. ont ouvert un passage pour l' « empereur », avec leurs fouets et leurs fusils. Il a traversé la foule des « déchets humains », debout dans ses étriers, en évaluant l'ensemble. Il semblait satisfait. Il a tiré violemment sur les rênes et le cheval s'est cabré puis il a fait un geste de sa main gantée de blanc.

Quelques secondes plus tard, un joli poney blanc est apparu, portant ce qui semblait être l' « héritier du trône », un jeune garçon qui n'avait pas plus de dix ou onze ans.

L' « empereur » a fait un nouveau geste de la

main et le garçon en uniforme blanc et en bottes luisantes a mis pied à terre. Il tenait un petit fouet dans une main et avait un étui de revolver au côté. Il s'est avancé vers une estrade et a gravi les marches. Puis d'une voix claire et enfantine, il a commencé à parler. En yiddish !

« Je m'appelle Srulek. Je suis de Lodz. Voici mon grand-père, le grand général Globocnik ! »

Je connaissais ce nom. Globocnik était le bourreau en chef d'Himmler pour le sud de la Pologne. Il avait été le premier à utiliser des voitures à gaz à Belzec et à Sobibor pour exterminer des Juifs.

La plupart des gens autour de moi s'étaient calmés. Ils étaient ébahis. Les hommes et les femmes étaient séparés en deux colonnes devant les deux horribles baraques.

« Vous voyez ces baraques devant vous ? a continué le garçon. Il y a dedans des douches pour l'*Entlausung,* pour désinfecter vos corps immondes. Mon grand-père m'a demandé de vous affirmer qu'il ne sortait que de l'eau de ces douches. Il vous donne sa parole d'honneur. Moi aussi. Ce n'est pas une ruse. Croyez-moi, et vous vivrez. N'ayez pas peur. N'hésitez pas à prendre l'*Entlausung.* Si vous refusez, il va y avoir un bain de sang là où vous êtes. »

Il a souligné sa phrase en sortant son pistolet et en tirant plusieurs coups en l'air.

C'était trop. Je pensais avoir des hallucinations. Je n'arrivais pas à croire à ce qui se passait. Un enfant juif dont on avait lavé le cerveau, adopté par le « bon général », conduisant son peuple au massacre. Tout cela était trop diabolique !

J'ai regardé les bâtiments devant moi, les baraques pour l'*Entlausung.* C'étaient de longues constructions en bois avec beaucoup de fenêtres. Je me suis demandé ce qui se passait à l'intérieur. Est-ce que c'était cela des chambres à gaz ? Si fragiles. Si laides. De simples cabanes de bois. De vraies baraques qui n'éveillaient aucun soupçon. Pourquoi est-ce que tout le monde avait peur d'entrer dans de simples maisons de bois ?

Mais toutes ces fenêtres ? Pourquoi étaient-elles si bien fermées ? Pour empêcher l'air d'entrer ? Ou pour empêcher le gaz de sortir ? Une fois à l'intérieur tout est scellé — les portes, les fenêtres, le destin. Ce n'est que pour « désinfecter vos corps immondes ». Comme c'était rassurant !

Des milliers de gens étaient maintenant alignés devant les baraques. Une pour les hommes. L'autre pour les femmes. La correction germanique. La morale germanique. La perfidie germanique. Les Allemands nous avaient si souvent trompés. Pourquoi est-ce qu'ils ne recommenceraient pas ?

J'étais sûr que c'était un piège. Plus la tromperie est grosse, moins grande est la résistance. Moins grande est la résistance, plus il est facile de tuer. Le petit Srulek n'était qu'une arme de plus dans les mains des Allemands.

J'ai chuchoté : « Ne le croyez pas. Il ment. Ne lui faites pas confiance. N'allez pas dans les baraques. Ce sont des chambres à gaz. »

Les hommes et les femmes m'ont regardé avec de grands yeux sans rien dire. Leur silence m'a effrayé.

Je les ai suppliés : « Ecoutez-moi. Ne vous laissez pas berner. Ils vont vous tuer là-dedans ! »

Les Juifs hollandais ont commencé à chuchoter entre eux. Je ne comprenais pas ce qu'ils disaient mais leurs visages exprimaient leurs pensées : je devais être fou. Ce que je disais était trop horrible à croire. Je devais être un rebelle de Varsovie, un faiseur de troubles.

Une belle jeune femme s'est avancée dans la foule et est venue devant moi. Elle portait un enfant dans les bras, une fille, d'environ trois ans. L'enfant était effrayée. Elle enfonçait la tête dans la poitrine de sa mère.

« Vous n'avez qu'à faire ce que je vous dis et vous sortirez bientôt d'ici, a répété Srulek. Ce ne sont que des douches, de belles douches bien propres. »

La femme me regardait en silence. Mais je pouvais lire dans ses yeux une supplication muette : Sauvez-moi. Sauvez mon enfant.

J'ai regardé au-delà d'elle. Dans la foule, j'ai vu certains jeunes qui étaient dans le train de Varsovie avec moi. Eux aussi pressaient les gens de ne pas croire le petit salaud.

Une rafale de mitrailleuse a soudain déchiré le silence. Des gens sont tombés devant Srulek. Apparemment, l'absence de réponse avait indisposé le petit monstre et il avait indiqué que sa promesse d'un bain de sang n'était pas vaine. Dans la confusion, la jeune femme m'a mis son enfant dans les bras. Mais la petite fille effrayée a refusé de venir. En pleurant, elle a jeté ses bras autour du cou de sa mère. La mère a essayé de se dégager mais l'enfant s'accrochait à la vie.

Plusieurs S.S. armés de fouets ont commencé à pousser les gens autour de moi. Ils les dirigeaient vers les baraques devant lesquelles se tenait un officier au visage rond portant monocle, en uniforme blanc de médecin. Le « docteur » faisait une sélection et choisissait ceux qui vivraient et ceux qui mourraient.

La mère avec l'enfant se rendait compte de ce qui se passait. Elle a saisi les longues nattes de sa fille et les a tirées brutalement. L'enfant a hurlé. Elle a lâché le cou de sa mère qui l'a placée dans mes bras.

Ses yeux m'ont à nouveau parlé : « Toi, jeune étranger, je t'en prie, prends soin de mon enfant. Protège-la. Fais-la passer à travers la sélection. Je ne sais pas comment faire, moi. Je ne veux pas mourir. Je suis jeune. Seule, j'y arriverai. Je pourrai éveiller les instincts de l'homme qui aura ma vie entre ses mains. Il ne me condamnera pas à mort. Tu verras. Il me dira d'aller à gauche, vers la vie. »

« Mais ce n'est pas mon enfant, ai-je crié. Et je ne sais pas comment faire pour la sauver ! »

Nous tenions ce petit morceau de vie et la mère a vu sur le sol un manteau taché de sang. Elle l'a ramassé, l'a brossé et me l'a jeté sur les épaules.

J'ai lu dans ses pensées. Elle voulait que j'y cache l'enfant. Je lui ai fait un signe de la tête. Elle a regardé sa fille une dernière fois et elle s'est précipitée vers le médecin S.S. et vers sa destinée. En quelques instants, elle avait passé la sélection avec succès. Elle était sauvée, temporairement. Mais sa fille de trois ans était maintenant sur mon dos, enveloppée dans un manteau taché de sang, sa seule protection contre la mort. Je ne voulais pas risquer ma vie, mais comment aurais-je pu abandonner l'enfant.

J'ai compris que si je restais où j'étais, je serais inévitablement poussé devant le médecin, pour être désigné pour la vie ou pour la mort. Je me suis dit que je ne prendrais pas le risque. J'ai reculé. Loin de Srulek et de l' « empereur ». Aussi loin que possible du médecin en blouse blanche. Il fallait que je réfléchisse, que je décide quoi faire. Il fallait que j'agisse, que je fasse quelque chose.

Je me suis retourné et je me suis faufilé dans la

foule qui s'avançait. Les voix cruelles des Allemands, les coups de feu, les aboiements des chiens s'élevaient sans discontinuer. Je me suis mis sur la pointe des pieds pour essayer de voir la mère hollandaise en espérant qu'elle pourrait revenir prendre son enfant.

Dans la bousculade, le manteau et l'enfant ont glissé de mes épaules. La petite fille a commencé à crier. Je devenais fou. Est-ce que je pouvais l'abandonner et sauver ma vie, ou est-ce que je devais la ramasser et lier mon destin au sien ? Je me suis baissé pour apaiser l'enfant.

« Sale Juif ! Parasite ! Qu'est-ce qu'il y a dans ce paquet ? Ouvre-le ! »

Un horrible soldat armé d'un fouet se tenait devant moi.

La petite fille de trois ans est devenue muette. Le soldat a donné un violent coup de pied dans le paquet. Le manteau s'est ouvert, laissant voir l'enfant.

« C'est à toi ? » a hurlé l'Allemand.

Je me suis relevé et je suis resté silencieux.

Le soldat a décroché son pistolet mitrailleur et a visé la petite fille. « Qui est la mère ? »

Soudain une femme d'âge moyen est sortie de la foule. « C'est moi. Je l'avais perdue. Je l'avais perdue. »

Elle s'est penchée sur l'enfant et a commencé à l'embrasser. Puis elle l'a prise dans ses bras avec le manteau et s'est relevée. Le soldat l'a crue et l'a repoussée dans la colonne. Puis il s'est retourné vers moi : « Fous-moi le camp avec les hommes ! »

Il m'a frappé dans le dos avec son fouet et la lanière s'est enroulée autour de mon corps. Il m'a donné un coup de pied et m'a repoussé vers les hommes. Mais je ne pouvais quitter des yeux cette femme courageuse qui s'était sacrifiée pour apaiser l'angoisse d'un enfant qu'elle ne connaissait même pas. Je la regardais et j'ai cru voir un ange. Elle était aussi mon sauveur, parce que si je n'avais pas voulu abandonner l'enfant, je n'avais pas été assez courageux pour risquer la chambre à gaz.

Mes yeux ont suivi la colonne. La femme et l'enfant n'étaient plus qu'à quelques pas de la sélection vers la vie ou vers la mort. Elle a gravi les marches de bois. Le médecin S.S. a fait tomber le manteau. Il a regardé la femme et l'enfant en silence.

« Elle sait marcher ? »

La femme a fait un signe de tête.

« Alors pose-la. *Los !* »

Un aide S.S. s'est avancé et a arraché l'enfant à la femme. « Par ici. C'est par ici que tu vas. » L'officier en blouse blanche a indiqué l'entrée de la baraque à quelques mètres.

La petite fille s'est mise à hurler et s'est assise.

« Tu peux aller avec elle ou non », a crié l'officier à la femme. « Mais *schnell*. Décide-toi. »

Avec sadisme, ce salaud se déchargeait du choix sur la femme. Elle pouvait abandonner l'enfant et sauver sa vie ou accompagner l'enfant.

La femme ne savait plus quoi faire, elle avait le souffle court. Elle s'est avancée lentement vers l'enfant et vers la mort ; puis, rapidement, elle a tourné à gauche vers la vie. Elle a hésité et est revenue vers la petite fille. Elle avait les cheveux en désordre, les mâchoires serrées. Elle était déchirée.

Le médecin S.S. s'est vite lassé. Il a donné l'ordre à son aide de pousser la femme et l'enfant vers la baraque. Le soldat a saisi le bras de la femme et l'a fait avancer. Elle a trébuché sur le corps de la petite fille.

« Avance ! *Los !* »

Soudain une jeune femme en pleurs s'est précipitée sur les marches. C'était la mère. Elle a repoussé le soldat et s'est jetée sur la petite fille qui pleurait. Elle lui a embrassé le visage, les bras et la tête. Elle recouvrait l'enfant avec son corps.

Même les S.S. sont restés stupéfaits pendant quelques instants. Mais pas longtemps. Le soldat qu'elle avait repoussé a réagi violemment, il a levé son pistolet mitrailleur, a appuyé sur la gâchette et a mis fin à la scène. La mère, l'enfant et la femme étaient étendues de façon grotesque dans leur sang à quelques mètres de l'entrée de la baraque.

Comme les Allemands sont efficaces, ai-je pensé. Ils créent un dilemme. Et ils le résolvent. De façon décisive.

J'ai reculé le plus loin possible. Je suis allé à gauche près de la barrière de fil de fer barbelé qui séparait ma zone de l'ensemble contigu. Devant une énorme construction qui ressemblait à un hangar, au-delà de la clôture, j'ai remarqué des hommes habillés en civil qui circulaient en paix. Pas d'uniformes rayés. Je me suis avancé dans leur direction. Près de la barrière, un soldat ukrainien m'a arrêté.

« Hé, toi. Qu'est-ce qui ne va pas ? Tu es perdu ?

— Non. Je viens apporter un cadeau à un de vos camarades. » Je tremblais intérieurement, mais je m'efforçais d'avoir une voix assurée. J'ai sorti le mouchoir de maman.

« Oh ! Tu es un des trafiquants de diamants. Rien pour moi ? » Un large sourire a fendu son visage cupide.

« Oui, pour toi. Comment est-ce que tu t'appelles ?

— Vania.

— C'est ça, Vania. Voilà. » Je lui ai tendu le paquet de maman. « Je reviendrai demain. Si tu es là, j'en aurai d'autres. »

Vania m'a offert une cigarette. « *Vy zakuryte ?* Tu fumes ? On a du boulot aujourd'hui. Des transports. Pourquoi est-ce que tu ne vas pas dans ta zone ? » Il m'a accompagné jusqu'à la barrière.

J'étais passé de l'autre côté ! Je me suis dirigé rapidement vers la baraque la plus proche. J'ai jeté un coup d'œil en arrière et j'ai fait un geste à Vania qui restait là-bas à rêver de diamants. Je n'avais aucune idée de ce dont nous avions parlé. Mais j'avais dû dire ce qu'il fallait.

J'ai croisé des gens habillés en civil, mais j'ai eu peur de les arrêter et de leur poser des questions. J'ai donc continué d'un air assuré. J'ai vu au loin plusieurs S.S. au repos, et au sommet des miradors des gardes avec des mitrailleuses et des projecteurs. J'ai ouvert une des portes de la baraque, marquée *Lazarett*. Je savais que cela voulait dire « infirmerie ». J'étais à peine entré quand j'ai entendu une voix qui disait : « Hé, Tosca, on a un malade. Le premier de la journée. »

J'ai regardé l'employé sans savoir quoi dire. Il avait l'air juif. Qu'est-ce que cela signifiait ? L'homme a remarqué mon trouble. Il a appelé à nouveau Tosca. Tosca est arrivé. Nous nous sommes regardés en écarquillant les yeux sans pouvoir dire un mot. Enfin Tosca a réussi à prononcer : « Jacek ?

— Wolf ? C'est toi ? »

Il m'a fait un signe en silence.

« Mais pourquoi " Tosca " ?

270

— C'est mon surnom. Ils aiment quand je chante des airs de *La Tosca*. »

Nous sommes tombés dans les bras l'un de l'autre. Wolf « Tosca », était un copain du chœur de la synagogue Tlomackie. C'était un des meilleurs altos.

« Mais Wolf, qu'est-ce qui se passe ? Dehors c'est l'enfer, et ici tout est calme. Et vous avez l'air en pleine forme. » Je lui ai parlé de Vania, l'Ukrainien. « Il croit vraiment que je vais lui apporter des diamants. »

Wolf a éclaté de rire et m'a emmené dans l'arrière-pièce au cas où un S.S. entrerait et poserait des questions. « Ecoute, Jacek », a murmuré Tosca en me soufflant presque dans le visage. « C'est le pays de l'or et des diamants ; on l'appelle la Suisse. Aujourd'hui nous vivons. Demain nous serons peut-être morts. Tu vois, tous les vêtements qu'on prend aux Juifs sont apportés dans ces deux hangars. » Il m'a fait voir par la fenêtre. « On recherche tout ce qui est précieux. Puis on emballe les vêtements et ils sont envoyés en Allemagne pour les pauvres. Ils appellent ça *Winterhilfe*. »

Tosca s'est arrêté quelques instants et m'a regardé. « Tu dois avoir faim. Attends une minute. » Il a disparu et est revenu aussitôt avec de la soupe. « Tiens, mange. »

Après trente-six heures sans nourriture et sans eau, je me suis précipité sur la soupe en ne m'arrêtant que pour poser des questions.

« Tosca, est-ce que des filles peuvent travailler ici ? Mon amie est dehors, quelque part. Je veux qu'elle vienne ici. Sinon ces salauds d'Allemands vont sûrement la tuer. Si je la trouve, est-ce que je peux l'amener ici ?

« T'es fou ! Tu as eu de la chance que les gardes

des miradors ne te voient pas. Ou s'ils t'ont vu tu as eu de la chance de rencontrer l'Ukrainien. Il t'a protégé. En outre, comment pourrais-tu la retrouver ? Elle est peut-être déjà morte ou en route pour le camp où sont les vraies chambres à gaz. Elles fonctionnent nuit et jour. Et si tu as la chance de la retrouver, comment pourrais-tu la ramener ici ? »

Il me regardait avec sympathie. « Non, Jacek. Il ne faut pas rêver. Déjà, arriver jusqu'ici, c'était un rêve, un coup de chance. Tu ne pourras pas recommencer. Même ici, tu n'es pas en sûreté. Légaliser ta présence va être un problème. On fait l'appel deux fois par jour. Les S.S. doivent en trouver deux cents, pas un de plus, pas un de moins. »

J'ai posé le bol de soupe et j'ai secoué la tête de désespoir : « Mon amie est là et mes parents aussi. Et je ne peux rien faire pour les sauver. Je ne suis bon à rien ! » Tosca me regardait avec tristesse. « Qui sait si je vais pouvoir m'en tirer moi-même ?

— Jacek, tu as réussi aujourd'hui. Mais qui sait pour combien de temps ? Les Allemands savent que nous cachons de l'or et des diamants, que nous avons de quoi manger et de quoi nous habiller correctement. Aussi, ils nous remplacent toutes les deux ou trois semaines. Dans peu de temps, je partirai peut-être en fumée, moi aussi. Qui sait ? Si tu vis ne t'occupe pas de l'avenir. Essaie seulement de survivre aussi longtemps que tu le peux. »

Nous sommes revenus dans la première pièce. Après quelque temps, Tosca m'a regardé avec un sourire. « J'ai une idée. On peut sans doute s'arranger. Il y a un type ici qui est sur son lit de mort. Il n'en a plus que pour un jour ou deux. Quand il mourra, je ne vais pas le signaler. Tu n'auras qu'à prendre sa place. En attendant, je vais te montrer où tu peux te cacher. »

J'ai compris que Tosca avait la responsabilité du *Lazarett*, y compris la cuisine. Je l'ai remercié et je suis allé me cacher.

28

Le malade est mort le soir même. Le lendemain matin je l'ai remplacé sur l'*Appelplatz*. Personne n'a vu la différence.

L'appel avait lieu à six heures du matin, et quelque temps plus tard, je travaillais dans le hangar, triant et fouillant chaque vêtement à la recherche de bijoux et d'argent. Le hangar était divisé en deux parties, chacune avec une équipe de travail. Chaque pièce de vêtement devait être fouillée méticuleusement et tout ce qu'on trouvait et qui avait de la valeur devait être déposé dans des caisses en bois marquées : « dollars », « montres », « diamants », « or », « francs suisses », etc. Avec les arrivées fréquentes, le travail était épuisant. On travaillait douze heures par jour, avec seulement une demi-heure pour le repas. Malgré la surveillance rigoureuse des gardes S.S., beaucoup réussissaient à cacher des objets de valeur, surtout des diamants. A six heures de l'après-midi avait lieu un autre appel sur l'*Appelplatz*, et on distribuait le repas du soir à l'extérieur. Chaque personne recevait un bol de soupe et deux cents grammes de pain par jour. Assez pour avoir faim.

Souvent, après le travail, Tosca réunissait ses

amis pour leur chanter des airs liturgiques et d'opéra. Il aidait chacun à oublier sa condition misérable et apportait une étincelle de joie dans ces vies lugubres. Sa voix d'alto s'était transformée en ténor léger et il m'a demandé un jour de chanter avec lui.

« Allez, Jacek. Faisons goûter à ces paysans un peu de l'esprit de Tlomackie et de Varsovie. Qu'est-ce que tu dirais de l'*Ave Maria* ou du *Rezei* ? »

Mais je ne pouvais pas. Chaque fois que j'ouvrais la bouche pour chanter, j'étouffais. Tout était trop récent — Halina, mes parents, mes amis, tout.

Tosca ne m'a pas redemandé de chanter.

Plus les jours passaient et plus j'étais inquiet. Un soir, j'ai croisé Tosca dans les latrines. « Tosca, tu n'es pas bête. Qu'est-ce qui va nous arriver ? Tu sais ce que nous avons fait à Varsovie, même si tu n'y étais pas. Tu sais que nous nous sommes battus. Tu sais que nous leur avons fait payer à ces salauds. Comment nous nous sommes défendus jusqu'au bout. Est-ce qu'on peut se sauver d'ici ? On doit bien pouvoir faire quelque chose. Creuser un tunnel ou acheter des gardes. Qu'est-ce que tu dirais de t'évader ? »

Tosca a haussé les épaules. « Tu crois que nous n'en avons pas discuté ? Nous l'avons fait un million de fois. Mais la même question revient toujours. Supposons que tu réussisses à t'échapper. Et alors ? Où est-ce que tu vas ? Les forêts autour sont pleines de partisans antisémites. Ils nous tueraient comme les Allemands. En outre, si un seul s'échappe, les *yekes* en fusilleront vingt-cinq en représailles. »

Je l'écoutais en secouant la tête. « Non, Tosca. Je ne peux pas rester assis à attendre. Il va se passer quelque chose avant qu'ils m'emmènent dans les chambres à gaz. J'emmerde les Allemands, j'emmerde les partisans. Je veux me tirer d'ici.

— Qu'est-ce que tu veux dire ? m'a demandé Tosca.

— Tu verras. Le moment venu, tu verras. »

Mais au fur et à mesure, je me suis rendu compte de la peur des prisonniers. Beaucoup d'entre eux avaient des membres de leur famille dans le camp. S'ils s'échappaient, les S.S. les fusilleraient. Je comprenais leur situation. Si je m'échappais, est-ce que les Allemands exécuteraient vingt-cinq ou cinquante personnes que je connaissais ? Y compris mon ami Tosca qui m'avait recueilli ?

Mais nous étions tous dans les griffes des Allemands. Tous condamnés. Personne n'était à l'abri. Ce que je pouvais faire n'exposerait pas plus les gens que je connaissais. Ils étaient déjà en danger. Aussi, j'ai décidé de m'échapper. Seul. Mais comment ?

La question me harcelait jour et nuit. Je travaillais et je pensais à l'évasion ; je mangeais et je pensais à l'évasion ; je dormais et je rêvais d'évasion. Chaque jour, je cherchais un moyen, une issue, un plan.

On ne travaillait pas le dimanche. La plupart se reposaient sur l'herbe malgré les installations de mort. Certains cousaient. Certains parlaient. D'autres faisaient simplement un somme dans le clair soleil de mai.

Un dimanche, j'étais assis tout seul à environ vingt mètres de la clôture du camp et je pensais à Halina et à l'évasion. Soudain j'ai vu deux paysannes polonaises qui s'approchaient lentement de l'autre côté. Je les ai regardées avec curiosité. J'ai admiré leur audace, leur courage. Elles portaient deux grosses miches de pain de campagne et n'avaient pas l'air d'avoir peur du garde S.S. dans le mirador au-dessus d'elles, qui était debout et souriait.

Je me demandais ce qu'elles voulaient, et je les ai vues me faire des signes du bras. Elles semblaient me dire d'approcher. Je me suis levé et j'ai fait quelques pas. « Viens plus près. Du pain contre des diamants ou de l'or. »

J'ai levé les yeux vers le garde. Il souriait et hochait la tête en signe d'approbation. J'ai couru vers la clôture et j'ai échangé plusieurs bagues en or que j'avais trouvées dans des vêtements contre du pain et un gros morceau de fromage. Les femmes sont parties et je me suis précipité avec mon butin vers le *Lazarett,* vers Tosca.

« Calme-toi, Jacek. Ce n'est pas nouveau. Ça dure depuis longtemps. Mais n'oublie pas de payer le garde.

— Et comment ? ai-je demandé.

— C'est très simple, a dit Tosca. Jette un paquet de l'autre côté de la clôture avec des bagues. Mets une pierre pour l'alourdir. Quand le *yeke* sera relevé, il ira le ramasser et il sera content. »

J'ai couru vers la clôture et j'ai suivi les instructions de Tosca. Le paquet est tombé au pied du mirador et le S.S. a souri. Tout à fait satisfait par la tournure des événements, je me suis allongé dans l'herbe et je me suis endormi. Des voix m'ont réveillé. Les deux paysannes étaient revenues. Je les ai regardées et j'ai levé les yeux vers le mirador. Le garde regardait de l'autre côté. Les femmes m'ont fait signe et je me suis approché lentement. J'essayais en même temps d'attirer l'attention du garde pour avoir son accord. Mais il regardait au loin dans la direction opposée.

Soudain tout s'est déchaîné. La sirène s'est mise à

hurler. Les balles criblaient le sol autour de moi. J'ai levé les mains.

« Ne bouge pas ! Reste où tu es ! »

Quelques secondes après, une jeep est arrivée pleine de S.S. et d'Ukrainiens. Ils m'ont fouillé, m'ont pris mon pain et mes bijoux, puis ils m'ont insulté et frappé à coups de poing et de fouet.

Un peu plus tard, tous les prisonniers ont dû se réunir sur l'*Appelplatz* pour assister à l'exécution d'un Juif accusé de contrebande et de tentative d'évasion. Il était inutile que je leur explique que je n'avais pas essayé de m'évader. Les S.S. avaient besoin de leur spectacle dominical, d'une attraction. De l'autre côté de la place, parmi les autres Juifs désespérés, je pouvais voir Tosca, muet et impuissant.

La place entière s'est mise au garde-à-vous. Même les S.S. et les Ukrainiens ont salué à l'arrivée de Srulek sur son poney blanc. « Qu'est-ce que c'est que ce tapage ? » m'a-t-il demandé en yiddish.

J'ai essuyé mon visage couvert de sang. « J'essayais d'échanger de la nourriture, c'est vrai. Mais je n'essayais pas de m'échapper. »

Srulek a regardé autour de lui et a donné l'ordre aux Ukrainiens de me lâcher. Il est allé jusqu'au mirador et a échangé quelques mots avec le garde. Puis il est revenu au galop.

« *Los !* Tout le monde dans les baraques ! Il n'y aura pas d'exécution. Seulement le fouet. » Il lançait ses ordres avec une voix enfantine et parlait à moitié en allemand et à moitié en yiddish. « Vingt-cinq *am Arsch !* »

Soulagé, je restais stupéfait par le pouvoir de ce petit monstre. Les S.S. ne faisaient pas qu'obéir à ses ordres, ils avaient véritablement peur de lui. Deux énormes Ukrainiens m'ont attrapé et m'ont obligé à me pencher. Un S.S. s'est approché. Et j'ai senti le fouet, tandis que Srulek comptait.

« *Eins, zwei, drei...* »

La lanière s'écrasait sur mon dos, s'enroulait autour de ma poitrine et m'entaillait le ventre. Je me mordais les lèvres et je refoulais mes larmes. Je me souvenais du temps lointain quand maman me frappait parce que j'avais traîné autour de chez grand-mère Masha et que j'avais sali mes vêtements. Déjà je refusais de pleurer. Aujourd'hui, je ne crierais pas, je ne supplierais pas. La douleur était violente mais quand tous les coups ont été donnés, je me suis relevé et je me suis tenu droit. Provocant.

Srulek a souri et m'a tapoté avec son petit fouet.

« Un vrai rebelle de Varsovie ! Ce n'est pas facile de te faire peur. Tiens. »

Il m'a donné une tablette de chocolat et s'est en allé au galop.

Tosca n'en revenait pas tandis qu'il pansait mes blessures au *Lazarett.*

« Tu es né sous l'étoile de la chance. D'habitude Srulek tue les gens. C'est la première fois que je le vois épargner un Juif. »

Avec un sourire douloureux, je lui ai demandé ce qui s'était passé à la barrière.

Tosca a éclaté de rire en secouant la tête. « Quelle question ! Les gardes avaient changé, imbécile. Le dimanche ils ne restent que deux heures au lieu de quatre. »

J'ai ri malgré ma douleur. « Quelle stupidité ! Quelle ignorance ! »

— Tu as eu un *bench Gomel,* a dit Tosca. Remercie Dieu de t'avoir sauvé d'une mort certaine. »

C'était la première fois que j'étais flagellé. Je suis rentré dans ma baraque et j'ai repensé à mon enfance à Varsovie. Tous les samedis, j'attendais la séance de cinéma. J'arrivais toujours en avance pour avoir une bonne place. Je me souvenais de mon trouble et de ma terreur quand Errol Flynn ou Clark Gable, jouant des esclaves du XVIᵉ siècle, étaient fouettés et condamnés à ramer sur de vieux galions. Comment aurais-je pu savoir alors, comment aurais-je pu rêver, même dans mes pires cauchemars, que moi-même, un jour, je serais esclave, battu et fouetté ?

Je me suis juré de m'échapper. Je me suis juré de retrouver la liberté. Je me suis juré de me venger.

29

Les jours ont passé lentement. Mais je savais que le temps s'épuisait. N'importe quel jour, les S.S. pouvaient renvoyer l'équipe actuelle et prendre de la main-d'œuvre fraîche. Au pire, cela signifiait que nous serions tous gazés. Au mieux, qu'on nous donnerait des uniformes rayés et qu'on nous enverrait au camp de travail forcé de Maïdanek.

Cependant chacun de nous attendait un miracle. Nous écartions toute idée de mort. Et nous enterrions des objets précieux — de l'or et des diamants, des alliances et des bagues de fiançailles — à trois ou quatre pieds sous terre au cas où certains survivraient. Et même si tous mouraient, les Allemands ne les auraient pas.

Mais je ne pensais qu'à m'évader. J'étais continuellement à la recherche de ce qui pouvait me conduire vers la liberté. J'ai vu une possibilité quand les prisonniers ont chargé des vêtements dans des trains à destination de l'Allemagne. J'ai réussi à me faire désigner pour ce travail. Tosca aurait pu m'aider mais je voulais que personne ne soit au courant de mes projets, que personne n'ait de soupçons. En outre, même Tosca n'aurait peut-être pas été d'accord. Il pouvait être parmi les vingt-cinq choisis pour être exécutés en représailles.

J'ai acheté un des gardes ukrainiens du quai de chargement. Nous étions environ trente dans mon équipe. Beaucoup faisaient des affaires avec les employés du chemin de fer, ils échangeaient des bijoux contre de la nourriture et du tabac. Je suis devenu ami d'un mécanicien *Volksdeutscher,* qui s'appelait Jan, et qui venait souvent avec sa vieille locomotive. Il avait déjà beaucoup d'objets de valeur et était passionné de grosses pierres — des diamants. « Au moins deux ou trois carats », m'a-t-il murmuré un jour.

Je l'ai écouté attentivement et je lui en ai promis. Je n'avais pas de tels diamants. Et personne n'en avait jamais eu. La plupart de ceux qu'on trouvait étaient plutôt petits. Mais Jan n'était qu'un paysan qui voulait s'enrichir rapidement. Je me suis rendu compte de son ignorance. J'ai trouvé une assez belle pierre précieuse, brillante et jaune.

Quand je l'ai revu, il m'a emmené dans sa locomotive et m'a fait voir un sac plein de nourriture. « Tu as intérêt à avoir quelque chose de gros pour ça.

— Tu as de la chance, Jan, beaucoup de chance. Je peux t'avoir un magnifique diamant. Mais ce n'est pas facile. Je dois le voler à un officier S.S. Mais il faut que tu sois parti d'ici avec ton train avant l'appel de six heures. Sinon, il peut se rendre compte de la disparition. »

Jan tremblait quand je lui ai donné le trésor enveloppé dans un papier et un tissu. Il l'a tâté. Ses yeux ont brillé de cupidité. « Il doit bien faire cinq carats.

— Peut-être plus, lui ai-je dit. Qui sait ? Mais tu ferais mieux de t'en aller. Si ce salaud s'aperçoit qu'il a disparu, il est capable d'arrêter le train et de le fouiller. »

Jan tremblait d'excitation. « Oui, je m'en vais tout de suite. »

Evidemment, j'avais prévu d'être à bord, caché sous les ballots de vêtements. J'étais prêt pour le voyage vers la liberté. Dès que Jan a accroché la locomotive, j'ai cherché un endroit pour respirer dans un des wagons archipleins. Les prisonniers ont continué à le charger et il me devenait de plus en plus difficile de ne pas étouffer ou de bouger.

Tout s'est assombri et seul un faible rayon de soleil passait par la fenêtre à plusieurs pieds au-dessus. Centimètre après centimètre, je me suis frayé un chemin vers la lumière en repoussant les ballots. Puis j'ai entendu qu'on claquait la porte et qu'on la plombait. On aurait dit que Jan était encore plus pressé que moi de s'en aller avec son train.

En m'approchant de la fenêtre, peut-être à deux ou trois pieds, j'ai commencé à sentir l'air frais. La locomotive a sifflé et le train a soudain été secoué. Les paquets sont tombés les uns sur les autres. J'ai attrapé le fil de fer barbelé en travers de la petite ouverture et je m'y suis accroché malgré la douleur. J'avais les mains en sang mais je ne voulais pas perdre ce souffle de vie, cette ouverture, ma chance vers la liberté.

En quittant les faubourgs de Lublin et en traversant la campagne d'arbres, de champs et de fermes, j'ai senti l'espoir renaître en moi. J'ai traîné les paquets pour me faire de la place. Je me suis enveloppé les mains dans des morceaux de tissu et j'ai commencé, lentement mais obstinément, à arracher le fil de fer barbelé de la fenêtre. Je me mordais les lèvres et je fermais les yeux pour oublier ma douleur. Enfin, la fenêtre a été dégagée, prête pour la prochaine étape, sauter vers la liberté. J'étais épuisé mais heureux. Je me suis endormi. J'ai sommeillé dans la nuit secoué par les cahots du train.

Je me suis éveillé tôt le matin quand nous nous sommes arrêtés pour changer de locomotive. Les cheminots se sont salués. Je pouvais entendre des paysans parler en polonais du temps et de la moisson. L'air frais sentait bon. Le premier soleil du matin m'éclairait le visage.

Si seulement je savais où j'étais! Je voulais m'éloigner le plus possible de Maïdanek. Instinctivement, je sentais que la distance était une sécurité. Cependant j'avais peur que le train ne me conduise dans la gueule du loup, en Allemagne. J'ai décidé d'attendre le soir pour tenter de sauter du train. J'ai pensé qu'à ce moment-là nous serions peut-être à deux cents kilomètres à l'ouest de Maïdanek et pas trop près de la frontière allemande.

Quand il a fait presque nuit, j'ai décidé qu'il était temps de sauter. Le train s'était arrêté sur une voie secondaire, près d'une forêt, afin de laisser passer un convoi militaire. Tout était calme. En poussant sur les paquets de vêtements, je suis passé par la fenêtre, les pieds les premiers. Je me suis assuré que personne ne me suivait et j'ai marché dans la forêt pendant plusieurs heures.

Il faisait nuit noire et je n'avais aucune idée de l'endroit où je me trouvais. Je me suis allongé pour me reposer quelques instants et, épuisé, je me suis endormi. Quand je me suis réveillé, le soleil brillait et je sentais l'odeur des céréales. J'étais sur le bord d'une mer de blé.

Je suis vraiment libre, ai-je pensé. Mais pour combien de temps? J'avais la gorge sèche, l'estomac vide. J'avais absolument besoin de manger et de boire. Deux jours s'étaient écoulés depuis la dernière et maigre ration du camp.

J'ai vu une grange au loin. A côté, en bordure du champ de blé, il y avait une maison isolée. Je me suis dirigé vers elle. En m'approchant, j'ai observé avec prudence. Je n'ai vu personne. Tout le monde devait être aux champs. J'ai apaisé ma soif à un puits près de la maison. J'ai trouvé une grosse miche de pain que je me suis enfournée dans la bouche. Puis, au lieu d'affronter l'inconnu, j'ai décidé d'attendre dans la grange et de tenter ma chance. Je suis resté assis pendant des heures, respirant l'air frais, goûtant ma liberté avec délices. Les souvenirs allaient et venaient dans ma tête, tous commençaient et s'achevaient avec Halina.

Enfin, j'ai entendu des pas qui s'approchaient et un chien qui aboyait. Ne voulant donner à quiconque l'occasion de me suspecter, je me suis allongé sur la paille en faisant semblant de dormir. Quelqu'un m'a tapé légèrement sur la jambe.

J'ai ouvert les yeux et j'ai vu une jolie jeune fille aux joues rouges accompagnée d'un petit chien blanc. A peu près de mon âge, elle était nu-pieds et portait des vêtements de paysanne. Je me suis assis en m'excusant pour mon intrusion.

« Pardonnez-moi, mais j'étais fatigué et j'avais faim, ai-je dit. En fait, j'ai disposé de votre pain et de votre eau. Mais je veux bien travailler pour vous payer.

— Pauvre homme, a-t-elle dit. Que le Christ vous protège. Attendez-moi ici. Je vais vous apporter à manger. »

Quelques instants plus tard, nous étions assis côte à côte, par terre dans la grange, en train de manger et de parler. Elle s'appelait Manka et avait deux jeunes frères. Ses grands-parents vivaient dans la maison avec ses parents et tous travaillaient à la ferme.

« Ils vont bientôt rentrer des champs, a-t-elle dit. Je suis revenue la première pour préparer le souper. »

Je lui ai raconté l'histoire que j'avais inventée afin d'expliquer ma situation.

« Mes parents ont été tués dans le bombardement de Varsovie. Les Allemands m'ont arrêté alors que je priais dans une église. Ils ont essayé de m'envoyer au travail obligatoire en Allemagne. Mais j'ai sauté du train. »

Elle compatissait mais elle m'a expliqué que dans sa famille on se méfiait des « escrocs de la ville ».

« Mais ne vous inquiétez pas. Je vais leur expliquer. Laissez-moi faire. » Elle m'a souri et j'ai su que j'étais tombé en de bonnes mains.

Je n'avais pas été aussi loin que je le pensais. A mon grand étonnement, j'ai appris que je n'avais sauté qu'à soixante-cinq kilomètres de Maïdanek, et non deux cents. Cela signifiait que j'étais toujours au cœur de la Pologne, près des forêts de Zamoïski. Mais pour l'instant, il m'a semblé plus sûr de rester où j'étais.

Grâce à Manka, j'ai fait temporairement partie de la maison Boguslaw. J'étais différent d'eux en tout : le langage, les manières, les goûts, la nourriture, les vêtements. Ils attribuaient cela à mon origine citadine. Les Boguslaw étaient de vrais paysans polonais. Ils n'étaient jamais allés dans la capitale et n'en avaient jamais rencontré aucun habitant. Et ils ne se doutaient pas que j'étais juif.

J'ai évité d'aller au village, de rencontrer des

voisins. Et je mangeais tout seul dans la grange afin d'éviter les questions embarrassantes du vieux Boguslaw.

« Que le Christ me soit témoin, Jacku, nous ne nous moquons pas de toi. Raconte-nous toutes ces drôles de choses que font les gens à Varsovie. »

Manka prenait toujours ma défense. Nous allions dans la grange tous les deux et je lui inventais des histoires merveilleuses sur la grande ville. Je devais faire attention à ne pas avouer que j'étais juif. Pourtant j'y prenais plaisir et elle, en fille naïve qu'elle était, gobait tout ce que je lui racontais.

Cependant mes bottes m'ont posé un sérieux problème. Tout le monde me les enviait. Je prétendais avoir besoin de travailler pour gagner l'argent de mon voyage à Varsovie ; mais quand Boguslaw m'en a proposé beaucoup d'argent, j'ai refusé. J'en avais besoin pour le billet et la *Kennkarte* mais je ne voulais pas me séparer de mes bottes. Je savais que plus tard, elles me donneraient l'allure d'un voyageur. Les questions et les soupçons devenaient plus pressants chaque jour et je me demandais combien de temps je pourrais encore rester à la ferme. J'avais peur qu'ils ne me livrent aux Allemands, s'ils apprenaient que j'étais juif.

Un soir, je me reposais seul dans la grange en réfléchissant à ma situation quand j'ai entendu des voix que je ne connaissais pas à l'extérieur. « Jésus-Christ soit loué. Au nom du Père, du Fils et du Saint-Esprit. Amen. »

J'ai regardé par une fente du mur de la grange et j'ai vu un jeune homme qui en quittait deux autres et qui serrait la main du vieux Boguslaw. Le jeune homme a posé son fusil et a fait signe aux autres.

Des partisans. Ils étaient sortis de la forêt et venaient chercher des provisions chez leur ami fermier. Grand-père Boguslaw leur a offert de la vodka familiale et ils ont échangé de l'or et des montres contre de la nourriture et de la vodka supplémentaire.

J'ai décidé de me joindre à eux. J'étais fatigué de ma vie à la ferme, solitaire et sans but. Je préférais combattre les Allemands. Et j'avais besoin de me venger. J'ai réuni mes quelques affaires en vitesse et j'ai attendu que les partisans s'en aillent. Alors je les ai suivis. Manka les a accompagnés jusqu'à la route avec son chien.

Avant qu'elle n'ait fait demi-tour, je lui ai demandé de me présenter. « Je veux les rejoindre, Manka. Tu sais que je ne suis pas d'ici. Je préfère combattre les Allemands. »

Manka a compris. Elle a parlé de moi aux partisans et leur a proposé de me prendre. Les trois jeunes Polonais m'ont observé avec suspicion. Mais Manka m'a embrassé sur les deux joues et nous a dit au revoir. « Que Dieu soit avec vous et que Jésus-Christ soit loué. »

Quand elle a été partie, les partisans m'ont fouillé. Je n'avais aucun papier. Rien que mon vieux couteau à cran d'arrêt de la Luftwaffe que j'avais réussi à cacher pendant tout ce temps. Ils me l'ont pris, m'ont attaché les mains dans le dos et m'ont conduit dans les bois en silence. Nous avons atteint leur camp, bien après minuit. Un d'eux m'a détaché et m'a emmené vers une petite tente gardée par deux paysans en armes. Le chef est sorti et s'est présenté : Mlot. Il parlait un polonais châtié et s'adressait à moi avec politesse :

« On m'a dit que tu étais de Varsovie.

— Oui. C'est là que je suis né et que j'ai grandi. »

Il m'a serré la main.

« *Servus.* Entre et assieds-toi. Hé, Satchu, apporte un peu de vodka pour notre ami. »

Dans la tente, nous avons parlé pendant des heures. Mlot se levait de temps en temps en se penchant sous le toit. Il marchait de long en large et me posait des douzaines de questions en me regardant de ses yeux bleu acier.

J'ai dit que j'étais chrétien et j'ai répondu directement à ses questions en essayant de ne pas éveiller ses soupçons. J'ai réussi l'examen. Mlot m'a rendu mon couteau, m'a présenté à plusieurs membres du groupe et m'a affecté à une section.

30

A cette époque, les forêts du sud de la Pologne étaient remplies de bandes assoiffées de sang qu'on appelait des partisans. Ils avaient tous le même objectif : combattre les Allemands et les expulser de chez eux. Pourtant, ils se combattaient également entre eux. Ils se baignaient tous dans le bain de sang des autres et justifiaient ces meurtres avec des slogans. Ils combattaient au nom du Christ, du socialisme, de Staline, de l'église catholique, pour une Pologne libre et une Ukraine indépendante.

L'A.K. méprisait les Juifs et les Russes et combattait pour une Pologne libre et catholique. Le N.S.Z. haïssait les Juifs, les communistes et les libéraux et combattait pour une Pologne fasciste. Le Banderowcy abhorrait les Juifs, les Russes et les Polonais et luttait pour une Ukraine fasciste et indépendante. L'Armia Ludowa était la seule organisation qui tolérait les Juifs ; ils détestaient l'A.K. et le N.S.Z. et combattaient les Allemands pour une Pologne socialiste.

Il existait également quelques groupes de partisans juifs. Mais ceux que j'avais rencontrés étaient une unité de l'A.K. et je devais cacher avec attention mon identité juive. Ils me faisaient peur malgré mon allure non juive et mon bon accent polonais.

Mlot et quelques autres étaient bien armés, cependant la plupart des trente-cinq hommes manquaient de fusils, de grenades à main et de munitions. Pauvrement équipés, nous dormions à la belle étoile dans des sacs vides qui servaient de sacs de couchage. Parfois nous avions beaucoup de nourriture ; parfois non. Mais nous avions toujours de la vodka.

La plupart des hommes avaient entre vingt et trente ans. J'étais le plus jeune. Ils venaient en majorité de petites villes de la région. C'étaient des évadés du travail forcé comme je prétendais l'être, ou des paysans désireux de passer leur colère sur les Allemands qui leur avaient volé leur bétail. Mlot avait été envoyé du nord pour les organiser et les diriger. Ils le craignaient et le respectaient.

Mlot m'a fait suivre un entraînement. Dans le ghetto de Varsovie, j'avais appris à me servir d'un fusil, de grenades et de cocktails Molotov mais je ne voulais pas qu'ils le sachent. J'ai donc fait semblant d'être un débutant.

En général, les hommes profitaient de ma jeunesse. Ils me confiaient des corvées mineures et j'étais souvent de garde la nuit. J'ai fait très attention, quand je me suis rendu compte qu'ils me soupçonnaient d'être juif. Ils ne me le disaient pas ouvertement mais leurs remarques étaient assez claires pour moi. Leurs plaisanteries et leurs histoires de « bédouins », de « chats » et de *parchy* (parasites) étaient toutes dirigées contre les Juifs. Et ils les répétaient avec un plaisir manifeste en ma présence. Heureusement que j'avais la protection de Mlot. Il m'aimait bien et disait souvent que j'étais le seul à avoir de la classe.

Les hommes allaient en mission presque tous les jours, pour acheter ou obtenir de la nourriture, pour faire sauter des voies ferrées ou des avant-postes allemands. Ils terrorisaient les paysans du voisinage en les avertissant de ne pas collaborer avec les Allemands. Ceux qui le faisaient le payaient chèrement, de leur vie et de leurs biens.

Mais ils ne me laissaient pas participer à ces actions. Ils disaient que j'étais trop jeune et trop fragile. D'après eux, j'étais bon à faire du commerce mais pas à combattre. Tout ce qu'ils disaient sentait l'antisémitisme. Mais je gardais la bouche fermée. J'espérais qu'un jour j'aurais l'occasion de faire mes preuves dans la bataille. Alors, ils me respecteraient.

Ce jour-là est bientôt arrivé. Mlot est revenu d'une courte mission nocturne au village voisin d'Olszanka avec le père Ziolkowski, le curé. Mlot nous a tous réunis. Le père Ziolkowski nous a bénis et a prié pour le succès de notre prochaine mission. J'ai senti qu'il s'agissait de quelque chose d'important. Seuls Mlot et quelques-uns de ses lieutenants connaissaient les détails.

Le père Ziolkowski nous a aspergés d'eau bénite. « Béni soit Jésus-Christ tout-puissant, Notre Sauveur. *Dominus vobiscum.* »

A genoux, comme les autres, je récitais les prières. Je sentais leurs regards soupçonneux et je remerciais Dieu de ce que Franek et Ania m'avaient appris lors de nos nombreuses visites à l'église Saint-Alexandre à Varsovie.

La vodka a coulé très tard cette nuit-là et elle a délié la langue de Mlot. Il a donné les grandes lignes de la mission. Il ne s'agissait de rien d'autre que d'une attaque directe du camp S.S. de Trawniki à quelque vingt-cinq kilomètres. J'en ai eu le souffle coupé. Quand Himmler avait donné l'ordre qu'on supprime les Juifs de Varsovie, l'industriel allemand Toebbens avait réussi à obtenir la permission spéciale de transférer ses ateliers d'esclavage à Trawniki, qui contenait plusieurs milliers d'esclaves juifs. « Qui sait ? ai-je pensé en moi-même. On pourra peut-être libérer tous ces Juifs ! »

Mais Mlot n'a pas parlé des Juifs. Son bras droit, Janek Pila, non plus. Mlot a expliqué tout le reste en détail. « Les salauds d'Ukrainiens seront à l'extérieur, en train de garder les ateliers. Nous allons attaquer les S.S. en tuant autant d'Allemands que nous le pourrons. Ce qui nous intéresse, ce sont leurs fusils, leurs pistolets mitrailleurs et leurs grenades à main. »

Pila nous a recommandé de ne pas oublier les munitions. « Rappelez-vous, sans munitions les fusils ne servent à rien. »

Personne n'a posé de questions. Les hommes à moitié saouls ont poussé des hourras et ont hurlé leurs slogans préférés : « Mort aux Krauts ! », « Vive la Pologne ! », « Mort aux communistes ! »

Il était près de minuit quand Mlot a demandé qu'on cesse de boire et qu'on aille prendre un peu de repos.

« Vous avez cinq heures pour dormir. Réveil à cinq heures, il ne vous restera qu'un quart d'heure pour vous préparer. » Il s'est arrêté et nous a regardés. « Mais tout le monde ne participera pas à la mission. Je déciderai demain matin. Je vous donnerai les détails à ce moment-là. *Do jasnej cholery !* (Et maintenant au pieu mes salauds ! »

Je priais pour être choisi. J'en ai parlé à Mlot quand il entrait dans sa tente. Il m'a repoussé. « On verra ça demain matin. »

Je n'ai cessé de me retourner toute la nuit. Il

fallait que je participe à la mission. Il fallait que je prouve aux autres que je pouvais combattre. Mais, par-dessus tout, je voulais me venger des cruautés qu'avaient subies Halina, mes parents et ma grand-mère Masha. Je ne pardonnerais jamais aux Allemands de m'avoir séparé d'eux. Les S.S. devaient payer pour cela.

La pensée d'Halina m'obsédait particulièrement. Je craignais de penser à son destin. J'essayais de me persuader qu'elle était encore en vie, que peut-être elle luttait quelque part mais qu'elle était toujours en vie. L'espoir fait vivre. Et tous deux nous avions juré de survivre. J'écartais l'image des chambres à gaz.

Au matin, Mlot, portant son ceinturon militaire et son fusil automatique à l'épaule, a commencé à choisir ses hommes. Il en avait besoin de vingt-cinq et beaucoup se sont portés volontaires.

Au début, il a ignoré mes tentatives pour faire partie du groupe. Mais quelques instants plus tard, il m'a tapé sur l'épaule en souriant : « Tu es mon nouveau bras droit. Ne me déçois pas. » Il m'a tendu son arme et a ri de façon sarcastique. « Maintenant, en route ! »

Mlot nous a donné ses instructions. Il a mis l'accent sur nos buts immédiats. « Sans armes à longue portée, nous ne sommes bons à rien. Regardez-nous. Trente-cinq combattants et une seule poignée de grenades. C'est une honte. La mission a pour but de tuer des soldats S.S. Mais ce qui nous intéresse au moins autant, ce sont une douzaine de fusils et quelques automatiques. C'est ça notre but. Vous, Jacek, Wojtek, Bystry, Malpa, Ziemian, tous les nouveaux, pendant que nous leur tirerons dessus, vous attaquerez leur dépôt d'armes et vous emporterez tout ce que vous pourrez transporter.

Chacun de vous a un pistolet et une grenade. N'utilisez la grenade qu'en dernier recours. »

Nous ne nous sommes pas arrêtés, même pas pour prendre de l'eau. Nous avons marché sur le bord de routes boueuses pendant plus de quatre heures jusqu'à ce qu'enfin nous ayons atteint les abords de Trawniki, peu après neuf heures. Nous pouvions voir au loin les clochers de l'église et le village.

Mlot s'est adressé à nous. « Le camp est au sud-ouest du village. Nous allons nous reposer ici jusqu'à ce que la patrouille de reconnaissance soit revenue. »

Elle est rentrée immédiatement. Tout était comme on s'y attendait. Mlot a choisi un jeune paysan costaud de la région de Wlodawa pour lancer l'assaut. Stryjek était petit et un peu rondouillard mais rapide et efficace.

« Vous commencerez à tirer à une trentaine de mètres du poste, a indiqué Mlot. Nous voulons faire sortir le plus possible de S.S. Alors nous les attaquerons de l'arrière. »

Nous avons traversé un grand champ de blé à moitié accroupis. Nous étions sur une longue colonne et nous nous dirigions vers une forêt épaisse. Trawniki se trouvait juste derrière.

Mon cœur s'est mis à battre plus vite quand nous avons été sous les arbres. Et soudain, je l'ai vu. L'horrible et redoutable camp S.S. de Trawniki.

Mlot a dispersé ses hommes et m'a donné l'ordre de le suivre. Nous avons avancé lentement à la lisière des bois et nous nous sommes mis en position à une centaine de mètres du poste de garde. Le camp était à gauche. Une douzaine de baraques de planches enfermées dans une double barrière de fil de fer barbelé avec au moins quatre miradors. Une brume matinale le recouvrait mais je pouvais voir les prisonniers et de nombreux soldats S.S. et gardes ukrainiens. En face de nous, il y avait un petit poste de garde que des douzaines de soldats utilisaient pour s'abriter ou pour ranger leurs armes. Des prisonniers travaillaient à côté à deux nouvelles constructions de brique et de bois. Certains parlaient yiddish.

Tandis que nous observions, les prisonniers se sont arrêtés pour une petite pause. La dizaine de soldats S.S. de garde ont rejoint leurs camarades dans le poste pour prendre un café. Ils ont posé leurs fusils et se sont assis sur des bancs de bois à l'extérieur. Mlot a regardé derrière pour voir si tout le monde était prêt.

Pour moi, c'était très simple. Je devais attendre que les coups de feu éloignent les S.S. du poste de garde. Puis aller rafler toutes les armes que je pourrais transporter. Comme prévu, de la fumée a commencé à s'élever sur notre droite.

Un officier S.S. s'est levé et a donné l'odre à plusieurs de ses hommes d'aller voir. « Ce doit encore être ces damnés paysans, l'ai-je entendu dire. Chassez-moi toute cette racaille. »

Les soldats se sont levés et sont partis sans leurs armes vers la fumée. « *Kein Spur von Bauern.* Ce ne sont pas des paysans. C'est le vent et l'herbe sèche. »

D'autres soldats les ont rejoints avec des seaux et des bêches.

« Prenez des Juifs pour vous aider, a ordonné l'officier.

— *Richtig.* Très bien. »

A ce moment-là, Mlot a fait signe à Stryjek d'ouvrir le feu. Stryjek s'est lancé à l'attaque à la tête de son groupe avec des grenades à main et des cocktails Molotov. Des balles volaient de tous côtés. Les soldats S.S. se sont paniqués. L'*Oberscharführer* a saisi son automatique. Les autres gardes ont pris leurs armes. Tous ont couru droit dans le piège de Stryjek. Maintenant le camp entier était en alerte. Les sirènes hurlaient. Les haut-parleurs vibraient. Les soldats S.S. et les Ukrainiens tiraient.

Mlot a donné l'ordre à ses hommes d'attaquer par-derrière. Son automatique causait des ravages parmi les S.S. Ils ne pouvaient plus revenir vers le poste de garde ni s'éloigner. Ils se sont mis en position et ont tiré au hasard autour d'eux.

Mlot m'a fait signe et je suis parti vers le poste de garde. Wojtek, Bystry, Malpa et Ziemian m'ont suivi. J'ai frissonné en voyant les esclaves juifs s'enfuir vers la liberté. J'ai crié pour les encourager. « Courez ! Courez ! Courez ! »

Ils s'enfuyaient dans toutes les directions. Certains tombaient abattus par les S.S.

Je suis entré dans le poste de garde. Il n'y avait âme qui vive. Rien que des bottes, des fusils et des cartouchières. J'ai chargé les armes sur mon épaule. En passant devant une fenêtre, alors que je sortais, j'ai vu un mirador juste en face de moi. Le garde tirait à la mitrailleuse dans le camp.

L'alarme avait fait sortir beaucoup de Juifs des baraques. Ils couraient comme des fous sans savoir ce qui se passait. Certains essayaient de s'enfuir mais la mitrailleuse du mirador les abattait. J'ai sauté par la fenêtre ouverte et j'ai dégoupillé ma grenade. Je l'ai lancée avec précision et le mirador s'est effondré. J'ai été environné de fumée quand la construction de bois a pris feu et que l'ensemble est tombé au sol.

Quelques instants plus tôt mon visage reflétait la

haine et la colère ; maintenant je riais sans pouvoir me contrôler. J'ai cherché des yeux une autre grenade. Je voulais faire sauter les autres miradors. Je ne m'occupais plus des ordres de Mlot. J'étais de tout cœur avec mes compagnons juifs que je voyais courir vers la liberté dans la forêt. J'aurais aimé les rejoindre pour constituer un nouveau groupe de partisans. Mais tout allait trop vite. Ce n'était pas le moment de penser. Mon esprit m'a ramené à la réalité. Si je m'enfuyais maintenant avec les fusils et les cartouchières, ce serait de la trahison. Non, je ne voulais pas déserter.

Je suis retourné chercher les fusils. Mes « copains » s'en allaient déjà quand j'ai ramassé mon fardeau. J'ai pris un raccourci et le corps plié sous la charge je suis arrivé au rendez-vous avant les autres. Pourtant ce n'était pas assez. Déjà, ils commençaient à me traiter de « Bédouin », « *parch* », « Juif ». L'un d'eux m'a menacé : « Attends que Mlot te mette la main dessus ! » Ils crachaient vers moi tandis que nous nous enfoncions dans la forêt.

Mlot nous a rejoints. Il a donné l'ordre à ses hommes de nous aider à porter les armes. Aucune perte grave, quelques blessures légères seulement. Les autres nouveaux et moi nous n'avions pas une égratignure. Nous avons fait le long chemin du retour en évitant les espaces découverts. Mlot a compté notre butin. Seize fusils ; vingt grenades ; et un automatique, un Schmeisser.

J'avais pris le Schmeisser, quatre fusils, plusieurs cartouchières et trois grenades. Mais ma réussite ne faisait qu'irriter les autres. Ils chuchotaient assez fort pour que Mlot puisse entendre. « Une chance de Juif. Tu as vu comme il a risqué nos vies — toute l'opération même — rien que pour sauver des Juifs. »

Plus on s'éloignait des Allemands, plus ils se sentaient en sécurité. Et plus leurs accusations devenaient précises. Même Mlot m'a critiqué pour avoir attaqué le mirador. « Tu es habile, rapide et tu as de la chance. Mais tu as utilisé ta seule grenade pour sauver des Juifs. Et cela était contraire à mes ordres. »

J'ai baissé les yeux. Je n'avais rien à répondre. Je n'avais qu'à attendre que sa colère s'apaise.

31

Cette nuit-là, de retour au camp, personne n'a dormi. Nous sommes restés éveillés avec la vodka et le tabac. Malgré notre excellente prise d'armes personne n'a fait la fête. Stryjek et ses hommes n'étaient pas rentrés. Chacun était en proie à la tension et à l'anxiété et Mlot a laissé le camp en alerte. Il n'y aurait ni repos ni sommeil tant que nous ne connaîtrions pas le sort des douze hommes.

La nuit a été longue, obscure et difficile. J'étais seul et je sentais la colère et la haine dont j'étais l'objet. Les hommes me méprisaient. Leurs soupçons étaient confirmés. J'étais le bouc émissaire, le *Zydek,* le Juif.

Je me suis demandé quel était mon crime. D'être né juif ? Où était le mal ? En outre, je ne l'avais pas choisi. Personne ne m'avait jamais demandé mon avis. Le destin et l'hérédité me condamnaient. J'étais devant un tribunal et un jury composé à la fois de gens cultivés et d'ignorants, de forts et de faibles, de croyants et de mécréants, de riches et de pauvres, de jeunes et de vieux. J'étais en face de la civilisation elle-même, une civilisation qui combattait fanatiquement pour son avenir et son existence ; une civilisation qui avait volé en éclats et qui cependant, étrangement, s'unissait contre ma survie. J'étais criminel. J'étais juif.

Je n'ai pas eu à attendre longtemps pour voir exploser la haine des partisans. La nuit était à peine terminée quand Mlot est apparu derrière moi.

« Hé, *Chlopcze,* camarade, retourne-toi et regarde-moi. Ecoute bien ce que je vais te dire. Obéis et il ne t'arrivera rien. »

Il m'a fait signe de marcher devant lui vers la forêt et de quitter le camp. J'ai obéi. Avec un fusil à la main et une grenade à la ceinture j'avais quelque appréhension mais je me sentais en sécurité. Cependant, je tremblais en moi-même en me demandant ce qui allait se passer.

« Tous ces minus sont convaincus que tu es juif, Jacku. Jusqu'à maintenant, ils n'avaient que des soupçons. Maintenant ils en sont sûrs. Quand tu es arrivé j'ai été persuadé que tu étais juif, mais cela m'était égal. En fait, je t'aimais bien et je voulais t'avoir près de moi. Mais maintenant tout est différent. Ils ne t'accepteront plus. Disparais avant qu'il ne te soit rien arrivé. Disparais, tout de suite. »

Mlot a tendu la main. « Donne-moi ton fusil et ta grenade. Ta ceinture aussi. Tout, sauf ton couteau. C'est à toi. Garde-le. C'est un couteau de la Luftwaffe, n'est-ce pas ? »

J'ai approuvé de la tête, en colère mais obéissant.

« Voici du pain et de la vodka. Il ne t'arrivera rien. Je vais te couvrir. Suis-moi simplement. »

Il m'a bandé les yeux et m'a conduit plus loin dans la forêt. Un peu plus tard, il m'a tapé sur l'épaule. « *Servus,* Jacku. Je suis désolé que nous soyons obligés de nous quitter. Marche aussi longtemps que tu le pourras avant d'enlever ton bandeau. »

Sa voix m'est parvenue de loin. « *Servus, chlopcze.* »

J'ai continué seul, triste et frustré et mes larmes coulaient sur mes joues. Finalement, j'ai ôté le morceau de tissu de devant mes yeux et je me suis assis. J'ai promené mes doigts sur l'herbe et j'ai pris un jeune tronc dans mes bras. Je voulais réfléchir, m'arrêter de pleurer, mais je ne le pouvais pas. Cela semblait si facile de pleurer dans le calme apaisant de la forêt. Il n'y avait personne pour perturber la tranquillité. Mes seize années de vie avaient été pour la plupart une chaîne continue de déceptions avec les gens. Tous les gens. Les jeunes, les vieux, les hommes, les femmes, les Allemands, les Ukrainiens, les Polonais, les chrétiens, même certains Juifs. Ici et là quelques-uns étaient capables d'une étincelle de bonté. Mais à ce moment de ma vie je pouvais prévoir qu'eux aussi, cette minorité infime, laisseraient exploser leur haine. Je me sentais complètement abandonné par la société. Condamné par les gens. Seule la forêt me protégeait.

« Dieu, oh! Dieu! » J'ai levé les yeux vers le soleil. « Tu es là-haut, en sûreté. Tu as décidé que je serais juif, que je serais le terrain d'expérience de l'humanité, le cobaye de leur haine. Mais j'en ai assez de me battre. Je vais rester ici, près des arbres, des feuilles et de ce magnifique tapis d'herbe verte. »

Je me suis endormi.

Quand je me suis réveillé quelques heures plus tard, je me suis senti bien reposé. Sans projet ni idées, je me suis mis en route. Si seulement Halina avait été avec moi; j'essayais d'imaginer la chaleur de son corps, son visage, sa présence. Mais comme elle n'était pas là, j'ai remercié le soleil de son réconfort.

J'ai marché pendant deux jours — au début à l'ouest, puis au nord-ouest — en évitant les villages et les fermes. Je me tenais à l'écart de toutes les créatures vivantes. Je marchais, je dormais, je mangeais un peu et je méditais. J'écoutais les bruits de la nature.

Enfin, au début du troisième jour, je me suis retrouvé près d'une route empierrée, bordée de chaque côté par de hauts talus. Des chants s'élevaient au loin. Je me suis arrêté et j'ai regardé en bas de la route. Une longue colonne de gens, conduits par de nombreux soldats dont certains étaient à cheval, venaient vers moi. J'ai couru me cacher dans des buissons épais à quelques mètres de la route.

Le chant devenait plus fort.

« Oh, Marianna, *moja slodka* Marianna. » Je l'avais appris à l'école et les gens le chantaient très bien. Leurs voix m'ont réchauffé le cœur. Quand la colonne est passée devant moi, j'ai vu que les gens étaient juifs. Ils étaient escortés par des gardes S.S. et des Ukrainiens.

Mais ils portaient des vêtements civils et non des uniformes rayés. Ils doivent venir d'un ghetto, ai-je pensé, pas d'un camp de concentration. Est-ce qu'il pouvait rester un ghetto en 1943, après quatre ans sous le joug allemand ? Ils devaient aller travailler quelque part. Ils allaient rentrer plus tard. Anxieux et effrayé, je suis resté caché. Pourtant j'étais heureux de découvrir qu'il restait encore des Juifs et que certains ghettos fonctionnaient encore.

La colonne continuait à passer devant moi. Un flot sans fin de gens, cinq de front qui marchaient et chantaient. Il y en avait peut-être un millier ou plus, la plupart assez jeunes. Ce doit être un énorme ghetto, ai-je pensé. Enfin, la colonne s'est éloignée. Mais j'entendais toujours le chant qui résonnait dans mes oreilles, le bruit de Juifs vivants, de la vie et de l'espoir.

J'ai décidé d'attendre toute la journée au même endroit. Je les rejoindrais quand ils rentreraient au ghetto. Je voulais me retrouver parmi mon peuple, parmi ceux qui ne me rejetteraient pas, qui ne me ridiculiseraient pas. Parmi les Juifs je pourrais me procurer l'argent et les papiers nécessaires à mon voyage de retour vers Varsovie, vers Milanowek où j'attendrais Halina. Je savais qu'il y avait des risques, qu'une fois dans le ghetto je ne pourrais peut-être plus en ressortir. Mais j'avais l'impression que je pourrais réussir.

Le jour est passé lentement. Je parlais tout seul, soupesant le pour et le contre, évaluant les risques puis j'ai à nouveau entendu les voix. La colonne est apparue au loin, la même que le matin. J'avais le cœur battant, allongé au bord de la route. Le soleil avait baissé et l'air vibrait d'insectes. Puis les Juifs sont passés près de moi, rangée après rangée, dans la douce lumière du printemps.

J'ai repéré un garde ukrainien, puis un autre. Ensuite il y avait un long espace sans garde. J'ai bondi sur mes pieds, j'ai escaladé le talus et je suis entré dans la colonne. « *Amhu ! Amhu !* Je suis un des vôtres ! »

Les marcheurs ont eu un choc. J'ai regardé leurs visages pour chercher un signe de reconnaissance ou de bienvenue. Je voulais poser des questions. Mais je n'ai pas pu. Ils chantaient et marchaient. Deux m'ont tiré à côté d'eux. J'ai compris. Ils devaient chanter. Ils ne le voulaient pas, mais ils étaient obligés. Eux aussi voulaient survivre.

« *Amhu!* ai-je répété. Je suis un des vôtres. Faites-moi confiance. »

Ils m'ont regardé ébahis. J'étais sorti de nulle part pour venir me joindre à eux. Pourquoi?

Nous avons continué sans rien dire. Puis certains ont commencé à chuchoter en yiddish.

Pourquoi est-ce que j'avais risqué ma vie pour venir les rejoindre? Ils se préparaient à risquer leur vie pour s'enfuir. Certains l'avaient déjà fait. Ce que j'avais fait était au-delà de tout raisonnement, au-delà de ce qu'ils pouvaient comprendre.

Bientôt, à mon plus grand regret, j'ai compris ce qu'ils voulaient dire. Il n'y avait pas de ghetto. Et ce n'étaient pas des civils. C'étaient des esclaves, comme ceux de tous les camps de concentration. Simplement on ne leur avait pas encore distribué d'uniformes rayés. Ils travaillaient avec des ingénieurs et des mécaniciens dans une usine d'aviation allemande.

Budzyn, une annexe de Maïdanek, était maintenant visible au loin. Son maître, l'*Oberscharführer* Feiks, craint et haï, nous attendait sur un cheval blanc. J'ai vu les habituelles baraques de bois, les miradors avec les mitrailleuses, la double clôture de fil de fer barbelé électrifiée. Tout cela au cœur de nulle part, au plus profond d'une forêt dense. Les gardes et les civils allemands qui travaillaient à l'usine d'aviation habitaient dans des bâtiments voisins, le *Siedlung*.

Enragé et désorienté, je maudissais mon sort. Comment avais-je pu utiliser si mal ma chère liberté? J'avais risqué ma vie pour l'obtenir; je l'avais perdue en quelques instants. Je ne cessais de répéter : « Ma putain de chance ! », dégoûté de moi-même.

Mais je n'ai pas eu le temps de me faire des reproches. Les portes du camp étaient grandes ouvertes. Nous étions tous enfermés dans la cage, comme un troupeau.

Tout m'était trop familier. Les gardes, les chiens, les longs fouets et les mitrailleuses. Une fois encore ils contrôlaient ma vie.

Sur l'*Appelplatz* de Budzyn, le commandant Sztockman a fait signe à son adjoint, le lieutenant Szczepiacki, de commencer l'appel. Tous deux étaient juifs, d'anciens officiers de l'armée polonaise vaincue. C'étaient les chefs des kapos du camp. Les Allemands utilisaient maintenant leurs talents pour l'administration. Et pour leur donner l'apparence de l'autorité, le commandant et le lieutenant avaient le droit de porter leurs vieux uniformes verts.

Le lieutenant Szczepiacki a descendu les colonnes de prisonniers en les comptant par cinq. Quand il est arrivé devant moi, il s'est arrêté. J'étais en trop, le sixième.

« Qu'est-ce qu'il se passe ici ? Où est ton groupe ? D'où est-ce que tu sors ? »

Je suis resté muet. Je n'avais pas de réponse.

De l'autre côté, le commandant Feiks, juché sur son cheval blanc, attendait le compte officiel. Un de ses aides a remarqué qu'il se passait quelque chose et a crié : « *Mach doch weiter ! Mach dass du weiter kommst !* Approchez ! »

Le commandant Sztockman s'est avancé et m'a fait sortir de la colonne. En tenant son fouet au-dessus de ma tête, il m'a repoussé vers l'arrière. Son visage m'a plu et rapidement je lui ai raconté mon histoire.

« Je suis juif. Je me suis enfui de Varsovie. J'ai cru qu'il y avait un ghetto ici et je me suis joint à la colonne dans les bois. »

Le commandant a continué à marcher. « Tu es de Varsovie ? Tu as participé au soulèvement ? a-t-il dit en polonais. Reste ici. »

Il m'a poussé dans le dernier rang de prisonniers. Le commandant Feiks s'est approché au galop. Sztockman l'a salué et a fait son rapport : « *Alles in Ordnung, Herr Oberscharführer ?* Tout est en ordre. »

Plus tard ce soir-là, le commandant, un homme de haute taille avec de bonnes manières, m'a fait venir dans sa chambre dans une des baraques. Quelque chose en moi l'avait impressionné. Ma franchise ? Mon histoire ? Ma jeunesse ?

« Alors tu as participé à l'insurrection de Varsovie ? a-t-il demandé. Nous en avons entendu parler ici. C'était une bataille courageuse. Même les S.S. parlent encore des rebelles de Varsovie. Maintenant, ils sont fichus. Mais ici, jeune homme, j'essaie de sauver des milliers de Juifs des chambres à gaz de Maïdanek. Et j'ai quelques chances tant que tout va bien avec le commandant Feiks et tant que personne ne lui donne l'occasion d'organiser un pogrom. Même toi, un rebelle de Varsovie, tu peux rester en vie. Je vais m'arranger pour t'enregistrer si tu me promets de bien te conduire. Et si tu me promets de ne pas essayer de t'évader. »

J'ai promis. Je n'avais pas le choix.

« Demain tu iras travailler à l'usine d'aviation. Je vais donner des ordres pour qu'on te mette avec ceux de Varsovie, dans le groupe de Majzel. Tu préféreras ça plutôt que de crever de faim dans le camp. Maintenant va te reposer. Demain tu vas travailler dur. »

32

Le camp de travail de Budzyn était un cauchemar. Pas de chambres à gaz, pas de fours crématoires, pas d'uniformes rayés. Mais l'agonie, la torture
et la faim. Chaque jour.

Plusieurs milliers d'hommes juifs et une centaine
de femmes étaient emprisonnés dans ce camp. Ils
logeaient dans des baraques de bois, partaient au
travail chaque matin et en revenaient le soir. Et tout
cela sous les coups de fouet et de crosse des S.S. et
des gardes ukrainiens.

Le plus effrayant c'était la perspective de tomber
dans les mains du maître du camp aux yeux jeunes
et bleus. Le commandant Feiks qui n'avait pas
trente ans, représentait la pire haine allemande des
Juifs. Il se servait d'hommes et de femmes pour
satisfaire ses caprices de sadique. Il aimait surtout
prendre ses victimes par surprise puis expérimenter
sur eux de nouvelles techniques de torture et de
mort. Il élevait la cruauté au niveau d'une science.
Personne ne pouvait expliquer son attitude inhu-
maine envers les prisonniers ou son attitude envers
le commandant Sztockman, le seul Juif dont il
prononçait le nom et qu'il semblait respecter.

Les dimanches à Budzyn étaient des jours de

terreur. Personne ne quittait le camp pour aller travailler à l'usine d'aviation et Feiks avait tout le monde sous la main. Un dimanche, il est arrivé pendant le déjeuner. Tout le monde était assis dehors à de longues tables de bois, buvant à petites gorgées la soupe claire qui faisait office de nourriture. Soudain Feiks est arrivé en trombe sur une moto. Il avait un pistolet mitrailleur posé sur les genoux. Avant que personne n'ait pu faire un geste il a tiré vers les tables. Les seaux à soupe ont été percés. Le liquide coulait par les trous sur les prisonniers tombés à terre. Aucun d'eux ne s'est relevé. Des douzaines étaient allongés, morts ou blessés.

En semaine, le soir, Feiks s'amusait d'une autre façon. Après l'appel et une journée entière de travail à l'usine d'aviation, il décidait soudain d'embellir le camp. Cela signifiait que des douzaines de gardes faisaient sortir tout le monde des baraques pour ce que Feiks appelait un *Ausholzung*. Tandis que les gardes nous surveillaient avec des fouets et des chiens nous devions arracher les mauvaises herbes et les broussailles avec nos mains nues. Puis sans qu'on puisse s'y attendre, Feiks galopait au milieu de nous et nous tirait dessus. Il éclatait de rire quand il nous voyait nous mettre à l'abri. A nouveau des dizaines mouraient ou étaient blessés.

Feiks aimait aussi la « culture ». Il nous faisait jouer des pièces. Souvent il applaudissait de manière excessive puis il faisait mettre les « acteurs » esclaves en rang pour l'exécution. « Vous voyez, les acteurs sont des parasites. Ils n'ont donc pas le droit de vivre. » Son pistolet mitrailleur balayait la scène, répandant la mort parmi les comédiens.

Il ne se passait pas de jour sans que Feiks trouve des prisonniers qui le mécontentent pour une raison ou pour une autre. Ces malheureux étaient d'abord fouettés, puis on les livrait à Feiks qui les mettait à mort en les traînant derrière son cheval dans tout le camp.

Mais j'ai été témoin du sommet de sa bestialité un samedi matin. Otto, l'officier ukrainien, nous a sortis de nos lits très tôt, bien avant l'appel, en tirant une rafale de pistolet mitrailleur. Il faisait encore nuit et très froid. Feiks était devant la porte du camp. Il souriait et portait son plus bel uniforme d'officier. Il avait l'air impeccable et élégant et apparemment de bonne humeur. Il me semblait qu'il ne dormait jamais.

J'ai regardé autour de moi la cinquantaine de jeunes Juifs qu'Otto avait choisis. Ils étaient tous comme moi ; déprimés, abrutis, effrayés. Pourquoi étions-nous ici ? Qu'est-ce que Feiks avait dans la tête ? Pas la moindre idée.

J'avais la diarrhée. J'étais humide. J'avais peur qu'on voie ma peur et ma merde. Oh, mon Dieu, si seulement j'avais pu changer de pantalon. J'étais glacé.

Les hurlements secs de Feiks ont attiré mon attention. J'ai retrouvé un peu de force. Je me suis parlé à moi-même en essayant de me discipliner. Il a donné l'ordre de nous faire monter dans des camions. Accompagnés d'un petit groupe de S.S. et d'Ukrainiens nous sommes allés dans une petite ville de la région connue pour sa population juive relativement importante.

Avant la guerre, c'était une ville pauvre et paisible. Les Juifs y étaient pour la plupart cordonniers, charpentiers, tailleurs et commerçants. La ville avait aussi ses justes : le rabbin ; le *shamos,* le gardien de la synagogue ; le *shochet,* le boucher rituel ; et les étudiants de *Yeshiva.* Ils habitaient là, en paix avec leurs voisins, des Polonais chrétiens, depuis des siècles. L'harmonie était souvent absente, cependant ils coexistaient et le judaïsme était florissant.

Mais ce matin de sabbath, le commandant Feiks avait décidé de mettre fin une fois pour toutes à ces siècles de coexistence. Quand les camions sont entrés en ville, ils se sont dirigés directement vers le quartier juif. Les S.S. ont annoncé leur présence en tirant au hasard des rafales de pistolet mitrailleur sur les groupes de petites maisons. Il n'y avait encore personne dans les rues. En quelques secondes des dizaines d'hommes, de femmes et d'enfants se sont enfuis par les portes et les fenêtres de derrière vers les bois.

Feiks a donné l'ordre à ses hommes de les abattre. Ils ont obéi avec célérité. Bientôt des cadavres étaient étalés alentour dans de petites mares de sang. Ensuite, les S.S. ont bouclé les petites rues boueuses tandis que les Ukrainiens allaient de porte en porte et obligeaient les habitants à sortir de leurs maisons et à se réunir sur la place près du *shul,* la petite synagogue du village. Des familles effrayées ont commencé à s'entasser. Des mères et des pères. Des enfants en pleurs. Des grands-parents âgés.

Les familles juives des petites villes de Pologne étaient si étroitement liées que seule la force brutale était capable de séparer les parents des enfants, les frères des sœurs. Souvent les membres d'une même famille préféraient mourir plutôt que d'être séparés. Les hommes de Feiks les y ont contraints.

A la fin, sept ou huit cents personnes ont été réunies sur la place — pleurant, s'accrochant les unes aux autres, priant. J'étais toujours dans un camion et j'observais la scène avec une épouvante grandissante.

Pour apaiser leur effroi et éviter la panique, Feiks a donné l'ordre à un certain nombre d'adultes valides de retourner prendre des affaires chez eux.

« Ne prenez que ce dont vous avez besoin pour le voyage, a-t-il dit. Vous allez dans un autre ghetto. Nous avons du travail pour vous, là-bas. »

Sous la menace des fusils, il a aussi séparé une cinquantaine de jeunes gens de leurs familles pour les emmener travailler à Budzyn. Ils sont immédiatement montés dans les camions. Feiks a donné l'ordre qu'on fasse entrer dans le *shul,* la maison de prière, les Juifs qui restaient, les femmes et les enfants en pleurs, les vieillards et les malades.

« Priez pour un bon voyage, leur a-t-il dit. Vous vous en allez très loin. »

Les Juifs terrorisés se sont lentement entassés dans le petit bâtiment de bois jusqu'à ce qu'il soit plein. Ils se méfiaient de ses intentions mais ils n'avaient pas le choix. Ils priaient. Ils attendaient les camions qui ne sont jamais venus.

Je me suis rendu compte de la joie de Feiks quand il a donné l'ordre qu'on ferme les portes et les fenêtres. Il les avait enfermés dans la maison de Dieu, le jour du sabbath, avec leurs textes sacrés. Puis horrifié, j'ai vu Feiks jeter un bidon d'essence sur le porche. Il riait comme un fou en prenant son pistolet mitrailleur. Il s'est mis à tourner sur lui-même comme s'il était dans une sorte d'extase. Puis il a tiré sur le bidon d'essence.

Tout a pris feu en un instant. Le bois et la chair humaine nourrissaient les flammes. Ils ont jeté d'autres bidons d'essence. Le bâtiment entier et tous ceux qui s'y trouvaient se sont embrasés. Les cris s'élevaient dans un chœur assourdissant. Certains ont essayé de s'enfuir par les fenêtres mais les mitrailleuses installées sur les camions les ont abattus sans pitié.

J'étais malade à mourir et je regardais de loin cet enfer. Je n'avais plus ni larmes, ni angoisse, ni pitié. Je voulais bondir au cou de Feiks. L'écraser. Je voulais lui arracher son dernier souffle. Mais je savais que j'étais impuissant. Tout ce que je pouvais faire, c'était détourner les yeux vers la forêt.

Et faire le serment de survivre. De m'échapper.

De raconter au monde ce que j'avais vu.

33

Il fallait que je m'échappe. Mais la double clôture de fil de fer barbelé électrifié, les miradors, leurs mitrailleuses et leurs projecteurs, rendaient toute évasion presque impossible. Mais il fallait que j'essaie quand même.

J'ai essayé de voir à l'usine d'aviation où je passais la plupart de mon temps et où la surveillance de plusieurs douzaines d'Ukrainiens et de gardes allemands *Werkschutz* était moins stricte. Avec des jumeaux de dix-huit ans originaires de Varsovie, nous avons combiné un plan très simple. Nous nous cacherions dans une meule de foin près de la barrière nord jusqu'à l'heure du départ. Et pendant le moment de désordre qui accompagnait toujours l'appel de six heures, nous nous sauverions en direction de la forêt. A cette heure-là, les gardes ukrainiens quittaient la clôture pour compter les prisonniers et ce serait plus facile de passer.

La nuit précédant notre tentative, j'étais allongé sur ma couchette et je rêvais de liberté et d'Halina. Mais elle s'était déjà éloignée de mes souvenirs. La réalité quotidienne emplissait même mes rêves.

Le matin, des nuages gris couvraient le ciel. Il avait plu toute la nuit et soudain j'ai eu des pressentiments. Je n'ai pas osé envisager un échec. Mon moral s'est effondré quand Motek m'a tiré du lit et m'a conduit aux latrines.

« Il va falloir reporter l'évasion, Jacku, m'a-t-il dit. Mon frère a la fièvre et la diarrhée.

— Il a peur !

— Non. Donnons-lui quelques jours supplémentaires. Il ira mieux. »

J'ai parlé à Yosl. Il a insisté pour qu'on parte sans lui. « Sauvez-vous. Ne m'attendez pas. Partez. Partez. »

J'ai vu qu'ils étaient troublés. La vie à Budzyn avait pu altérer leur courage, leur faire peur devant les risques d'une évasion. Mais Feiks et ce que j'avais vu m'avaient endurci. Je comprenais leurs pressentiments. Mais je ne pouvais pas attendre. J'étais décidé à tout tenter pour être libre. Pas question de retarder. C'était la réussite ou la mort.

A l'heure H, j'étais seul. De la meule de foin, j'ai regardé les Ukrainiens s'en aller faire l'appel. Les esclaves sortaient déjà des ateliers et s'alignaient en rangs de cinq.

Un frisson m'a parcouru mais je ne me suis pas laissé aller. Je me suis précipité vers la barrière de fil de fer barbelé, je me suis glissé dessous et j'ai disparu dans la forêt. Je n'ai vu personne. Je n'ai rien entendu. Je savais qu'il se passerait du temps avant qu'ils ne découvrent mon absence. Mais je savais qu'ils ne partiraient pas avant d'avoir minutieusement fouillé l'usine. Ils me chercheraient également à l'extérieur. Dans tous les villages et les fermes des environs. Mais je comptais sur la forêt. J'avais projeté courir aussi longtemps que mes forces me le permettraient et que les arbres me cacheraient. Pendant des jours si c'était nécessaire.

J'ai entendu les sirènes. Mais c'était derrière,

dans l'usine, et j'étais dehors, libre. Je me suis enfoncé de plus en plus loin dans la forêt. Mais mon ignorance du terrain m'a bientôt rempli de terreur. Les arbres diminuaient. La forêt s'achevait. Et soudain, devant moi, j'ai vu d'immenses prés. J'étais totalement à découvert. J'ai entendu des chiens au loin. Les gardes *Werkschutz* s'approchaient. Ils passaient la forêt au peigne fin et ils n'avaient pas loin à aller. A moitié à bout de souffle, je suis revenu dans la forêt. Les gardes et les chiens se rapprochaient. J'avais toujours eu peur des chiens. Leurs crocs et leurs griffes m'effrayaient. Mais surtout, j'avais peur qu'on me reprenne.

Quelqu'un devait m'avoir vu passer sous la clôture. Quelqu'un devait m'avoir suivi. Sinon comment auraient-ils pu converger vers moi aussi rapidement ? Ils devaient savoir où j'étais. Peut-être pas, au fond. Peut-être qu'ils ne faisaient que chercher ? Une lueur d'espoir m'a traversé l'esprit. J'ai atteint le centre de la petite forêt, j'ai grimpé dans un arbre et j'ai décidé d'attendre. Les aboiements des chiens sont devenus plus forts. J'ai entendu des voix.

Mais je priais toujours pour qu'arrive un miracle. Je ne pouvais pas échouer. Pas moi. J'étais le survivant, le dernier des vingt petits-enfants de grand-mère Masha. Elle m'avait fait jurer, dans sa chambre. Ses derniers mots avant l'arrivée des S.S. avaient été : *Survis, Izaakl ! Survis !* J'avais encore sa voix dans les oreilles. Les hurlements des chiens s'y mêlaient.

« Je dois survivre. Je veux survivre. » Je ne cessais de me répéter cela, encore et toujours, comme une litanie.

Mais au fur et à mesure que les gardes se sont

317

rapprochés, mes résolutions et ma détermination se sont effritées, rongées brin à brin par la peur. J'étais enfermé dans un univers de haine.

Puis ils se sont arrêtés juste en dessous de moi, au pied de l'arbre.

« *Los ! Jude ! Runter,* parasite ! »

Les chiens aboyaient de façon effrayante en essayant de sauter à l'arbre. J'ai regardé en bas avec horreur. C'est un rêve. Faites que ce soit un rêve. Qu'il n'y ait plus ni terreur, ni Allemands, ni chiens. Mais ils étaient bien là. Et les gardes me mettaient en joue.

« *Runter, eins, zwei...* »

Soudain, je me suis souvenu de Yankele dans le cimetière de Varsovie. Ils l'avaient abattu dans l'arbre où il avait essayé de se cacher. J'ai sauté à terre et je me suis mis à courir. En quelques secondes, les chiens étaient sur moi. Il n'y avait rien à faire. J'ai entendu qu'on criait un ordre et les chiens m'ont laissé.

J'ai levé les yeux et j'ai vu un *Werkschutz* ventripotent, le chef des gardes de l'usine d'aviation. Je l'ai reconnu et lui aussi m'a reconnu. Je me suis levé en tremblant. Mes vêtements étaient en lambeaux et j'avais les mains et les jambes en sang.

Ils m'ont attaché les mains dans le dos et nous sommes revenus vers l'usine. Les gardes m'ont insulté tout le long du chemin. Mais « Gras-double » m'a protégé. Je lui plaisais pour une raison quelconque. Je ne savais pas pourquoi.

Quand nous sommes arrivés, le soleil était couché et l'obscurité recouvrait l'usine. Mais les deux mille esclaves n'étaient pas repartis pour Budzyn. Ils attendaient toujours dans la cour. Ils attendaient la capture et le retour d'un Juif évadé.

Les gardes étaient assis autour d'un feu et chantaient. Tout d'abord, une voix solo, *Tsygane-tchka*. Puis une réponse à l'unisson : *Tsygane-tchka Moloda*. La chanson racontait l'histoire d'une jeune et belle gitane. Ils chantaient et les flammes montaient vers le ciel. Le feu réchauffait leurs corps et la chanson réchauffait leurs âmes. Le ciel étoilé, les voix qui chantaient et les Ukrainiens entassés autour du feu dans leurs longs manteaux noirs, tout cela créait un spectacle d'une grande beauté que j'ai perçu malgré ma peur. Mais les noirs desseins des gardes et l'épreuve plus noire encore qui m'attendait ont fait voler en éclats la beauté de cette nuit. Il y a tant de beauté dans le monde, ai-je pensé. Tant de beauté. Mais le mal et la misère sont encore plus grands.

A l'usine, on m'a remis aux Ukrainiens et aux S.S. Ils m'ont frappé tour à tour tandis qu'ils me poussaient en tête de la colonne. J'avais retardé leur repas du soir et cela les rendait furieux. Je ne sentais plus la douleur. J'attendais la mort — la paix définitive. Mais elle n'est pas venue. J'étais sain et sauf pour Feiks.

Quand la colonne s'est approchée de Budzyn, tout est devenu brumeux. Ma vie. Mon existence. Mon passé. Tout se dissolvait alors que s'égrenaient les dernières minutes de ma vie.

Je voulais appeler Halina. Un miracle. Un géant qui serait venu et qui nous aurait vengés tous les deux.

J'ai vu un grand cheval blanc sortir de la nuit au galop et se diriger vers moi. Ce n'était pas une créature surnaturelle qui venait me venger. C'était le coursier de Satan. Le commandant Feiks était sur son dos. Fou de colère, il s'est arrêté en face de moi. Il a tiré violemment les rênes et le cheval s'est cabré et a henni. Ses sabots sont passés à deux doigts de mon visage. J'ai reculé de peur. Le fouet de Feiks s'est enroulé autour de mon cou comme un lasso. Puis avec un hurlement de dément, il a passé les portes du camp au galop et m'a traîné jusque sur l'*Appelplatz*. J'étais à moitié assommé et je ne savais plus ce qui se passait. J'étouffais. Les yeux me sortaient de la tête et mon corps n'était plus que douleur.

Feiks a détaché son fouet en me faisant rouler sur le sol. J'étais étendu, suffoquant, devant une douzaine d'officiers S.S., devant les Ukrainiens, devant tous les prisonniers du camp. La colonne était venue directement sur l'*Appelplatz* pour assister à la fête. J'ai retrouvé mon sang-froid et je me suis relevé. J'ai vu venir le commandant Sztockman accompagné de son aide, Szczepiacki. J'ai fermé les yeux. Leur faire face m'était insupportable. Cela n'avait plus d'importance. J'avais voulu survivre et pour cela j'avais risqué ma vie et mon honneur, mais j'avais manqué à mes engagements. Pas seulement envers moi-même, mais aussi envers ma grand-mère Masha, envers mes parents, envers ma sœur Hela et envers Halina. J'avais manqué à mes engagements envers mon peuple. Qui allait survivre pour raconter leur histoire?

Feiks s'est adressé à la foule silencieuse et affamée. « Nous allons nous débarrasser de ce chien et le pendre pour que tout le monde puisse le voir! Il n'y aura pas de repas ce soir. Et le groupe de ce chien, les rebelles de Varsovie, vont rester sur l'*Appelplatz* toute la nuit! »

Le commandant Sztockman s'est avancé et a salué Feiks. Puis il est venu vers moi et m'a abattu son fouet sur la tête. « *Fünfundzwanzig am Arsch !* Vingt-cinq coups de fouet ! »

A mon grand étonnement Feiks n'a rien dit. Szczepiacki m'a attrapé la tête et m'a penché en avant. Otto, l'Ukrainien, a levé son fouet.

« *Eins, zwei, drei, vier...* »

Tandis que la douleur me déchirait, je me demandais pourquoi on me fouettait avant de m'exécuter. A chaque coup de fouet, le nœud à l'extrémité de la lanière me déchirait la chair. Pourtant, après les vingt-cinq coups de fouet, je me suis relevé sans une larme.

Sztockman s'est tourné vers Feiks.

« *Herr Oberscharführer, noch immer so stark und Arbeitsfähig.* Après vingt-cinq coups de fouet il se tient encore bien droit — c'est un type d'une espèce un peu spéciale. Renvoyez-le travailler. Vous pourrez toujours en finir avec lui. »

Tandis que Sztockman parlait, Szczepiacki me donnait des coups. J'ai compris qu'ils s'étaient mis d'accord pour me sauver. Ils me frappaient pour apaiser Feiks. Les milliers de prisonniers stupéfaits regardaient immobiles.

Un cri de fou a déchiré le silence : « Non ! Ce chien doit être exécuté. *Heute einer, Morgen zwanzig !* On en épargne un aujourd'hui, demain ils seront vingt à s'échapper ! »

Feiks a sauté de son cheval et s'est avancé vers moi. Il m'a regardé droit dans les yeux en espérant voir une grimace de douleur, en espérant me voir tomber à genoux et le supplier. Je suis resté immobile, à quelques centimètres de son fouet. J'ai refusé de céder. Deux paires d' yeux bleus se sont rencontrées, ceux du maître et ceux de l'esclave.

Soudain, Feiks a donné l'ordre à Otto de me tenir. Il a pris son fouet de l'autre côté et a commencé à me frapper sur la tête de toutes ses forces avec le manche. De toute évidence, il voulait que j'aille à terre, à ses pieds. A chaque coup je maîtrisais la douleur et de toutes les fibres de mon corps j'essayais de rester debout. Il fallait que je reste conscient, sur mes pieds. Les coups continuaient à pleuvoir. Mais je ne fermais pas les yeux. J'avais peur de ne jamais les rouvrir.

Feiks a enfin cessé. Je me suis redressé douloureusement. J'avais l'impression que l'univers entier m'écrasait. Le ciel me tombait sur le visage comme un miroir brisé. Mais je suis resté debout.

Sztockman s'est avancé et à nouveau s'est adressé à Feiks. « Vous voyez, c'est quelqu'un de spécial. On ne pourra l'achever qu'avec une balle. Et pour cela vous avez bien le temps. Renvoyez-le au travail. Je vais garder l'œil sur lui. »

Je ne comprenais pas l'insistance de Sztockman. Il essayait effectivement de me sauver. C'est un ange, ai-je pensé. Mais ça ne marcherait pas. Je ne pouvais échapper à ce salaud d'Allemand.

Feiks a hurlé de nouveau. J'ai serré les dents, je me suis mordu les lèvres, j'ai fermé les poings, j'ai refoulé ma douleur. Le commandant a tiré les rênes et l'immense et magnifique cheval blanc s'est dressé devant moi, ses jambes postérieures pliées, ses antérieures en l'air. Le visage poupin aux joues rouges de Feiks s'est crispé et ses dents blanches ont brillé dans un éclair de colère et de haine.

Il m'a enroulé les rênes autour du cou et m'a soulevé de terre. Ma langue pendait et mes yeux exorbités ont regardé le ciel. J'ai vu la tête de mort sur sa casquette. J'ai vu le ciel rempli d'étoiles. J'aurais voulu être sur une autre planète. Feiks a hurlé quelque chose à propos de mes bottes et de mon allure.

« Maman, au secours ! » ai-je crié dans ma douleur. Mon corps est revenu à la vie. Des barbelés, des aiguilles, d'énormes lames me déchiraient les jambes.

Puis Feiks a lâché les rênes. Je suis tombé à terre. J'ai vu du sang. Mes jambes saignaient. Mes bottes, mes magnifiques bottes de cuir noir étaient en lambeaux.

« Brute, Allemand sadique, tu as saccagé mes bottes, tu as détruit mon honneur ! » ai-je hurlé en moi-même. Je n'avais jamais voulu m'en séparer. Quand je les portais, je me sentais fort et puissant. Et maintenant ma haine était plus forte que ma douleur.

J'ai vu un officier S.S., debout près de moi. Dans sa main la lame brillante du stylet avec lequel il avait lacéré mes bottes et mes jambes, dégouttait encore de sang.

Feiks a hurlé : « Aujourd'hui un, demain vingt. » J'ai senti de nouveau les rênes sur mon cou. Le cheval s'est arrêté et les rênes m'ont à nouveau lâché. Je suis retombé à terre mais cette fois, je n'ai pas vu de bottes, je les avais perdues, je n'ai vu que mes jambes sanglantes. Je me suis mis à quatre pattes en essayant de me relever. Je n'avais plus de force. Je n'avais plus qu'un entêtement obstiné à me mettre debout, devant lui, pour être aussi grand que lui.

Il a hurlé à nouveau et m'a montré l'estrade. Il m'a donné l'ordre de grimper les marches vers la potence. Je pouvais compter mes dernières secondes. J'avais déjà vu Feiks pendre de nombreuses personnes. Maintenant c'était mon tour. Je me suis tourné vers la corde. Puis, dans un dernier effort je suis redescendu de l'estrade et je suis resté près de

Feiks. Il a levé son fouet au-dessus de moi. « Monte sur l'estrade ! »

J'ai secoué la tête et ma voix s'est élevée, claire et calme : « Non ! Je ne serai pas pendu ! »

Feiks a ri et son rire est devenu un cri : « Vous vous rendez compte, ce chien, ce bandit de Varsovie, me désobéit ! Ce galeux ! Non ! Aucune pitié pour cette pourriture ! Menez-moi ce porc sur la potence ! » Il a poussé un hurlement de fou vers Otto, l'Ukrainien. Feiks a mis pied à terre et avec son pistolet mitrailleur il a indiqué l'estrade à ses lieutenants. Ils ont compris et se sont précipités sur moi. En quelques secondes une pluie de coups s'est abattue sur moi. J'ai fermé les yeux tandis qu'ils me traînaient vers la potence.

Soudain, j'ai senti que je flottais en l'air. Je me suis paniqué et j'ai voulu m'enfoncer le poing dans la bouche. « Pourquoi est-ce que je ne peux pas respirer ? » La question m'a traversé l'esprit comme un éclair. Puis la pression a cessé et je me suis écrasé sur le sol. J'ai entendu des cris, des voix, de lourds bruits de bottes. J'avais gardé les yeux fermés pendant tout ce temps.

Une nouvelle fois, j'ai senti que je flottais en l'air. La même douleur autour du cou et la même panique. Je voulais hurler mais je n'avais plus de voix. Puis à nouveau je suis tombé sur l'estrade.

La foule, sur l'*Appelplatz*, retenait son souffle. Deux fois ils m'avaient vu pendu à la potence et deux fois la construction de bois s'était écroulée. Deux fois, j'aurais dû mourir et je vivais toujours.

« C'est un miracle », a murmuré la foule. Feiks et ses lieutenants écarquillaient les yeux. Ils ne faisaient rien d'autre.

« *Herr Oberscharführer*, pourquoi pas vingt-cinq

autres coups de fouet ? Voyons s'il pourra les supporter. » Sztockman est apparu soudain.

Feiks n'a rien dit. Peut-être avait-il peur d'un nouvel échec sur la potence.

En un instant, deux Ukrainiens m'ont libéré le cou, ils m'ont saisi les mains et m'ont penché en avant. « *Eins, zwei, drei, vier...* »

Je voulais mourir avec dignité et honneur. Pour montrer à Feiks que les Juifs n'avaient pas peur de la mort.

A la moitié des coups de fouet, un S.S. a remplacé l'Ukrainien pour achever la punition. Otto était fatigué. Au grand étonnement de tout le monde ainsi qu'au mien, après trois fois vingt-cinq coups de fouet, j'étais toujours debout. Et j'ai fait plusieurs pas pour m'éloigner de la potence. Feiks n'en croyait pas ses yeux.

« Halte ! Pas un pas de plus ! » a-t-il hurlé.

Szczepiacki est accouru et a commencé à me frapper. J'avais la tête et le corps en sang. J'ai déchiré ma chemise et j'ai essuyé le sang qui me couvrait les yeux. Feiks est remonté en selle et a galopé autour de moi. Il a armé son pistolet mitrailleur et m'a ordonné de marcher devant lui. J'ai fait un effort pour me redresser et je suis parti. J'étais prêt à recevoir des balles et que tout soit fini, une fois pour toutes. Je le souhaitais presque. J'ai jeté un coup d'œil au commandant Sztockman en passant devant lui. J'ai voulu lui murmurer : « Merci, commandant. Désolé, mais ça n'a pas marché. »

Soudain des balles ont fait jaillir la boue autour de mes jambes. J'ai baissé la tête et je me suis couvert les yeux. Une autre rafale. J'étais sûr d'être touché. Mais où ? J'ai relevé la tête et je me suis tourné vers Feiks et vers le monde pour une dernière fois. J'ai vu son visage déformé par le rire et la haine.

Puis soudain, il a hurlé : « *Lauf zu den Waschraum!* Va aux toilettes! »

J'ai compris. Il avait cédé à Sztockman. Il me laissait vivre à cause de quelque caprice. Je me suis dirigé lentement vers les baraques des toilettes à plusieurs centaines de pas. Szczepiacki m'a suivi en continuant à me frapper au cas où Feiks changerait d'avis.

Quelques heures plus tard, Feiks a ouvert la porte de ma baraque d'un coup de pied. Il voulait me voir. « Est-ce qu'il est encore vivant? »

Les prisonniers m'ont pris sur ma couchette, ils m'ont jeté des seaux d'eau froide et m'ont aidé à me tenir droit. Feiks s'est approché, il s'est arrêté, et m'a regardé de haut en bas. Il m'a frappé deux fois au visage et s'en est allé en parlant dans ses dents.

Le lendemain matin on m'a raconté la visite de Feiks. Je n'en avais aucun souvenir; je devais être inconscient.

Le commandant Sztockman m'a fait envoyer du café, du pain et des pansements. Et j'ai réussi à me rendre avec les autres sur l'*Appelplatz*. J'avais le corps à vif et douloureux, le visage enflé et les blessures de mon ventre saignaient encore. Je devais m'appuyer sur un bâton pour tenir droit et j'avais de grosses bosses à la tête. Mais j'avais de nouveaux espoirs et une plus grande détermination à survivre.

Ces nouveaux espoirs se sont évanouis sur l'*Appelplatz*. Feiks est arrivé sur son cheval blanc et m'a immédiatement donné l'ordre d'avancer. Un garde ukrainien a tracé trois croix rouges à la peinture sur mes vêtements, ce qui me désignait pour un « traitement spécial ». Puis Feiks m'a jeté ses rênes autour du cou et m'a traîné tout autour de la place. C'était sa façon de montrer aux prisonniers que bien que je ne sois pas mort, ma vie ne valait plus la peine d'être vécue. J'ai compris que mon épreuve ne faisait que commencer.

Puis Feiks a indiqué à Sztockman que je n'irais plus à l'usine. A la place je tournerais autour de l'*Appelplatz* à longueur de journée avec un chargement de briques sur les épaules. Une demi-heure de repos par jour et une seule soupe. Ni pain ni autre nourriture. Si je m'effondrais ou si j'essayais de me reposer les gardes avaient l'ordre de m'abattre.

Sztockman a écouté et salué. « *Jawohl, Herr Oberscharführer !* »

Mon rythme autour de la place s'est ralenti un peu chaque jour. Et chaque jour a duré une éternité. C'était l'été, et le soleil m'écrasait de façon implacable. Les briques semblaient s'alourdir. Les mitrailleuses sur les miradors devenaient des canons. Les gardes des vautours qui attendaient, attendaient, que je tombe, que je m'évanouisse, que je meure. Je sentais que mon corps se révoltait contre mon esprit, contre ma volonté de survivre. Mes jambes ont enflé à cause de la faim, malgré les suppléments que Sztockman compatissant me donnait. Des messagers apparaissaient à la faveur de la nuit et me donnaient des pommes de terre et du pain. Je savais que la nourriture venait de Sztockman. Personne n'avait rien à donner. Les prisonniers luttaient eux-mêmes contre la faim, la torture et la maladie.

Souvent Feiks ajoutait à mon épreuve. Il arrivait à moto ou à cheval. « Tu es un porc, un sale Juif. Tu as voulu t'échapper. Mais il n'y a que là-haut qu'on peut s'échapper. » Il me montrait le ciel. Je l'ignorais et continuais à tourner avec mon fardeau de briques. Mais je sentais toujours son fouet avant son départ.

Petit à petit, j'ai senti mes jambes perdre leur force. Je savais que ce n'était plus qu'une question d'heures pour qu'elles refusent de me porter. Alors les balles partiraient. Je ne trouvais de plaisir qu'en rêvant de Halina. Elle flottait dans mon esprit comme un magnifique vaisseau sur une mer de douleur. Mais tout ce que je pouvais faire c'était fermer les yeux et penser à elle. Vivait-elle encore ? Est-ce que nous nous reverrions ? Comment pourrais-je survivre ?

Je connaissais les réponses à mes questions, mais je rêvais quand même. Papa et maman avaient dû mourir dans les chambres à gaz de Maïdanek. Grand-mère Masha, Hela, mes cousins, mes tantes, mes oncles, mes amis, tous étaient morts. Pourquoi est-ce que ce serait différent pour moi ? Non. Les Allemands, le Troisième Reich, n'épargneraient pas un seul Juif. Pas un seul.

Puis un matin de bonne heure, un des aides de Sztockman s'est précipité vers ma couchette. Il a pris mes vêtements et m'en a donné d'autres qui n'étaient marqués que d'une seule croix. « A partir de maintenant, plus de briques ! Pendant l'appel, reste au fond. Pas devant. »

Il est parti et m'a laissé complètement désemparé. Mais très vite tout est devenu clair. Feiks n'est pas apparu lors de l'appel. « Ils l'ont transféré sur le front russe, m'a expliqué Szczepiacki. C'est fini la triple croix du traitement spécial. Tu vas revenir à l'usine. N'hésite pas ou tu es perdu. C'est un miracle ! »

Ce matin-là a été comme une nouvelle naissance.

Quand j'ai rejoint les autres pour la longue route jusqu'à l'usine d'aviation, une acclamation m'a accueilli : « Jacek au *tuches* d'acier, au corps d'acier. » Ils ont ri. Ils m'ont offert des bâtons, des cannes et toutes sortes de choses qu'ils appelaient des « béquilles ». J'ai repris espoir, j'ai boité, j'ai lutté. Mais, à chaque pas, ma volonté renaissait ainsi que l'espoir dans l'avenir.

34

Après le départ de Feiks, la torture et la brutalité quotidiennes ont diminué. Mais la vie à Budzyn est restée la même. Les Juifs ont toujours travaillé comme des esclaves. Les appels du matin et du soir n'ont pas changé. Et la maladie et la faim ont continué à faire leurs ravages. Je n'ai plus pensé qu'à ma survie. Je devais reconstituer mes forces.

Un soir, sur l'*Appelplatz,* le commandant Sztockman s'est approché de moi en souriant : « Tu as l'air d'aller mieux, Jacku. Hein ? »

Comme je ne voyais pas où il voulait en venir, je n'ai rien répondu.

« J'espère que tu n'as plus l'intention de t'évader, a-t-il dit. Je pense que tu en as eu assez. Rappelle-toi que, même si Feiks n'est plus là, ils en tueront toujours vingt-cinq si un seul s'échappe. Tu comprends ? »

J'ai baissé les yeux et je lui ai à nouveau promis de ne plus essayer, au moins de Budzyn. Alors se conduisant toujours comme mon ange gardien, Sztockman m'a affecté à une équipe appelée l'*Umschulung.* C'était un groupe d'adolescents que les Allemands allaient former pour construire et réparer les ailes et les fuselages des bombardiers JU-88.

Cela a aidé à ma guérison parce que pendant la période de formation nous n'avions pas de travail physique, mais douze heures d'études par jour.

Avec la santé, j'ai retrouvé ma vitalité. J'ai décidé d'utiliser ma vieille expérience de contrebandier. Un ingénieur allemand, Meister Jovanic, avait la responsabilité du magasin. Il volait chaque jour de nombreuses pièces et d'excellents outils. Et moi, je les revendais à des ouvriers polonais civils et à des conducteurs de camion, contre de la nourriture. Puis je revendais la nourriture à mes camarades prisonniers contre de l'argent, des montres et des bijoux qu'ils avaient réussi à cacher. Je n'ai plus eu faim.

En bourrant les poches de Meister Jovanic d'objets précieux je suis devenu son cher et habile *Jude*, blond et aux yeux bleus. Il faisait souvent mon éloge d'une façon typiquement allemande. « Un gosse comme toi, je serais heureux de pouvoir l'adopter. Tu es un bon petit Juif. Je veillerai à ce qu'ils te tuent en dernier. » Il avait une conviction quasi religieuse dans l'affirmation allemande : tous les *Juden* doivent mourir. Son esprit ne s'est jamais écarté de ce but.

Puis le cours de l'*Umschulung* a pris fin. Les jeunes élèves-esclaves étaient prêts pour la chaîne de montage. Mais ils n'y sont pas allés. On a envoyé les nouveaux spécialistes à l'usine de Mielec à deux cents kilomètres au sud-ouest.

Je suis allé voir le commandant Sztockman et je l'ai remercié de tout ce qu'il avait fait pour moi. Il est resté obstinément silencieux. Il n'a laissé apparaître aucune émotion sur son visage. Il m'a seulement serré la main et m'a souhaité bonne chance. Quelques instants plus tard je me suis à nouveau retrouvé dans un wagon à bestiaux.

Au camp de Mielec, on nous a distribué des uniformes rayés, ceux que je détestais et que je redoutais depuis longtemps. Nous avons dû échanger nos vêtements civils marqués d'une croix contre des tenues de prisonniers, bleues et blanches. En outre on nous a marqués comme des animaux avec un tatouage sur le poignet droit, K.L., c'est-à-dire *Konzentrationslager,* camp de concentration.

On m'a désigné comme chef de l'équipe de nuit. Notre groupe travaillait douze heures de suite. Nous étions supposés dormir le jour, mais le commandant S.S. de Mielec avait ses tortures spéciales. Les gardes avaient l'ordre de mettre de corvée de cuisine et de nettoyage ceux qu'ils trouvaient endormis.

Un matin, après nos douze heures de travail, les S.S. nous ont retenus pour quelques heures supplémentaires. Ils attendaient un personnage très important, et ils voulaient lui montrer qu'on ne manquait pas d'esclaves qualifiés à Mielec.

Soudain on a mis tout le monde au garde-à-vous. Une nuée d'officiers S.S. et d'officiels nazis de haut rang escortaient l'homme le plus important d'Allemagne dans l'industrie d'armement, le baron Alfred Krupp. Il portait un élégant costume sombre à fines rayures et s'arrêtait pour parler aux différents ouvriers. Quand le groupe s'est arrêté devant moi et l'ingénieur en chef, Meister Schultz, j'ai eu peur.

« Celui-là est juif aussi ? » a demandé Krupp. Schultz a dit oui.

« Son travail est satisfaisant ?

— Je suis ici pour cela, monsieur le baron, a répondu Schultz en souriant avec fierté. Pour être sûr que cette racaille travaille convenablement. »

Droit et raide devant moi, Krupp m'a tapé sur l'épaule avec ses gants de cuir. « Il ne ressemble pas du tout à un Juif. Je compte sur votre patriotisme pour qu'il serve le Reich. *Heil Hitler !* »

Je l'ai méprisé d'instinct. J'avais envie de lui sauter dessus, de serrer les doigts autour de sa gorge pour me rendre compte s'il était le surhomme qu'il faisait semblant d'être. Mais il est reparti, son entourage l'a suivi et je l'ai regardé s'éloigner.

Au printemps 1944, un nouvel espoir est né parmi les esclaves juifs. Les nouvelles des désastres allemands se sont répandues lentement parmi nous. Au fur et à mesure de l'avance des Alliés, les Allemands se rapprochaient de leur propre sol. Mais à chaque occasion, les esclaves juifs étaient les premiers a être envoyés loin du front. Dieu interdisait que les Alliés libèrent un seul d'entre nous.

Finalement, on a donné l'ordre d'évacuer Mielec. Les Russes approchaient et on allait miner et abandonner l'usine. Les Allemands ont entassé tous les Juifs qui restaient, environ un millier, dans des wagons à bestiaux qui sont partis vers le sud-ouest. Pendant plusieurs jours, nous sommes restés à Wieliczka, une petite ville minière, en attendant que Berlin décide de l'endroit où nous envoyer.

Une véritable panique régnait à Wieliczka. Des centaines de civils allemands et de soldats blessés erraient dans la gare. Ils recherchaient désespérément une place dans un train qui les ramènerait vers l'ouest, loin des Russes qui approchaient. Terrorisés, ils grimpaient sur les toits et les plates-formes des wagons. Cependant, à côté, une douzaine de wagons à bestiaux vides attendaient. Ils nous étaient réservés, à nous les précieux esclaves juifs. Bientôt, les Allemands affolés ont commencé à y réclamer des places. Mais les S.S. avaient reçu des ordres pour qu'aucun Juif ne soit libéré. Les wagons devaient rester vides à n'importe quel prix, pour transporter les Juifs vers la prochaine chambre à gaz ou le prochain camp de concentration. Les S.S. ont repoussé leurs propres frères sous la menace des armes. Il était toujours plus important de tuer des Juifs que de sauver des Allemands. J'avais du mal à comprendre. Je riais et je pleurais en même temps. La survie d'un seul Juif semblait être une probabilité lointaine.

Enfin, une nuit, ils nous ont entassés dans les wagons, au moins une centaine par voiture. Il n'y avait pas de place pour bouger. Nous nous asseyions à tour de rôle. Et on ne nous a pas donné de nourriture pendant ce voyage vers l'inconnu. Avec mes amis, nous étions en cercle, assis dos à dos, en nous appuyant les uns contre les autres afin de ne pas être écrasés. Les plus faibles se sont évanouis pendant les premières heures. Le lendemain matin, le quart des passagers du wagon étaient morts. Pour gagner de la place, nous avons empilé les cadavres les uns sur les autres. Au coucher du soleil, nous avons atteint un immense nœud ferroviaire. Je savais que cela signifiait la présence d'une grande ville. Le long train de marchandises plein de Juifs — morts et vivants — s'est rangé sur un embranchement et s'est arrêté.

Puis j'ai entendu les gardes S.S. à l'extérieur. Ils se plaignaient en nous maudissant, nous les esclaves, du dérangement et des fatigues. On a ouvert l'énorme porte de fer du wagon. Sous la bouffée d'air putride, les S.S. ont reculé. Ils sont revenus et ont jeté plusieurs seaux d'eau sur la masse humaine puante qui était à l'intérieur.

Je me suis avancé vers la porte ouverte pour respirer. Des Allemands employés du chemin de fer parlaient aux gardes. Ils voulaient savoir d'où venaient les esclaves.

Tout d'un coup, je me suis entendu demander : « Où sommes-nous ? »

A ma grande surprise, alors que les S.S. restaient silencieux, un des ouvriers m'a dit : « Tu es à Dresde, espèce de parasite ! Ça ne te plaît pas ? Nous aussi, nous souffrons, et à cause de vous les Juifs ! »

Je les ai regardés sans y croire. Ils m'accusaient, ainsi que ceux qui étaient dans le wagon, de leurs défaites sur les champs de bataille. Ils nous reprochaient leurs morts et les restrictions. Nous, les esclaves. Presque morts et toujours coupables.

J'ai détourné les yeux.

Le lendemain matin, on a à nouveau plombé les portes et le train a repris son interminable voyage. Personne n'avait pu s'échapper. Personne n'avait sauté. Personne n'avait même essayé. Comment aurions-nous pu ? Nous étions maigres et démoralisés, affamés et assoiffés. Nos vêtements puaient. Nous avions les bras tatoués. Nous avions une bande rasée au milieu de la tête, le *Lausestrasse,* le boulevard des poux. Nous avions à peine la force de marcher. En outre, où aurions-nous pu aller ? Nous étions maintenant en Allemagne où chaque être humain n'avait qu'un souci, celui de nous exterminer.

Par la fenêtre fermée de fil de fer barbelé, j'ai remarqué que nous entrions dans une région montagneuse. La voie ferrée traversait en serpentant de petites forêts et passait dans des tunnels. Nous grimpions de plus en plus dans les montagnes.

Le lendemain, le train s'est enfin arrêté dans une

petite gare. D'après la pancarte nous étions dans le village de Floss. Je n'en avais jamais entendu parler et je n'avais aucune idée de l'endroit où nous nous trouvions. La moitié seulement des esclaves ont réussi à sortir des wagons. Ceux qui pouvaient marcher ont été mis par rangs de cinq. Puis nous avons marché pendant deux heures environ, plus loin dans la montagne jusqu'à un endroit appelé Flossenburg.

C'était un énorme camp de concentration isolé. Tandis que nous nous approchions des portes, j'ai compris pour la première fois l'immensité du système d'assassinat de masse de l'Allemagne. J'ai regardé l'énorme pancarte au-dessus de la porte :

« *Jedem Das Seine. Arbeit Macht Frei.* A ceux qui le méritent. Le travail c'est la liberté. »

La phrase était totalement ironique. Le genre de travail que les Allemands obtenaient de nous était en effet libérateur. Il nous libérait de la vie.

35

Flossenburg était un immense camp qui comptait au moins vingt-cinq mille prisonniers. C'était un *Straflager,* un camp à traitement spécial pour les ennemis du Troisième Reich. Situé au sommet d'une montagne, il dominait de riantes vallées. La vue était admirable mais sans importance pour nous, les esclaves. Nous n'avions plus la capacité d'admirer les beautés de la nature.

Les esclaves étaient principalement des prisonniers politiques allemands, des droit commun, des homosexuels, des Tchèques, des Russes, des Français et des Polonais — tous des chrétiens. Nous étions les premiers Juifs. La plupart des prisonniers travaillaient dans une usine souterraine voisine, la 2004, où l'on montait des avions de combat Messerschmitt. Ils travaillaient par roulements de douze heures, souvent interrompus pour des appels sur l'*Appelplatz.* S'il manquait un seul prisonnier, les vingt mille autres devaient attendre pendant des heures qu'on le retrouve. Il semblait qu'un Juif était plus important pour les Allemands qu'un avion de combat. Il fallait qu'il soit comptabilisé, mort ou vivant.

Les autres prisonniers, plusieurs milliers d'esclaves appartenant au groupe du *Straf,* étaient condamnés à casser des pierres dans la carrière de Steinbruch, en haut des montagnes. Un travail épuisant, une épreuve terrible.

Une élite d'une centaine de prisonniers, pour la plupart des Allemands, assurait le service du camp — la cuisine, les magasins, la désinfection des chambres — et d'autres travaux peu éprouvants.

A Flossenburg, il n'y avait que des S.S. allemands, des officiers et des gardes. On ne voyait aucun soldat ukrainien en uniforme noir. L'administration intérieure était assurée totalement par des kapos allemands. Ils étaient chefs d'équipe, de baraques, et tenaient les registres. Ils étaient souvent aussi cruels que les S.S. eux-mêmes. En accord avec la politique allemande qui consistait à cacher la véritable nature des camps, tous les dimanches après-midi, un orchestre jouait Wagner et Beethoven au milieu de l'*Appelplatz.* Les musiciens étaient évidemment des prisonniers.

Flossenburg se vantait aussi de posséder son propre bordel. Pour y aller, il fallait obtenir un permis spécial. Mais on n'en distribuait qu'à ceux qui collaboraient avec le système — c'est-à-dire les kapos. De toute façon, les rares privilégiés étaient ceux qui avaient suffisamment de force pour avoir des désirs sexuels. Les kapos avaient aussi à leur disposition des cantines spéciales où ils pouvaient acheter des cigarettes, du tabac, de la bière et d'autres articles « de luxe ».

Bien qu'il soit classé comme camp de concentration et non d'extermination, Flossenburg n'en avait pas moins une chambre à gaz et un four crématoire. Ils étaient plus petits que ceux d'Auschwitz ou de Maïdanek mais étaient aussi efficaces. Ils fonctionnaient sans discontinuer et plusieurs centaines de cadavres y passaient chaque jour.

A notre arrivée au camp, on nous a obligés à subir une *Entlausung,* une désinfection. C'est-à-dire que nous avons dû rester toute une nuit nus dans une pièce froide et humide où des S.S. et des kapos nous ont brutalisés.

Au matin, toujours nus, on nous a mis en rangs de cinq pour la « sélection ». Je savais ce que voulait dire le mot. Les sélections dans le ghetto de Varsovie et à Maïdanek étaient encore vivantes dans mon esprit.

L'*Haupsturmführer* Gruber, le médecin-chef du camp, est apparu suivi de plusieurs S.S. Il avait l'air intelligent et portait des lunettes cerclées d'or. Mais il y avait dans ses yeux une lueur dure et froide. C'est lui qui allait choisir ceux qui vivraient et ceux qui mourraient.

Je suivais tous ses gestes avec terreur. C'était un homme rapide, efficace, et actif. Il a descendu les rangées de prisonniers en les évaluant du regard et en les désignant avec son fouet. Ceux qu'il indiquait étaient marqués au front d'une croix rouge. Mais que signifiait la croix ? La vie ou la mort ? Je craignais le pire.

Quand le commandant Gruber s'est approché, j'ai redressé mon corps nu, j'ai rentré l'estomac et je me suis efforcé de sourire. Le commandant m'a regardé durement. Il m'a tourné la tête pour me regarder de profil. Puis il s'est éloigné.

J'avais envie de crier : « J'ai réussi ! » Je n'avais pas de croix.

Quand la sélection a été terminée, on a donné l'ordre à ceux qui avaient une croix rouge, presque le tiers d'entre nous, de remettre les vieux vêtements. On les a conduits dans un endroit appelé la

« Soue à cochons ». Il n'était pas nécessaire de gaspiller des uniformes rayés pour eux. La Soue à cochons, quatre baraques situées à l'écart du camp, était installée au-dessus du four crématoire. Ceux que les S.S. jugeaient inaptes pour le travail ou incapables d'être encore utilisés y étaient entassés. Après quelques jours, ils s'en allaient en fumée.

J'ai été affecté au Bloc 4, haut dans la montagne. Avec les forces qui me restaient, j'ai commencé à escalader les marches de pierre qui conduisaient à ma baraque. Mes nouveaux pantalons rayés étaient trop grands, ma veste trop petite, et mes sabots de bois lourds et inconfortables. J'ai à peine réussi à atteindre ma couchette pour m'effondrer.

Une silhouette géante s'est détachée dans l'entrée du bloc, devant nous. Il portait un uniforme de prisonnier impeccablement repassé, tenait un fouet à la main et souriait de façon cruelle. Il n'avait pas la tête rasée comme nous. Ses longs cheveux étaient tirés en arrière. Le triangle vert et le numéro cousus sur le côté gauche de son uniforme indiquaient que c'était un prisonnier de droit commun et le « D » signifiait *Deutscher,* Allemand. Nous nous sommes tous arrêtés effrayés avant qu'il n'ait hurlé son premier mot : « *Halt !* »

Il a changé son fouet de main et nous a contemplés. « Mon nom est Alois. On m'appelle " Le Sanguinaire ". Je suis votre nouveau kapo. Je vais vous donner le règlement.

» On ne chie pas et on ne pisse pas sur les couchettes. Pas de diarrhée. Pas de vols. Pas de marché noir. Et pas de désobéissance ! La première fois que vous enfreindrez une de ces règles, vingt-cinq coups de fouet. La seconde... » Il n'a pas dit quelle était la punition.

Un par un, nous sommes passés devant ce

monstre et nous sommes entrés dans la baraque. Soudain, j'ai senti son fouet. J'ai eu envie de crier de douleur, mais je me suis retenu. Je savais déjà pourquoi on l'appelait « Le Sanguinaire », et je ne voulais pas l'irriter encore plus. Dans l'enfer de Flossenburg, le Bloc 4 était ce qu'il y avait de pire. J'étais plein de colère et d'amertume d'avoir échoué ici.

A l'aube, Alois nous a répartis en équipes de travail. Il a accompagné cinquante d'entre nous. Nous avons descendu le long escalier, nous avons traversé l'*Appelplatz,* nous avons dépassé la Soue à cochons et nous sommes allés jusqu'à la limite de la montagne. J'ai regardé en bas et j'ai reculé d'horreur. La vallée entière était couverte de fumée. Mais dans des trouées, je pouvais voir des corps nus empilés. Ils étaient alignés pour le four crématoire qui était en pleine activité.

Soudain, j'ai entendu un hurlement : « Porcs ! Sales Juifs ! Qu'est-ce que vous faites là ? Allez chercher les *Musulmänner !* »

C'était un S.S. qui nous donnait l'ordre de vider les baraques de la Soue à cochons des vivants ou des morts.

« Ici ! » Il indiquait le bloc 23. « Videz-moi ça ! Mettez-les en tas de six. »

Des douzaines de cadavres m'attendaient à l'intérieur du Bloc 23. La plupart des corps de vingt-cinq ou trente kilos respiraient encore. Ils avaient les lèvres closes mais les yeux exorbités me suppliaient.

Le fouet d'Alois a claqué. « *Los ! Schnell !* Sortez-moi ça ! »

Nous avons commencé à transporter les corps. Je sentais leurs os. Pas une once de chair. La peau était comme des gants et aurait pu facilement quitter les squelettes. C'était une masse anonyme.

Je ne pouvais supporter ces corps, ces lèvres couvertes d'écume. Je les regardais dans les yeux et ils me regardaient tandis que je les transportais vers leur désintégration en cendres. Je les regardais dans les yeux en y cherchant la peur mais je n'y voyais que l'apathie et l'innocence. C'est moi qu'ils regardaient et non les flammes rouges et violentes qui les consumaient. Ils vivaient et pourtant n'avaient pas peur du feu. Est-ce que l'apathie et l'innocence sont plus fortes que la haine, la peur et la colère?

Le fouet d'un soldat m'a soudain cinglé le dos et m'a tiré de mes pensées. J'ai jeté le corps que je portais. J'ai senti la douleur du coup de fouet et je me suis réjoui de pouvoir encore ressentir la douleur et la peur. Je voulais toujours survivre. Plus que jamais.

Cette nuit-là, je n'ai pas pu dormir. Les grands yeux bruns. Les grands yeux bleus. Les grands yeux verts. Des millions d'yeux n'ont cessé de me regarder toute la nuit. Je détestais la Soue à cochons. J'avais envie de crier, de pousser un fantastique hurlement, les yeux grands ouverts. J'avais peur de moi-même. J'avais peur de devenir fou. Je ne pourrais plus regarder tous ces yeux.

Il fallait que je trouve un autre endroit pour travailler avant que tous ces yeux ne me rendent fou.

Les semaines ont passé et j'ai continué à transporter des corps. Je cherchais une issue. J'utilisais tous les moments de liberté, pendant les repas, les pauses, sur l'*Appelplatz,* pendant les concerts dominicaux. Je parlais aux prisonniers et aux kapos. J'ai même essayé de parler à certains S.S. mais c'était dangereux.

A la fin, je me suis lié d'amitié avec Karl de Stuttgart. C'était un droit commun qui travaillait à la désinfection. C'était un type dur qui hurlait contre les nouveaux arrivants. Mais j'ai remarqué qu'il levait rarement la main sur eux.

Mon amitié envers lui a fini par payer. « Fais-moi transférer pour travailler avec toi, Karl, et tu deviendras riche. Je te donnerai de l'or et de l'argent. »

L'absurdité de ma suggestion, vu mon statut d'esclave, a amusé Karl. Cela le faisait rire et il m'appelait *Scheisskopf*, tête d'emmerdeur. Mais il était flatté que j'aie envie de travailler avec lui. Et il pensait que je pouvais peut-être l'aider à mettre la main sur les quelques objets de valeur que certains prisonniers avaient réussi à cacher et qui lui donneraient plus de pouvoir et de prestige. Je lui ai fait la cour pendant des semaines et Karl a enfin cédé. Il s'est arrangé pour me faire transférer à l'*Entlausung,* la désinfection, comme l'un de ses aides.

Une vingtaine d'autres prisonniers, pour la plupart des chrétiens allemands et tchèques, y travaillaient aussi. J'étais le seul Juif. Le travail n'était pas trop dur, la nourriture abondante et je travaillais à l'intérieur. Ce dernier avantage était important, parce qu'avec les mois qui passaient, je me suis retrouvé à l'abri du froid et de la neige qui sont arrivés tôt dans cette région de montagnes. En plus, on m'a donné des vêtements supplémentaires, des sous-vêtements, des chaussettes et même un pull-over.

Bientôt, j'ai fait partie de l'élite, un prisonnier avec des relations.

En règle générale, les Juifs qui arrivaient à Flossenburg semblaient ne rien posséder. Les Nazis les avaient dépouillés de tout depuis longtemps.

343

Cependant, certains arrivaient à cacher des pièces d'or ou d'autres objets précieux. Mais les obtenir pendant la désinfection était à peu près impossible. Quand les prisonniers entraient à l'*Entlausung,* ils étaient nus. Et quand ils sortaient, les S.S. leur inspectaient le corps avant de leur donner leur nouvelle tenue de prisonniers. Les objets précieux trouvés dans les vêtements et sur les corps étaient réunis et enregistrés par un S.S. *Schreiber.* On les envoyait au trésor du Reich à Berlin.

Comme je parlais yiddish, Karl m'a confié la réception des nouveaux arrivants avant l'*Entlausung.* J'avais pour tâche d'essayer de les convaincre de me donner ce qu'ils avaient de précieux avant d'entrer dans les salles de douche. En échange, je leur promettais du pain ou de la soupe pendant un certain temps. Obtenir certains privilèges ou perdre tout en risquant d'être battu. Je donnais ensuite les objets précieux à Karl qui me fournissait en échange toute la nourriture dont j'avais besoin pour tenir mes promesses.

Afin de mieux assurer ma sécurité et mon prestige, Karl a remplacé mon triangle jaune portant la lettre J, Juif, par un triangle rouge avec un P, chrétien polonais. Mon numéro de prisonnier était P-14461. La marque était soigneusement cousue sur le côté gauche de ma veste et au-dessus du genou droit de mon pantalon. A partir de ce moment, l'administration S.S. du camp m'a officiellement considéré comme un chrétien aryen.

36

Le bordel de Flossenburg était un établissement de choix situé derrière le *Lazarett,* l'hôpital, un peu à l'extérieur du camp. Pour l'atteindre, il fallait passer la première ligne de barrières, au-delà des jardins potagers privés des officiers S.S.

Le bordel était divisé en deux sections, une pour les S.S., une autre pour l'élite des prisonniers, les kapos. Grâce à Karl, j'ai pu y aller. Mais j'ai rarement utilisé la permission de satisfaire mes maigres besoins sexuels. Mais l'autorisation avait beaucoup de valeur. Elle valait dix parts de pain et quinze cigarettes.

L'accès au bordel me permettait également de parler et de faire des échanges avec les filles qui étaient toutes des prisonnières sélectionnées dans des camps spéciaux de femmes comme Ravensbrück et Struthof. La plupart d'entre elles étaient de jolies filles d'une vingtaine d'années, toutes chrétiennes. Le code S.S., interdisait formellement toute relation sexuelle avec des Juives. Aussi le bordel de Flossenburg ne comptait-il que de belles aryennes. Elles n'étaient pas volontaires. Toutes étaient contraintes à la prostitution même si certaines étaient satisfaites de leur situation à cause du statut spécial qu'elle leur procurait. Les officiers S.S. et les kapos qui venaient les voir leur donnaient de la nourriture et des cadeaux. Comme les filles n'avaient pas le droit de quitter le bordel, je les aidais souvent à échanger leurs cadeaux contre des objets de plus grande nécessité.

Mme Wilhelmine, une énorme femme, officier S.S., dirigeait la maison. Elle était exacte, brutale, méprisait les filles et confisquait souvent les cadeaux qu'elle trouvait. Aussi je devais les faire sortir rapidement, avant que Wilhelmine ait mis la main dessus.

Une des plus jeunes filles du bordel, une Française, s'appelait Yvonne ; elle avait dix-neuf ans et venait de Nancy. Elle m'aimait bien et me racontait tout sur elle-même. A dix-sept ans, elle avait aidé son frère à échapper à la Gestapo. En fin de compte, ils avaient été pris tous les deux. Ils avaient fusillé son frère et l'avaient envoyée à Ravensbrück. Après deux ans aux mains des Nazis, Wilhelmine l'avait fait sortir de Ravensbrück et l'avait amenée à Flossenburg. Yvonne n'avait eu aucun soupçon sur sa nouvelle profession avant d'être installée dans le bordel avec dix autres filles. Mais maintenant elle l'acceptait pour survivre. Elle était réservée exclusivement aux officiers S.S.

Magda était une Polonaise de Varsovie. Elle aussi avait souffert près de deux ans dans les camps. Elle avait été arrêtée dans les rues de Varsovie et envoyée au travail obligatoire en Allemagne. Tandis qu'elle travaillait comme bonne chez un responsable nazi, elle s'était liée d'amitié avec un soldat allemand en permission. Son « employeur » avait découvert la liaison et l'avait envoyée dans un camp de concentration. Son amoureux, qui avait violé le code nazi en ayant une relation personnelle avec une femme slave de race inférieure, avait été envoyé sur le front russe.

Comme Yvonne, Magda avait été recrutée à Ravensbrück. Elle était issue d'une famille d'intellectuels et se lamentait souvent auprès de moi sur son sort. Elle parlait fréquemment de suicide.

Nous venions tous deux de Varsovie et cela nous réunissait. Elle comprenait mon attitude devant la vie et était fascinée par mes histoires sur le soulèvement du ghetto. Je lui ai parlé de ma famille et de mon amour pour Halina. Elle n'avait aucun préjugé antisémite et m'écoutait toujours avec patience et sympathie. Nous nous réconfortions mutuellement. Il y avait d'autres filles avec qui je parlais souvent mais Yvonne et Magda étaient celles que je connaissais le mieux. Nous avions confiance les uns dans les autres.

Nous graissions souvent la patte à Wilhelmine. Parfois, elle me laissait entrer au bordel sans me demander mon précieux permis.

Méchante et rancunière, Wilhelmine enviait l'amitié de certaines filles avec les officiers S.S. Un jour, elle a reconduit une douzaine d'entre elles à Ravensbrück. Elle est partie pendant plusieurs jours et Yvonne, Magda et moi, nous avons profité de son absence. Nous savions cependant qu'elle reviendrait bientôt avec une nouvelle fournée de chair fraîche, des jeunes filles qui devraient se soumettre aux désirs des brutes S.S. et des kapos. Comme prévu, Wilhelmine est arrivée le dimanche matin avec un lot de filles terrorisées. Elles ne savaient pas ce qui les attendait. La réalité leur est vite sautée au visage.

« Jacku, qu'est-ce que tu as fait toute cette semaine ? » m'a demandé Magda quand je suis arrivé quelques jours plus tard. Elle m'a conduit dans sa petite chambre, m'a fait asseoir sur son lit et a commencé à me parler d'une des nouvelles sans reprendre son souffle. « Elle est de Varsovie. Elle est blonde et très belle. Elle n'a que dix-huit ans. Et elle s'appelle Halina ! »

J'ai frissonné. J'ai quand même réussi à dire : « Halina ? »

Magda a approuvé.

« Où est-elle ? » J'ai bondi sur mes pieds et j'ai couru vers la porte.

Magda m'a retenu. « Non. Reste ici. N'y va pas. Il y a quelqu'un avec elle. » Sa voix est devenue amère. « Wilhelmine lui a donné comme tâche de servir les S.S. En fait, elle est avec l'*Obersturmführer* Krauze. Il l'aime bien. C'est la seconde fois qu'il vient la voir en trois jours. »

Je pouvais à peine respirer. Ou parler.

Magda a deviné mes pensées. Elle m'a saisi les bras. « Ce n'est sûrement pas la Halina que tu connais, Jacku. C'est impossible.

— Je... je... ne... je ne peux pas...

— Pour l'amour du Christ ! Ton Halina est juive. Pas celle-ci. Elle ne pourrait pas être juive. Ils ne l'auraient pas amenée ici. En outre, elle n'a pas l'air juive. Je suis sûre qu'elle est catholique.

— Mais Magda, cela correspond tout à fait à Halina. Elle peut passer pour une catholique comme toi.

— Saint Père ! Alors, c'est peut-être elle. Quand je lui ai parlé de toi, elle s'est contractée. » Elle a fait un signe de croix et s'est assise. « Attends ici, Jacku. Elle va venir dans un petit moment. »

J'étais assis près d'elle, effrayé et silencieux. Et si c'était Halina ? Que faire ? « Si c'est elle, je deviens fou, ai-je murmuré. Je deviens complètement fou. »

Magda a essayé de me réconforter. « Tout ira bien, tout ira bien, tu verras. Je vais prier pour vous deux. Mais il y a un autre problème. C'est pour cela que je voulais te voir. Elle est malade. Elle a besoin de médicaments. C'est l'estomac. Elle pleure toute la nuit.

— Qu'est-ce qui ne va pas ?

— C'est un ulcère. Mais elle a peur de le dire à Wilhelmine. Elle l'enverrait à l'hôpital.

— Non, c'est trop dangereux, ai-je dit. Ils y font des sélections. Ils l'enverraient aux chambres à gaz. Ne la laisse jamais partir au *Lazarett.* »

Soudain, la porte s'est ouverte.

Magda et moi, nous avons cessé de parler.

J'ai levé les yeux en retenant ma respiration. Une jolie blonde se détachait dans la porte. Elle était sur le seuil et regardait à l'intérieur. Elle a fait un pas et s'est arrêtée brusquement. Elle était grande et mince. Elle avait un visage pâle et des pommettes saillantes, des cheveux courts et des yeux bleus et tristes.

Je me suis levé et j'ai fait quelques pas. Je ne pouvais en croire mes yeux. C'était Halina. Mon Halina. Ma chère, très chère Halina. Nous restions sans bouger, immobiles. Incapables de parler. Mes yeux se sont couverts de larmes. Elles ont commencé à couler sans que je puisse les contrôler, comme si un robinet s'était ouvert.

Halina elle aussi a commencé à pleurer. A travers la brume qui me couvrait les yeux je pouvais voir ses larmes couler.

Quelques instants plus tard, nous nous sommes rapprochés. Je l'ai prise contre moi. Elle me serrait étroitement. Ses bras hésitaient dans mon dos. Elle essayait de trouver la façon de me prendre dans ses bras. Pour que je devienne une part d'elle-même. J'ai enfoui mon visage dans le creux de son épaule. Dans ses cheveux. Elle sanglotait. Nous sommes restés ainsi quelque temps.

A la fin, j'ai repris mon souffle. J'ai posé mes mains sur son beau visage.

« Halina... Halina... »

« Jacku... »

Magda s'est levée et est sortie sur la pointe des pieds. Elle pleurait doucement en fermant la porte derrière elle.

« Halina ; Dieu soit loué, tu es vivante !

— *Kochanie.* Oui, je suis vivante. Mais je voudrais mourir. Qu'est-ce qu'ils ont fait de moi ? Comment vivre ainsi ? Dis-le-moi !

— S'il te plaît, Halina. Ne parle pas. Ne dis rien de plus. Tu es vivante. Il n'y a que cela qui compte. Je t'aime.

— Mais je ne peux pas continuer comme ça. Même pour survivre. Je ne pourrai pas. Je sais que je ne pourrai pas. »

Soudain, la porte s'est ouverte violemment. Wilhelmine. « Je savais bien que tu te cachais quelque part, *du Drecksack,* sac d'ordures », m'a-t-elle crié. Elle m'a attrapé par le bras et m'a poussé vers la porte. « Dehors, et ne reviens pas avant trois jours ! »

Pendant quelques instants, j'ai regardé, au-delà du visage horrible et gras de Wilhelmine, ma chère Halina qui semblait si fragile à côté. Perdue. Effrayée. Si belle.

J'avais l'impression qu'un étau me serrait lentement le cœur.

« *Raus ! Los !* »

J'ai tourné le dos et je suis parti.

37

« Qu'est-ce qui ne va pas ? » m'a demandé Karl, le lendemain. Je n'avais pas dormi de la nuit et j'étais complètement hébété.

Je lui ai menti. « Rien. J'ai besoin de dormir. J'ai envie d'un *Schnaps*.

— T'as besoin de baiser ! C'est ça qui ne va pas. »

J'ai refusé de lui dire ce qui me tourmentait. J'ai disparu dans un des dépôts où j'avais caché une bouteille de vodka. J'ai tout bu et je me suis saoulé. Quand je me suis réveillé des heures plus tard, j'avais horriblement mal à la tête et envie de vomir. J'avais dormi presque toute la journée.

J'ai traversé les salles de désinfection.

« Hé ! *Du Lieber*, camarade, a dit Karl en plaisantant. Arrête de te conduire comme une prima donna. Tout le monde parle de toi. » Il m'a attrapé par ma chemise et m'a secoué. « Je me fous de ce que tu as dans la tête. Mais tu as intérêt à reprendre tes esprits avant que l'*Oberscharführer* n'en entende parler. Il se fout pas mal de tes problèmes. Et ne me fais pas avoir d'ennuis.

— Karl, j'ai un problème, ai-je fini par reconnaître. Viens me retrouver au Bloc numéro 2 après l'appel. Je te raconterai. »

Karl a hésité. Il voulait aller au bordel mais quelque chose dans mon comportement l'a fait changer d'avis. Plus tard, ce soir-là, je lui ai expliqué ma situation. J'avais peur de ses réactions mais j'avais besoin de lui. Karl m'a écouté puis il s'est mis à jurer selon son habitude.

« *Du Speckjäger, du Mistiger !* Ta petite amie est là, sous ton nez. T'as qu'à aller la voir et la baiser ! Et tu te plains ! (Il a ri.) Si elle est si belle que ça, donne-moi son nom, et je vais la baiser aussi. »

Il a refusé de voir le problème, il m'a donné une claque dans le dos et s'est en allé. J'étais plus en colère et troublé que jamais.

A ma grande surprise, il est revenu quelques minutes plus tard.

« Je sais que tu es amoureux, a-t-il dit. Et c'est un sacré casse-tête. J'ai été amoureux une fois, et ça a failli me perdre. En fait, c'est pour ça que je suis dans ce camp — à cause de cette pute. » Il s'est penché vers moi et m'a promis de m'aider, si c'était possible.

Le lendemain, j'ai trouvé des médicaments pour Halina. Contre une entrée au bordel, le kapo du *Lazarett* m'a donné plusieurs flacons d'un liquide laiteux. Puis j'ai acheté des bas de soie au marché noir pour amadouer cette garce de Wilhelmine. Plus que jamais j'avais besoin de sa coopération. Il fallait qu'elle m'autorise à voir Halina. Pourtant, il ne fallait pas qu'elle soit au courant de nos relations.

Le lendemain soir, je suis parti au bordel avec un salami et trois paires de bas de soie. Je suis passé par l'entrée des S.S. qui était interdite, et je suis allé droit dans le bureau de Wilhelmine. J'ai déposé mes cadeaux devant elle. Agréablement surprise elle a légèrement souri et m'a dit : « *Mach dass du raus kommst.* Passe par l'autre côté. Tu n'as pas le droit par ici. »

L'autre côté. C'est exactement ce que je voulais entendre. Quelques minutes plus tard j'étais dans les bras d'Halina. Magda a fermé la porte et a fait le guet dehors.

Depuis tant de mois, survivre m'avait pris toutes mes forces. Je n'avais même pas pensé à faire l'amour. Mais maintenant j'étais dans les bras d'Halina après avoir rêvé d'elle pendant si longtemps. Notre besoin n'était pas sexuel. C'était un désir urgent et presque suicidaire de nous consumer l'un l'autre. De nous unir et de disparaître dans un autre monde. Nous avons à peine parlé. Nous avons fait l'amour, nous avons pleuré en nous regardant dans les yeux.

Magda a frappé à la porte. Je savais que mon temps était terminé. Nous nous sommes habillés rapidement. Je lui ai promis de revenir bientôt avec de nouveaux plans. Halina m'a embrassé une dernière fois et je lui ai demandé d'être courageuse, de tenir, n'importe comment.

« Jacku, sais-tu ce que ta mère m'a dit quand nous nous sommes séparés à Maïdanek ? Elle m'a dit : " Halina, Jacek survivra. Aussi prends soin de toi si tu ne veux pas qu'une autre femme te le prenne. " Tu vois, je n'ai pas le choix. Je dois survivre. »

Je l'ai embrassée, je lui ai donné le médicament et je me suis sauvé.

Il fallait que je trouve un moyen pour renvoyer Halina à Ravensbrück. A Flossenburg elle allait dépérir. Son désespoir aggraverait son ulcère. Et son ulcère la tuerait. Le médicament ne l'aiderait pas. Halina était incapable de mettre son corps à la disposition des S.S. Le fait que je sois près d'elle ne faisait qu'empirer la situation.

En outre, je tomberais malade moi aussi.

J'ai à nouveau demandé l'aide de Karl. Il a secoué la tête sans en croire ses oreilles. « *Du lieber, du hast richtige jüdische Chutzpe!* Tu as le culot de me demander ça ! » Il m'a regardé avec curiosité. « D'accord, je vais en parler à l'*Oberscharführer.* Je vais lui dire que c'est ta sœur. On va bien voir ce qu'il va dire. »

Je ne pouvais plus dormir, à peine manger. J'attendais la réponse de Karl. J'accomplissais mes tâches quotidiennes mécaniquement.

Chaque matin, nous nous réunissions sur l'*Appelplatz.* Cela commençait avec la voix du chef kapo qui hurlait et qui sifflait pour que tout le monde s'assemble. En quelques minutes, plus de vingt mille esclaves s'alignaient par rangs de cinq et en groupe de cent. On devait même descendre les cadavres de ceux qui étaient morts pendant la nuit pour qu'ils soient comptés. Les gardes S.S. bouclaient la place. Les retardataires étaient punis ou fusillés. Le commandant du camp arrivait bientôt et le responsable de l'appel faisait son rapport. Tant aptes au travail. Tant de malades. Tant de morts. Tant pour la Soue à cochons pour être liquidés. Le colonel S.S. Stawitsky faisait toujours un discours.

« Nous, les S.S., tonnait-il, nous exigeons la propreté et vous, bande de porcs, vous vous opposez aux douches et à la désinfection. Nous, les S.S., nous nous conduisons en camarades loyaux et vous, vous vous volez les uns les autres. Bande de porcs, vous vous cachez dans les baraques ou vous volez des épluchures de pommes de terre au lieu d'écouter les concerts symphoniques du dimanche ! »

J'étais en rage. J'utilisais toutes mes forces pour m'empêcher de hurler : « Espèce de brute, tu oses nous faire des sermons d'éthique et de morale ! Qu'as-tu fait à Halina ? Qu'as-tu fait à chacun d'entre nous ? Lequel est le porc ? »

Plusieurs jours se sont passés avant que Karl ne vienne me voir. Il m'a injurié jovialement et m'a donné une claque dans le dos. « *Heute Abend,* au Bloc 23. C'est là qu'est Hans, *das Arschloch,* ce trou du cul. On se retrouve là-bas cette nuit, *verstanden ?* »

Je lui ai fait un sourire. « *Jawohl !* »

Le soir, Karl a parlé et bu pendant des heures. Il n'arrêtait pas de se verser de la vodka fabriquée sur place. Il parlait de tout puis il m'a enfin entraîné dans la petite chambre de Hans, le kapo du bloc.

« Tout est prêt, *du mistiger.* L'*Ober* va arranger les choses avec Wilhelmine. Il pense que tu peux offrir dix pièces d'or.

— Mais Karl, c'est...

— Oui, c'est une fortune. Mais c'est le prix. Ne me regarde pas comme ça. Je ne te fais qu'une faveur. Ne sois pas *schlau,* si mesquin. » Il semblait gêné.

Le prix était élevé, mais j'avais enfin un accord définitif, je pouvais me mettre au travail. J'ai versé de nouveaux verres de *schnaps* et j'ai trinqué à « Karl au grand cœur ». Cela lui a plu et nous avons continué à boire jusqu'au couvre-feu.

J'ai bien dormi cette nuit-là. Même si je n'avais pas les dix pièces d'or j'avais un arrangement. J'allais chercher et emprunter. Je savais que j'avais une bonne réputation dans le marché noir et que mes amis m'aideraient.

Le dimanche matin, je me suis précipité au bordel. Ce n'était pas un moment habituel pour y aller mais j'avais besoin de parler. En outre, Wilhelmine était plus indulgente le dimanche. J'avais déjà vu Halina plusieurs fois mais maintenant j'avais un plan. Le destin ferait le reste.

Halina et Magda étaient encore couchées. Magda a voulu nous laisser seuls mais je l'ai arrêtée. « Ferme la porte et reste ici. Je veux vous parler à toutes les deux. Maintenant. »

Halina s'était affaiblie et avait maigri. Cela m'a fait peur. « J'ai trouvé un moyen pour te faire retourner à Ravensbrück, comme inapte au travail. Tu vas y retourner comme *Häftling,* prisonnière. » Je me suis adressé à Magda. « Tu voudrais y aller aussi ?

— Oh, oui, Jacku. Oui. Si tu peux, oui ! Nous resterions ensemble, Halina et moi. Et je pourrais l'aider. Je veillerais sur elle.

— Ils doivent renvoyer au moins quatre ou cinq filles ensemble, ai-je continué. Vous pouvez faire partie du groupe. »

Magda délirait de joie, mais Halina m'a soudain pris la main en me regardant dans les yeux.

« Jacku, *kochanie,* mon amour, je ne viens pas de Ravensbrück.

— Qu'est-ce que tu veux dire ? Tu es arrivée dans le dernier groupe. Wilhelmine vous a toutes ramenées de Ravensbrück, non ?

— Kochanie, c'est une longue histoire. Essaie de comprendre. »

La peur a assombri son regard quand elle a vu comme j'étais bouleversé.

« Je n'étais qu'en quarantaine à Ravensbrück. Je n'avais pas de numéro. Je n'y travaillais pas. Je venais d'arriver quand Wilhelmine est venue. Si j'avais su qu'elle m'amènerait ici, je me serais tuée. Il m'a dit de lui faire confiance, de le croire. Il disait qu'il arrangerait tout. Il avait l'air tellement sincère. Un vrai salaud de gentleman !

— Halina, s'il te plaît, calme-toi ! ai-je dit. Je ne comprends pas ce que tu dis. De qui parles-tu ?

— C'est une longue histoire, Jacku. Tant de choses sont arrivées. Comment te faire comprendre ?

— Essaie, Halina, s'il te plaît. Je t'écoute. Je veux savoir tout ce qui t'est arrivé. Il faut que je sache pour t'aider à sortir d'ici. D'accord ? Mais va lentement et ne t'énerve pas.

— Oh, Jacku, pendant tout ce temps c'est grâce à toi que j'ai pu continuer, je voyais ton visage qui me disait ce que tu m'as dis des centaines de fois : " Survis, Halina. Survis. Nous nous retrouverons à Milanowek. " C'est ce qui m'a permis de continuer, semaine après semaine. » Elle m'a posé un léger baiser sur le front. « Tu te souviens quand nous avons été séparés à l'arrivée à Maïdanek ? Je n'ai jamais oublié cet instant. Je ne t'ai jamais oublié, *kochanie*. Nuit et jour, je rêvais que je te voyais et que je te caressais une fois encore. » Elle m'a entouré de ses bras. Magda sanglotait doucement. « Nous avons été poussées dans une foule de femmes. J'ai cherché maman et Mala, mais la foule était énorme, des centaines, peut-être des milliers. Je n'ai pas pu les retrouver. Puis il y a eu la désinfection. Le petit monstre, Srulek, a assuré qu'il n'y avait pas de gaz dans les douches. Mais avec d'autres filles de Varsovie nous avons demandé aux gens de ne pas y aller. Puis, tout d'un coup, les mitrailleuses se sont mises à tirer. Des gens sont morts à côté de moi. C'était horrible. Nous n'avions pas le choix. C'était les chambres à gaz ou les balles. Lentement, très lentement, nous avons commencé à monter les marches.

» Dieu, je me souviens que j'ai fermé les yeux et que je t'ai vu qui me disais : " Survis, Halina, survis. Nous nous retrouverons à Milanowek. " Et j'étais là, devant ces douches, à une minute de ma mort. » Ses yeux se sont agrandis. « Mais il s'est passé un miracle ! Nous avons entendu les tuyaux gargouiller et des jets d'eau froide ont jailli. Pas de gaz ! Pas de gaz ! Nous avons crié en nous serrant dans nos bras. Nous étions complètement étrangères. Et nous dansions, nues. Ces Hollandaises ! Je ne comprenais pas un mot de ce qu'elles disaient, mais nous riions et nous dansions comme des enfants qui jouent dans l'eau.

» Ils m'ont pris mes vêtements civils et mes belles bottes de cuir, celles que tu m'avais données, tu te souviens ? Une abjecte femme S.S. nous a donné les horribles uniformes rayés. Je pleurais. Heureusement qu'il n'y avait pas de miroir. Mais ce qui s'est passé ensuite a été encore pire ! Ils m'ont rasé la tête ! Ils m'ont complètement coupé les cheveux, comme pour un soldat ! Ils sont encore si courts, je les déteste.

» Nous sommes allées en rangs par cinq jusqu'à Maïdanek. Cela a duré des heures. Ils ont mis les femmes au travail dans un champ. C'était dur, mais rien d'extraordinaire. Il fallait nettoyer, jardiner, creuser des fossés, avec nos mains nues. La nourriture était mauvaise et peu abondante. Les femmes S.S. étaient méchantes et sadiques. Elles nous frappaient et nous molestaient constamment. Les jours et les semaines passaient lentement. Mon seul réconfort c'était de penser à toi. Je m'allongeais sur mon lit en fermant les yeux et je rêvais au jour où je te reverrais. »

Halina s'est arrêtée un instant, et Magda lui a

tendu un mouchoir et un peu d'ersatz de café froid. Nous l'avons encouragée à continuer.

« Un matin quelques officiers S.S. et quelques femmes S.S. sont venus faire une sélection sur l'*Appelplatz*. On ne savait jamais ce qui allait se passer, qui serait choisi et pour quoi. Un endroit meilleur ou les chambres à gaz ? Je n'ai même pas essayé de deviner. Un grand S.S. blond a tendu le bras et m'a touchée avec son fouet. Il a cligné de l'œil : " Dehors, *raus !* " Je me suis avancée et j'ai attendu pendant peut-être une heure avec d'autres femmes, jusqu'à ce que nous soyons deux ou trois cents. Puis ils nous ont ramenées au centre de réception, à l'endroit où nous avions été séparées, Jacku. J'avais si peur, je pensais qu'ils nous ramenaient pour nous passer aux chambres à gaz. Mais quand ils nous ont donné une ration de pain et une tranche de jambon nous n'en revenions pas. Puis nous avons marché en nous tenant par la main et en priant.

» J'ai pensé à m'enfuir. La route était déserte et couverte de brume avec des forêts de part et d'autre. J'ai pensé que je pouvais peut-être y courir et disparaître. Mais les horribles chiens m'effrayaient. Et de toute façon, j'étais en uniforme rayé, j'avais la tête rasée, où pouvais-je m'enfuir ? Quand nous sommes arrivées au centre de réception, ils nous ont fait monter dans des wagons à bestiaux qui attendaient, les mêmes que ceux qui nous avaient amenés de Varsovie. Tu te souviens des évasions, Jacku ? Nous avions encore tellement de cran et d'énergie alors. Et je suis restée assise avec les autres femmes. Nous étions comme un troupeau de moutons passifs et résignés. »

Nous sommes restés silencieux pendant quelques instants. Puis Halina a repris son histoire.

« Le lendemain matin, nous sommes arrivés à Skarzysko, un *Arbeitslager*, un camp de travail, on y fabriquait des munitions. Nous devions mettre des produits chimiques et de la poudre dans des boîtes. C'est là que je suis tombée malade, à force de respirer tous ces poisons à longueur de journée. Et c'est là que je l'ai rencontré, ce salaud !

— Qui, Halina ?

— Krupp. Alfred Krupp. Le baron. Il est venu faire une inspection à l'usine.

— Krupp ? Cette ordure ? Ce n'est pas possible !

— Si Jacku. Krupp en personne. Il est venu avec des officiers S.S. et des ingénieurs. Ils étaient tous excités. La veille, ils nous avaient fait récurer l'atelier jusqu'à ce que ça brille. Ils nous avaient même donné du savon pour que nous nous douchions. Quoi qu'il en soit, quand Krupp est passé devant moi, il s'est arrêté et m'a regardée. Et je ne sais pas pourquoi, j'ai souri. Je ne sais vraiment pas pourquoi. " Tu es juive ? " m'a-t-il demandé. J'ai crié : " Non ! Je ne suis pas juive ! Je suis ici par erreur ! "

» Je ne sais pas pourquoi j'ai dit ça. La phrase m'est sortie de la bouche. C'était absurde parce que toutes les filles qui étaient là étaient juives.

» Krupp continuait à me regarder. Puis il m'a demandé qui j'étais et d'où je venais. " Halina Litewska, ai-je dit. Je suis catholique, je viens de Varsovie. " Un de ses adjoints notait tout sur un carnet. Krupp a souri et a continué son inspection. J'ai pensé qu'ils allaient me fusiller pour avoir menti.

» Mais l'après-midi même, j'ai été convoquée à l'administration du camp où l'on m'a donné des vêtements civils. Tout le monde était suffoqué. Mais personne ne savait s'il fallait m'envoyer ou prier pour moi. Moi-même, je n'en savais rien. Je me suis assise à l'arrière d'une voiture militaire, gardée par deux gendarmes, ceux qui ont des casques. Le soir, nous sommes arrivés à Katowice.

» Ils m'ont conduite dans un hôtel très luxueux avec un immense hall. C'était plein de soldats, de gendarmes et d'officiers S.S. Ils m'ont mise dans une grande chambre au troisième étage et m'ont confiée à une femme très bien habillée, une sorte de secrétaire, Fräulein Margo. J'étais effrayée à mourir. Je m'attendais à être interrogée, torturée. Je pensais que j'étais au quartier général de la Gestapo. Mais elle m'a conduite dans une petite chambre avec salle de bains. Elle m'a demandé d'ôter mes vêtements et de prendre un bain. Je ne me suis pas occupée de ce qui allait suivre. Je suis restée dans l'eau pendant ce qui m'a semblé des heures. Depuis deux ans je n'avais pas pris de véritable bain. J'avais oublié combien c'était agréable.

» Ensuite, je suis allée dormir dans un lit moelleux, enveloppée dans une magnifique robe de soie. Tout était mystérieux et magique — j'étais passée des haillons à la richesse. Je n'arrivais pas à y croire. J'ai dormi pendant des heures. Fräulein Margo m'a enfin éveillée. Elle m'a donné une jupe, un chemisier et une paire de chaussures. Est-ce que tu te rends compte, des chaussures à talons hauts ! Je ne savais plus marcher avec. Je n'arrêtais pas de me tordre les chevilles. Il fallait que j'apprenne à marcher ! Soudain, j'ai eu des soupçons. Pourquoi est-ce qu'elle m'habillait si tard le soir ? " Il n'est pas tard, m'a dit Margo. Il n'est que dix heures. Et le baron aime dîner tard. "

» J'ai pensé que j'allais mourir. Krupp ne m'avait pas seulement fait venir, il allait dîner avec moi. Mais qu'allait-il se passer après ? Il pensait que je n'étais pas juive. J'étais totalement désemparée. Je ne savais plus quoi faire.

» Et s'il me faisait la cour et qu'ensuite il me fasse fusiller comme un chien, comme les gangsters S.S. dans le ghetto ? J'ai pensé à m'enfuir. J'avais des vêtements civils et mes cheveux avaient un peu repoussé. Je me sentais en forme.

» Fräulein Margo s'est rendu compte que j'avais peur. " Halina, ne fais pas de bêtises, m'a-t-elle dit. Tiens-toi et collabore. Le baron est un homme très bien. Mais n'oublie pas que tu es au quartier général de la Gestapo. "

» Krupp est enfin arrivé. Il était poli et élégant et la nourriture était merveilleuse. Mais je n'ai pas pu manger. J'avais mangé de la merde depuis si longtemps que mon estomac ne supportait rien. J'ai grignoté et j'ai bu un peu de vin, mais c'était encore trop et mon ulcère s'est réveillé. Je me souviens lui avoir demandé ce qui allait m'arriver, où j'irais après. Il ne m'a pas répondu. Il a seulement dit : " Fais-moi confiance. Je vais m'occuper de toi. Tout ira bien. " Il n'arrêtait pas de répéter cela.

» Quand je me suis éveillée le lendemain matin, Krupp était parti. Fräulein Margo était partie. Et ma chambre était fermée à clef. En bas, la rue était pleine de camions militaires et de soldats. Puis les S.S. ont ouvert la porte et m'ont mise dans la cave avec d'autres filles. Ils évacuaient l'hôtel et entassaient des dossiers dans des camions.

» Ils étaient tellement pressés que j'étais effrayée. Mais une des filles a dit : " Les Russes arrivent ! On peut entendre le canon. Nous serons bientôt libres ! "

» Je n'arrivais pas à y croire. Les Allemands en déroute ? Les Russes étaient-ils vraiment si près ?

» Puis une femme ivre a hurlé : " Hé ! *Kurwy*, bande de putains ! " Elle me montrait du doigt. " Oui, vous ! Vous toutes ! Quelle est la différence entre les Allemands et les Russes ? On les baisera tous. Tous !

— Ne sois pas si sûre, sale pute ! lui a répondu une des filles. Tu vas voir ce que les Russes vont te faire quand ils découvriront que tu as collaboré ! "

» J'étais stupéfaite. Je ne comprenais pas ce qu'elles voulaient dire.

» Un S.S. est arrivé et nous a conduites à la gare. Il nous a mises dans un train avec deux gendarmes et dans la matinée nous sommes arrivées à Ravens-brück. Ils nous ont mises en quarantaine et Fräulein Wilhelmine est arrivée presque tout de suite. Elle m'a regardée de bas en haut et a dit : " Nous avons besoin d'une blonde. Tu feras l'affaire. " Je n'avais aucune idée de ce qu'elle voulait dire. »

Halina s'est mise à tousser, puis s'est arrêtée pour boire un peu de café. Pendant quelques instants elle nous a regardés, Magda et moi.

» Les autres filles non plus. Nous ne savions absolument pas où nous allions ni pourquoi. Mais ce n'est pas resté un secret très longtemps. Quand nous sommes arrivées, la grosse nous a fait un discours sur ce qu'il fallait faire et sur ce qui était interdit. Nous avons tout de suite compris. Certaines pleuraient, d'autres se sont évanouies, d'autres... »

Magda l'a arrêtée. « Oui, ma chérie, nous savons ce que cela voulait dire et ce qui est arrivé ensuite. Repose-toi un peu. Tu es trop énervée. »

Halina a posé la tête sur l'oreiller et s'est détendue. Je me suis assis près d'elle et je l'ai caressée avec tendresse.

« Je pense qu'il n'y aura pas de problème, Halina. Tu vas retourner à Ravensbrück et Magda aussi. »

Magda m'a serré les mains. « Mais quand, Jacku ? Quand partons-nous ? J'ai tellement envie de partir d'ici ! Aujourd'hui ? Demain ? Oh, Halina, tu entends ? »

Halina a approuvé. « Oui, oui. Partir. Je ne pourrai pas rester longtemps ici. »

Elle a fermé les yeux de fatigue. La longue histoire qu'elle venait de nous raconter l'avait épuisée.

Je l'ai embrassée tendrement et elle a rouvert les yeux. Elle m'a pris le visage dans ses mains. « Je t'aime, Jacku. Je t'aime comme je ne t'ai jamais aimé. » Puis elle s'est endormie.

Le lundi soir, j'avais les dix pièces d'or. J'avais supplié, emprunté et fait des échanges pendant toute la journée du dimanche pour les réunir. Et maintenant, je les avais.

« *Mein lieber, du Speckjäger !* » s'est écrié Karl quand il a vu les pièces. « Je savais que tu réussirais, *du Kapitalist !* Maintenant, il te faut une voiture blindée pour les transporter. »

Ensuite tout s'est déroulé sans problème. L'*Oberscharführer* a eu ses pièces d'or. Il a payé Wilhelmine. Et elle a organisé le transfert. A la fin de la semaine, Halina, Magda et trois autres filles étaient prêtes à partir pour Ravensbrück. Wilhelmine ne s'est jamais doutée de mon intervention.

J'ai passé les dernières heures en tête à tête avec Halina. Magda faisait le guet à l'extérieur. Nous avons fait l'amour de façon passionnée. Nous nous accrochions l'un à l'autre comme s'il ne devait plus y avoir de lendemain. Nous avons fait le serment de lutter pour vivre, pour survivre et de nous retrouver à Milanowek. Je me suis enfui de la chambre. Je ne voulais plus l'épuiser. Et je ne voulais pas lui dire adieu.

38

Un matin du printemps 1945, j'étais prêt à me lever pour l'appel de six heures quand j'ai senti qu'on tirait ma couverture.

« Ils sont partis ! Ils sont partis ! criait mon ami Sasha. Il n'y en a plus dans le camp ! »

Tout d'un coup tout le monde s'est activé dans les baraques. Je me suis assis et j'ai braillé : « Qu'est-ce que tu racontes, Sasha ? Tu es devenu fou ? »

J'ai vite enfilé mon pantalon et mes sabots et je me suis précipité sur l'*Appelplatz*. Sasha avait raison. Les gardes, les soldats S.S., les nouveaux gardes de la Luftwaffe ; ils étaient tous partis ! C'était incroyable. Pas un chat. Plus de mitrailleuses. Plus de lumières. Rien qu'un ensemble vide.

Des milliers de prisonniers ont commencé à errer tout excités. Tout s'était passé si vite, de façon si étrange. Pas la moindre indication la veille au soir. La routine habituelle. Et pendant la nuit, les Allemands avaient abandonné le camp. Incroyable ! Je n'arrivais pas à imaginer que les Nazis nous avaient abandonnés, qu'ils nous avaient laissés libres, comme ça ! Trente mille prisonniers. C'était miraculeux. Quelque chose n'allait pas. Il devait y avoir un piège.

Personne n'arrivait à croire ce qu'il voyait. Des centaines de prisonniers restaient près de la triple clôture. Ils essayaient de voir s'il y avait du courant. Rien. Pas d'électricité. Les fils étaient morts. Nous aurions pu sortir par la porte ou nous glisser sous les fils de fer barbelé. Mais personne ne l'a fait. Personne n'a osé. Soudain, nous nous sommes sentis unis. Nos ennemis d'hier, les kapos, sont devenus nos amis, ils prenaient soin de nous, pour notre salut.

Le *Lagerältester,* le chef kapo, est grimpé sur une table sur l'*Appelplatz.* « Personne ne doit sortir du camp ou passer les clôtures ! a-t-il hurlé. Croyez-moi, c'est un piège. Les S.S. sont cachés dans les bois avec des mitrailleuses. Ils attendent pour nous massacrer. Ils ont besoin d'un prétexte pour nous tuer. Mais nous ne leur donnerons pas. Nous allons tous rester ici. Attendons les alliés, ici ! »

Cela semblait sensé. Les Allemands nous avaient si souvent trompés. Pourquoi pas maintenant ? Nous avons tous écouté et obéi.

C'était mon sixième printemps d'esclave. J'avais peur de croire que ce serait le dernier, que bientôt je serais libre. A chaque printemps tout avait empiré. Pourquoi celui-ci serait-il différent ?

Nous sommes restés dans le camp pendant trois jours. Nous prenions des bains de soleil sur l'*Appelplatz.* Nous mangions tout ce que nous trouvions. Nous attendions et nous écoutions les discours des kapos et des chefs de blocs.

Puis, trois jours après leur disparition, vers minuit, les Allemands sont revenus. En camions, en jeeps, à pied. Ils étaient en colère et violents. Ils sont remontés dans les miradors avec les mitrailleuses et les projecteurs. L'électricité a été rétablie. Et le couvre-feu a été renforcé. Les Allemands se sont enfermés avec nous. Les baraques se sont emplies de désespoir et de tristesse. J'ai dit à Sasha : « Nous ne leur avons pas donné d'excuse pour nous tuer. Ils sont revenus pour nous achever sans excuse. »

Le lendemain matin, à huit heures, plus tard que d'habitude, ils ont réuni les prisonniers sur l'*Appelplatz*. Mais il n'y a pas eu d'appel. Des compagnies de S.S. avec des chiens fouillaient toutes les baraques et exécutaient sur place tout Juif qu'ils trouvaient caché.

« *Juden, raus ! Alle Juden, sofort raus !* Tous les Juifs dehors ! Immédiatement ! Sur la place ! »

Les prisonniers juifs ont pris peur. Il était évident qu'ils voulaient les séparer des non-Juifs parce qu'ils leur réservaient un traitement spécial. Et ce ne pouvait être que la torture ou la mort. Lentement des centaines de prisonniers ont commencé à se rassembler. Ils ne pouvaient pas se cacher. Ils portaient tous un triangle jaune avec la lettre J sur leurs uniformes. Afin de les intimider encore plus, les S.S. ont pris certains Juifs au hasard, ceux qui hésitaient et les ont fusillés de sang-froid. Bientôt plus de trois mille Juifs terrorisés étaient au milieu de la place.

J'étais « sauvé ». J'avais un triangle rouge et un P. Pourtant je frissonnais. Il y avait tant de Juifs que je connaissais. Mon ami Sasha, qui passait aussi pour un chrétien, était près de moi. Nous faisions semblant de ne pas être concernés par le massacre. Mais il y avait assez de salauds antisémites autour de nous qui auraient crié : « *Jude ! Jude !* » s'ils avaient su. Cela aurait peut-être fait plaisir aux S.S. et leur aurait permis d'être saufs.

Mais personne ne nous a dénoncés, même si certains prisonniers me soupçonnaient d'être juif. Karl, qui savait et qui était parmi les kapos, m'a fait un clin d'œil. « *Rebecca,* disaient ses yeux, ne bouge pas. Ne fais pas un geste. »

Ils ont bientôt renvoyé les non-Juifs. Et les Juifs ont été emmenés hors du camp. L'*Appelplatz* était vide ; il n'y restait que deux ou trois douzaines de cadavres de Juifs. Ils ont été chargés sur une voiture et transportés au four crématoire, qui fonctionnait à nouveau. L'ordre régnait à Flossenburg.

39

Dès que les Juifs ont été sortis du camp, nous nous sommes demandé ce qui allait se passer. Il n'y avait pas de travail. L'usine d'aviation avait été abandonnée et dynamitée. Les filles du bordel avaient disparu. La faim est devenue insupportable. Nous, les esclaves, nous n'avions plus qu'une soupe claire et un peu de céréales. Même l' « élite » a commencé à chercher de la nourriture.

Puis, après une semaine, les chefs S.S. de Berlin assiégé ont donné des instructions. Les derniers prisonniers de Flossenburg devaient aller à deux cent cinquante kilomètres au sud, à Dachau, au cœur de la Bavière, dans une nouvelle enclave.

Le désordre est devenu indescriptible quand cette foule affamée a entendu parler de l'évacuation. Personne ne voulait emprunter la voie qu'avaient suivie les Juifs. Au milieu de la matinée, des centaines de prisonniers désespérés se sont lancés à l'assaut des cuisines et des dépôts. Ils ont enfoncé les portes, les tonneaux, les caisses, ouvert les sacs et saisi dans leurs mains tout ce qu'ils pouvaient prendre. Ils s'emplissaient la bouche, les poches et les chemises de pommes de terre, de carottes, de céréales et de pain.

Tout n'a duré que quelques minutes. Les S.S. et leurs chiens sont arrivés en half-tracks en tirant à droite et à gauche. Les chiens sont devenus fous.

Les prisonniers désespérés n'y ont pas fait attention. Ils ont continué. Malgré la pluie de balles et les flots de sang ils ont continué à voler comme des aveugles, comme des fous. Quand tout s'est terminé, des centaines de blessés et de cadavres gisaient sur le sol. Plusieurs heures plus tard, tous les prisonniers ont été convoqués sur l'*Appelplatz*.

C'était une immense colonne de cinq mille *Häftlinge,* les anciens prisonniers privilégiés. Quelques Juifs clandestins — Sasha, puis Romek et Leon, les musiciens — étaient tout près. Nous sommes partis vers les portes en rang par cinq. Plusieurs gardes tenant des sacs de grain étaient de chaque côté. Ils donnaient une poignée de céréales à chaque prisonnier. C'était la seule nourriture pour aller à Dachau. Pour parcourir soixante à soixante-dix kilomètres par jour — ou par nuit, parce qu'à partir de ce moment nous ne devions plus marcher que la nuit.

Nous marchions d'un pas rapide et sans arrêts — au moins douze heures sans repos, sans autre nourriture et sans eau. Cette épreuve a bientôt commencé à faire payer son dû. Des centaines de prisonniers ont ralenti. Les S.S. qui suivaient sur des motos, équipées de mitrailleuses, tuaient ceux qui ne pouvaient plus continuer.

J'entendais les coups de feu. Leur bruit est devenu ininterrompu. Celui qui essayait de s'asseoir pour se reposer ou qui tombait subissait le même sort. Les gardes qui marchaient de chaque côté n'arrêtaient pas de tirer. J'ai entraîné Sasha et j'ai remonté la colonne pour être aussi loin que possible des exécutions.

Après la première nuit, nous avons été parqués au sommet d'une colline que les S.S. ont encerclée. Il leur était toujours important que personne ne s'échappe. Personne ne l'a fait. Nous étions trop fatigués pour bouger. Quelques-uns se traînaient ici ou là à la recherche d'un mégot. Ils offraient leurs derniers grains pour tirer une bouffée. Pendant trois nuits consécutives notre longue colonne s'est étirée sur les routes sombres de Bavière. Nous n'avons vu personne. Même les villages que nous traversions semblaient déserts.

Après la seconde nuit de marche, j'ai eu des ampoules aux pieds. J'ai enlevé mes lourds sabots de bois et je les ai mis sur mon épaule. Puis je les ai jetés. J'ai aussi abandonné ma couverture en lambeaux. La troisième nuit, je me suis défait également de ma veste et de mon pull-over. Je marchais pieds nus avec une chemise déchirée et des pantalons humides. Mais j'étais prêt à les jeter eux aussi.

Je perdais le sens de la réalité. Je voyais des cercles autour de la lune et des étoiles. J'utilisais ce qui me restait de force et d'énergie pour ne pas m'évanouir. Les maigres rations des dernières semaines m'avaient tellement fait maigrir. Je n'étais plus qu'un paquet d'os dans un sac de peau.

Soudain j'ai revu la Soue à cochons et un frisson m'a parcouru. Non! Je n'en étais pas là. Je n'étais pas encore un *Musulman,* un squelette avec une tête énorme et rasée et d'énormes yeux exorbités. Un *Musulman* est apathique et ne sent plus la douleur. Son cerveau ne communique plus avec son corps. Il ne peut plus accepter des messages de peur ou de passion. Son cerveau ne peut plus que contempler la mort. Non! pas moi. Pas encore! Je peux encore ressentir la douleur et la colère. Je peux encore désirer une vengeance. Je peux encore survivre.

Oui ! Je voulais encore survivre. J'ai senti que ce serait mon dernier grand effort. Que j'en serais récompensé. Je ne savais pas comment. Je ne pouvais plus rien prévoir. Je voulais seulement être le dernier Juif sur la terre. Je voulais marcher jusqu'au bout de mon voyage, dans la grande salle d'exposition du Musée du Monde. L'humanité s'extasierait devant moi, le survivant, qui avait réussi l'impossible. Ils s'extasieraient devant moi, le dernier spécimen vivant de cinq mille ans de civilisation juive. Les Alliés goûteraient la gloire de leur victoire. Le Troisième Reich croupirait dans ses ruines. Mais moi, le survivant, je serais condamné pour toujours, incapable de me réjouir, incapable d'oublier.

Les mitrailleuses m'ont arraché à mes rêveries. Les S.S. tiraient à nouveau. La colonne devait continuer. J'ai vu les S.S. juste derrière moi, sur leurs motos. Je me suis pressé pour m'éloigner. Mais la colonne continuait à diminuer.

Karl de Stuttgart, mon allié depuis si longtemps, a essayé de s'enfuir dans les bois. Mais les S.S. l'ont tué devant moi.

« Nous allons tous mourir avant d'arriver à Dachau, ai-je murmuré à Sasha. Il n'y a que les S.S. qui arriveront sur leurs motos. Nous irons droit au paradis par un raccourci. »

Le matin du quatrième jour, le 23 avril, Henry le violoniste m'a doublé puis il a ralenti. Il a fouillé ses poches et a sorti le grain qui y restait, un petit couteau et quelques souvenirs. Il les a donnés à ses amis musiciens, Shlamek, Itzek, Yosek et Heniek, et à moi.

« Tenez, prenez ça, a-t-il dit. Ne m'oubliez pas si

vous réussissez. Je n'en peux plus. Laissez-les m'achever. Jusqu'où peut aller un être humain ? »

Il a essayé de se coucher sur le bas-côté mais nous l'avons attrapé et nous lui avons crié : « Marche ! Marche ! Marche ! Tu peux continuer ! On ne te laissera pas ! »

Nous nous sommes débattus et nous l'avons obligé à lutter. Finalement, nous l'avons persuadé et il a continué à marcher de lui-même. Je lui ai rendu son couteau. « C'est à toi. Tu me le donneras quand tout sera fini. »

La colonne s'est arrêtée sur une petite colline pour une pause. Le ciel s'est couvert de nuages ; bientôt une pluie torrentielle s'est mise à tomber. Mais cela ne semblait pas inquiéter les marcheurs épuisés. Ils sont tombés sur le sol et se sont endormis.

J'ai grimpé jusqu'au sommet de la colline pour être le plus loin possible des gardes à la gâchette facile. Je suis tombé dans un trou d'eau stagnante. J'en suis sorti en rampant, j'ai ramassé de l'herbe et des feuilles pour me faire un oreiller — juste assez pour ne pas avoir la tête dans la boue — et je me suis endormi. Des coups de feu m'ont réveillé.

« *Du Sau !* Espèce de porc ! Remonte là-haut ! » Un S.S. me donnait des coups de pied. En dormant, j'avais roulé en bas de la colline.

Je me suis relevé et j'ai regrimpé la pente. Je ne voyais rien dans le brouillard. Je grimpais dans des nuages épais qui montaient du sol et des prisonniers trempés qui dormaient. La pluie tombait à seaux mais personne ne s'en souciait. Des centaines de prisonniers avaient roulé en bas de la colline en dormant. Ils ne sentaient plus rien. La plupart d'entre eux étaient allongés, face contre terre, blessés ou morts, tués dans leur sommeil. Ils n'ont jamais su ce qui les avait tués. J'ai réussi à revenir au sommet de la colline mais je ne me suis pas rendormi ce matin-là.

A midi la pluie s'est arrêtée et les S.S. ont commencé à ramasser leurs affaires et à hurler des ordres : « *Alles runter ! Weiter marschieren !* Tout le monde en route ! » Ils ont tiré en l'air pour nous faire presser.

La pluie avait apaisé ma soif mais j'avais une faim incroyable. Je m'étais tordu la cheville en roulant en bas de la pente et je boitais. Trempé jusqu'aux os et nu-pieds, je n'avais plus qu'un pantalon déchiré et une chemise en lambeaux.

Mais je vivais toujours. Je vivais toujours à midi moins deux. Je vivais toujours après six longues années d'horreur et de lutte. Est-ce que j'arriverais au bout ? Est-ce que je connaîtrais à nouveau la liberté ? J'ai levé les yeux vers le ciel où le soleil perçait à travers les nuages. J'ai remercié la nature pour la lumière du soleil. Elle me réchauffait, moi, un tas d'os et de volonté.

Nous sommes entrés dans la ville de Stamsried. Des Allemands, des civils et des soldats, fourmillaient sur la grande place. Les S.S. nous ont éloignés du centre de la ville, des civils. Mais ils nous avaient vus. Cela ne changeait rien. Personne ne nous a offert de nourriture ou un espoir quelconque. Et pourtant nous avons crié et supplié : « Du pain ! De l'eau ! S'il vous plaît ! »

Les S.S. nous ont poussés sur une route secondaire. Ils tuaient quiconque ralentissait. Le soleil était écrasant. La marche de la mort avait réduit la colonne de plus de la moitié.

Je me traînais. Je n'avais plus de forces. Seul mon esprit me soutenait encore. Ma volonté de survivre. De revoir Halina. D'assister à l'effondrement du

Troisième Reich. Mes plus chers désirs. Eux seuls me permettaient de continuer. J'avais perdu Sasha et les autres de vue. Je ne savais pas s'ils étaient devant ou derrière moi.

Soudain, j'ai entendu un grondement sourd. Stupéfait, j'ai vu les S.S. courir vers les bois. Ils étaient complètement paniqués. Ils traversaient les champs à moto. Ils abandonnaient leurs armes et leur équipement.

Puis un tank est apparu comme un monstre vert. J'ai sauté dans le fossé.

Le tank est passé. Puis un autre. Encore un autre. Ils avaient des étoiles peintes sur les côtés. Dans les tourelles des soldats tiraient sur les S.S. qui se sauvaient. D'autres soldats jetaient des colis sur la route.

Effrayé et ahuri, je regardais les colis. C'étaient peut-être des bombes. Ils allaient peut-être exploser. Puis j'ai entendu quelqu'un crier : « Des Russes ! *Zdrastvuytie tovarishche !* » Cela correspondait aux étoiles.

D'autres tanks passaient. D'autres colis tombaient. J'en ai ramassé un. Je le tenais délicatement. Puis j'ai lu sur le côté : « U.S. Army. Ration C. »

« Des Américains ! Des tanks américains ! » J'ai hurlé à en perdre le souffle.

J'ai ouvert le colis et j'en ai avalé le contenu.

Le flot des tanks semblait n'avoir pas de fin. J'en ai compté cinquante, cent, plus encore. Ils sont passés pendant des heures. Ensuite l'artillerie. Des camions se sont arrêtés et les soldats nous ont fait comprendre par gestes de nous en aller derrière les lignes. D'autres soldats sautaient des camions et partaient sur les traces des S.S.

Les rations avaient apaisé ma faim pour le

moment, aussi je suis parti dans la direction que les soldats avaient indiquée. Puis soudain j'ai pensé : Je suis libre ! Libéré !

Et je me suis affolé. Est-ce que c'était vrai ? Réel ? Ou est-ce que je rêvais ? Je ne voulais pas risquer de perdre ma précieuse liberté. Je ne chercherais pas de nourriture ou de vêtements maintenant. Il fallait que je marche, que je marche, jusqu'à ce que je sois sûr d'être à l'abri.

La route était pleine de soldats américains. Ils criaient : « A Berlin ! A Berlin ! »

Leurs mots chantaient à mes oreilles comme une musique. Je les aimais ces soldats, ces braves soldats américains. Ils me semblaient si beaux. L'Allemagne s'effondrait. Les S.S. étaient en déroute. Et je regardais ce fabuleux spectacle. Je n'avais jamais cru que je vivrais assez pour le voir. Mais j'étais libre et je m'en allais le plus loin possible du front. Les autres esclaves libérés, des centaines, cherchaient de la nourriture dans les fermes et les granges. Je leur ai dit de partir avec moi mais ils ne m'ont pas écouté. Ils voulaient manger.

Finalement, j'ai réussi à me traîner jusqu'à Stamsried. Des M.P. américains qui mâchaient du chewing-gum gardaient des groupes de prisonniers allemands. On voyait çà et là quelques esclaves en uniformes rayés. Les G.I.'s nous ont parlé, ils nous ont donné de la nourriture et ont essayé de nous faire sourire. Ils ne savaient pas quoi faire pour nous aider.

Ils m'ont conduit dans une maison occupée par des soldats U.S. Je ne comprenais pas l'anglais. Ils m'ont dit par gestes de prendre les vêtements que le propriétaire nazi avait laissés.

Les G.I.'s ont organisé une petite fête avec du

vin, du Coca-Cola et des spaghetti. Je n'avais jamais bu de Coca-Cola. J'avais peur d'y goûter. Mon appréhension a déclenché des rires sympathiques. Johnny, un Italo-américain m'a offert des spaghetti que j'ai avalés.

L'épuisement est venu. J'avais besoin de dormir. Les Américains se sont empressés. Ils m'ont préparé une chambre, une pièce entière pour moi. Avec des draps blancs, des oreillers, des couvertures et un pyjama. J'ai regardé tout cela pendant quelques instants puis je suis sorti par la fenêtre et je me suis glissé dans la cave où je me suis allongé confortablement sur le sol.

Je me suis endormi, les mains dans les poches. Quelques grains y étaient encore.

40

Quand je me suis réveillé le soleil brillait. C'était un monde nouveau. La sensation de la liberté était si étrange, si différente. Plus que tout autre chose, c'est mon avenir qu'on avait libéré.

Pour la première fois j'ai osé m'interroger sur les gens qui m'étaient chers. Y avait-il une chance que mes parents aient survécu à deux ans de tortures et de sélections à Maïdanek ? Et ma belle Halina, est-ce que les Alliés l'avaient libérée comme moi ? Est-ce qu'elle m'attendait quelque part ? Est-ce qu'elle avait eu encore assez de forces pour retourner à Milanowek où nous nous étions promis de nous rencontrer ? Le goût amer de la peur m'a empli la bouche quand je me suis souvenu comme elle était fragile en quittant Flossenburg. Jusqu'où la volonté de survivre l'avait-elle soutenue ?

Je devais et je voulais la retrouver. Mais je devais d'abord retrouver ma santé. J'étais maigre. Un squelette de quarante kilos vivant sur la volonté et non sur la force. Je mangerais, me reposerais et reprendrais du poids. Puis je retrouverais Halina — et mon avenir.

J'ai dû me rendormir, parce qu'ensuite, des soldats m'ont tiré par la manche en riant. Plusieurs

G.I.'s me regardaient, étonnés que j'aie choisi le sol dur de la cave plutôt que le lit confortable qu'ils m'avaient préparé !

Je me suis levé et j'ai pris mon premier bain depuis deux ans. J'ai mis une chemise et un pantalon bleu et je me suis regardé dans une glace tandis que les G.I.'s applaudissaient. Ils ont attrapé mon ancien pantalon et s'apprêtaient à le brûler quand je les ai arrêtés. J'ai arraché le numéro : P.14461. Je savais que je ne m'en séparerais jamais, que je n'oublierais jamais.

Puis j'ai mangé. A nouveau des spaghetti, avec des œufs, du salami et du vrai pain blanc. Je mangeais voracement en ne m'arrêtant que pour sourire aux soldats et leur parler par gestes. J'avais un appétit insatiable ; je nourrissais mon corps et mes projets.

Puis d'autres Américains sont arrivés, et parmi eux, un Juif, un lieutenant. Quelqu'un l'a appelé : « Phil, il y a un jeune Juif ici qui sort des camps. »

Phil s'est approché. Ses yeux se sont emplis de larmes quand il m'a vu. Mes nouveaux vêtements flottaient autour de moi et ne faisaient qu'accentuer ma maigreur.

Phil s'est forcé à sourire. Il a cherché des mots yiddish : « *Ech Phil — Efraim fun* Pittsburg. *Ech hob shon geharget* trente-trois S.S. »

Son yiddish n'était pas bon mais je l'ai compris. Il avait un trait sur sa veste pour chaque S.S. qu'il avait tué ou capturé. Il y en avait trente-trois. Son but, c'était cinquante, pour venger ses tantes, ses oncles, toute sa famille massacrée en Europe. Notre étreinte a été spontanée et sincère. Le Troisième Reich n'avait pas réussi.

Mais à quelques centaines de mètres s'est produite une nouvelle tragédie. Dans une grange, une quarantaine d'esclaves libérés vingt-quatre heures plus tôt avaient été tués pendant leur sommeil par des soldats S.S. sadiques. Un seul avait survécu pour le raconter. Moniek, un garçon de dix-neuf ans, était touché aux mains. Elles saignaient abondamment et on a dû les lui amputer le jour même ; il avait échappé au massacre en faisant semblant d'être mort.

Quel fanatisme manifestaient ces Allemands. Ils se cachaient dans les bois et en sortaient la nuit pour continuer cette tâche de la plus haute importance, l'extermination des Juifs.

Sans paroles, j'ai remercié les G.I.'s pour tout ce qu'ils avaient fait pour moi. Puis j'ai repris ma marche vers l'arrière, le plus loin possible du front.

En sortant de Stamsried j'ai rencontré les musiciens. Ils étaient tous vivants : Shlamek, Heniek, Itzek, Yosek et bien sûr, Henry qui avait été sur le point d'abandonner la veille. Les retrouvailles ont été joyeuses et nous sommes partis ensemble sur la route pleine de soldats américains et d'esclaves libérés. Il n'y avait pas d'Allemands. C'était comme s'ils avaient disparu.

Après avoir retrouvé mon énergie, j'ai passé plusieurs jours à enquêter sur ce qui était arrivé aux filles de Ravensbrück, à la recherche d'Halina. Un des plus grands problèmes était celui des transports. Il était difficile de se déplacer sans autorisation et sans argent. J'attendais, en espérant que les conditions s'améliorent.

Puis le 8 mai 1945, des soldats U.S. nous ont dit que l'Allemagne s'était rendue. La guerre en Europe était officiellement terminée. Six terribles années de guerre s'achevaient. Mais les dévastations apparaissaient, dans le calme relatif de la libération. Il y en avait des exemples partout. Des centaines de gens amaigris étaient gravement malades et mouraient de suralimentation. Leurs yeux affamés les trompaient. Leurs estomacs ne supportaient pas la nourriture qu'ils désiraient ardemment, cette nourriture qui était maintenant disponible.

Un jour, je suis allé dans une ferme pour chercher à manger. Elle était pleine d'anciens esclaves. Certains avaient trouvé un baril de pâte à pain. Ils hurlaient de joie. Ils la puisaient à pleines cuillers qu'ils avalaient.

Je les ai regardés. Ils étaient fous. Ils avaient les mains, le visage et les vêtements couverts de pâte blanche. C'était une friandise qu'ils n'avaient pas goûtée depuis des années. Soudain l'un des hommes s'est éloigné en titubant. Il s'est plié en deux en hurlant de douleur. Un autre a porté les mains à son ventre. Puis un troisième est tombé sur le sol. Ils se tordaient et agonisaient. J'ai essayé d'éloigner les autres du baril de pâte mais ils ne voulaient rien écouter. Ils se battaient comme des animaux pour rester là où ils étaient, près du baril. J'ai appelé des G.I.'s qui passaient sur la route. Ils n'ont pas compris mais m'ont suivi l'arme prête.

En un instant, ils ont repoussé les hommes affamés.

« Pas de pâte à pain ! Pas de pâte à pain ! C'est de la pâte pour faire cuire. Pour le pain. »

Une ambulance est arrivée pour s'occuper des malades et les G.I.'s ont vidé le baril dans un fossé. Il semblait que l'épreuve des Juifs n'aurait pas de fin. Notre longue souffrance jetait une ombre sur l'avenir. Nous avions eu faim si longtemps que la nourriture elle-même était dangereuse. Je n'avais jamais autant désiré me venger !

Animés par une énergie que nous ne pensions plus avoir, mes amis et moi nous avons pris une ferme dans le village de Meisenberg et nous avons installé un barrage sur la route. Des milliers de réfugiés y passaient. Nous les fouillions en recherchant les soldats S.S. et les gros bonnets nazis qui avaient réussi à ne pas se faire prendre. Ils avaient jeté leurs uniformes et essayaient de passer pour des civils.

A nouveau chef, je possédais un fusil et un couteau à cran d'arrêt. Sous la menace de ces seules armes, nous arrêtions tous les Allemands et nous les faisions se déshabiller. Ils obéissaient sans discuter. Nous cherchions le tatouage S.S. sous leur bras gauche. Notre nouveau pouvoir nous émerveillait. Une poignée d'esclaves libérés avec quelques armes pouvait contrôler des centaines de « surhommes » valides. Ce que la défaite peut faire d'un peuple ! Ces Allemands auraient marché droit vers les chambres à gaz, avec moins de résistance que les Juifs.

Chaque jour à la nuit tombante, nous livrions nos prises, des dizaines de gros bonnets nazis et de S.S., à une équipe spéciale que les Américains envoyaient de leur quartier général de Regensburg. Un jeune lieutenant collaborait particulièrement. Mais tous les jours, il me prévenait : « Jackie, ces salauds auront leur compte. Ils ont mérité le pire et plus encore. Mais rappelle-toi que tu dois me les remettre vivants. Ces fils de pute doivent encore respirer.

— Qu'est-ce que tu veux ? lui ai-je répondu. Regarde-les. Un ramassis de mendiants. Ils mendient la vie, la pitié, les cigarettes. Tu as déjà vu un troupeau de moutons prêts pour l'abattoir ? Et ils sont tous innocents ! » J'ai imité un Allemand se mettant à plat ventre. « S'il vous plaît, une bouffée, un mégot. Je suis innocent. Je n'ai fait que suivre les ordres. Mes meilleurs amis sont des Juifs. »

Puis un jour, devant moi, j'ai vu un ancien *Haupsturmführer.* Je n'arrivais pas à me résoudre à livrer ce salaud. J'en ai discuté avec mon ami lieutenant, lui demandant de me le laisser.

« Fais semblant de ne pas l'avoir vu. Il n'est pas là. Tu comprends ? »

Le lieutenant a répondu en hurlant vers d'autres prisonniers allemands. Il leur a passé les menottes et s'est éloigné avec eux.

L'Allemand avait ce visage poupin, typique du « Herr Doktor » responsable des sélections. Le maître de la vie et de la mort. L'assassin mécanique et redoutable de mes trente cousins. L'homme pour qui Hela et Halina étaient des lumières qu'il fallait éteindre sans salir ses gants blancs.

« Espèce de salope ! Assassin ! Maintenant que tu t'es fait prendre à cause de ta saloperie de tatouage, tu reconnais que tu étais S.S. Mais tu n'étais qu'un *Haupsturmführer !* Rien qu'un officier de la garde de Buchenwald ! »

Je lui ai craché au visage.

« Tu me dégoûtes ! Regarde-toi ! Le grand héros qui rampe à genoux ! Regarde-les tous ! La guerre s'est terminée il y a quelques jours à peine. Et vous êtes déjà à genoux. Pendant des années vous nous avez frappés et affamés. Vous nous avez torturés et humiliés. Et c'est sous la menace des armes que vous nous avez poussés dans les chambres à gaz. Tu me rends malade ! Espèce de lâche ! »

Je lui ai à nouveau craché au visage.

« Pour l'amour de Dieu ! Si j'avais une chambre à gaz, je t'y mettrais tout de suite — et des milliers comme toi — sans aucun problème. Aucun ! Assassin, est-ce que tu te sens coupable seulement ? Je vais te dire ce que je ressens. J'ai envie de te mettre en pièces. J'ai envie de te découper les bras et les jambes — chaque morceau de ton corps — et de te les servir sur un plat d'argent ! »

Je ne pouvais plus m'arrêter. « Dieu, comme j'ai envie de me venger ! Je veux me venger ! Pendant six ans je me suis promis de vous faire payer ça. J'ai envie de t'arracher les yeux et d'aller sur les routes d'Allemagne en hurlant : « Cet œil est pour le meurtre de grand-mère Masha ! Et celui-là pour le doux et innocent Davidek de six ans ! Et le reste pour ma sœur Hela et pour mes tantes, mes oncles et mes cousins. Pour mes amis. Pour les souffrances que mes parents ont endurées. Et pour ma pauvre Halina. Vous les avez affamés, humiliés, torturés, vous les avez assassinés ! Près d'une centaine !

» Des dizaines, des milliers de fois, plus que je ne peux m'en souvenir, je me suis promis de venger leur mort et mes propres tortures. De vous fouetter comme vous m'avez fouetté. De vous raser la tête et de vous ridiculiser. De vous faire sauter les dents à coups de poing. Que vous soyez enflés ou maigres. De vous déshumaniser. De vous jeter dans la Soue à cochons, prêts pour les fours. Tout ce que vous m'avez fait. Dieu ! Je me suis promis de vous faire tout ça, et plus encore ! Et maintenant ? Et maintenant je suffoque et je me noie dans mes larmes ! Je ne peux pas le faire, salaud, je ne peux me conduire comme toi ! »

La veille, j'avais réuni un village entier, des centaines d'hommes, de femmes et d'enfants, sur la place. J'étais prêt à brûler leurs maisons, leurs biens, leur église. De leur faire ce que je les avais si souvent vus nous faire. Puis j'ai vu leurs larmes, les enfants effrayés qui s'accrochaient aux jupes de leurs mères. J'ai vu les vieillards agenouillés qui se signaient et qui priaient en silence. J'ai hurlé. Je faisais semblant d'être dur et cruel. Mais je savais que je ne pourrais pas. Je savais que je jouais, que je n'en aurais pas le cœur.

« Dieu, oh, Dieu ! Pourquoi me punis-tu ainsi ? Tout d'abord comme une victime innocente, et maintenant comme un bourreau maladroit. »

Soudain, Branko le Gitan est arrivé. Il m'a repoussé et, devenu fou furieux, il a saisi l'Allemand par le cou. Il l'a traîné jusqu'à la route puis il lui a attaché les bras et les jambes. Puis en poussant des cris de haine, il est monté à cheval, a fixé la corde à la selle et a mis l'animal au galop.

J'ai regardé le corps du malheureux Allemand sauter sur la route. Une traînée de poussière s'élevait derrière lui. Branko a tourné et a disparu derrière l'étable.

Je me suis précipité vers la route en criant : « Branko ! Reviens ! Ne le tue pas ! Ne le torture pas ! Ne sois pas comme lui ! Ne sois pas comme lui ! »

Branko revenait au galop pour me faire voir le corps flasque. Il voulait que je me réjouisse du spectacle, que je partage la gloire de la vengeance.

« Branko ! »

J'ai essayé d'attraper les rênes mais il m'a repoussé. Il a tourné autour de moi et j'ai à nouveau essayé de saisir les rênes. Sa botte m'a frappé dans les côtes. Il est reparti au galop tandis que je criais : « Branko, ne sois pas un autre Feiks ! »

Je me suis laissé tomber sur l'herbe du bas-côté.

Je pleurais allongé sur le sol alors que j'aurais dû sauter de joie. Le dernier cri fou de Branko me faisait encore trembler. J'étais partagé entre la honte et l'embarras. Je me dégoûtais. Branko allait se moquer de moi. Il allait me traiter de poule mouillée. Je l'entendais déjà dire : « Ce Juif n'a rien dans le ventre. Il n'est pas capable de faire ce dont il rêve depuis toujours ! »

Je me suis assis. Les belles collines de Bavière et le village tranquille qui s'étendaient devant moi se sont soudain transformés en un labyrinthe obscur de rues et de murs. J'ai vu le ghetto. Le ghetto de Varsovie. Les parfums du printemps sont devenus des odeurs de fumée. Nos maisons et nos rues brûlaient. Tout était en flammes. Les maisons du ghetto. La chair dans les fours crématoires. Des cendres.

Et où était ma jeunesse ? Qu'était-il arrivé à ma jeunesse ? N'avait-elle été que souffrance ? Une longue douleur ?

Non. Non, j'avais été heureux autrefois, quand j'étais enfant, un enfant comme les autres qui jouait au football, qui riait et qui taquinait sa sœur. Qui désobéissait à sa mère. Toujours prêt à faire une bêtise. Un rêveur.

Quels étaient mes rêves aujourd'hui ? Encore plus de torture ? Plus d'horreur ? Est-ce que j'arriverais jamais à faire tout cela ? Est-ce que la vengeance chasserait cette odeur de fumée qui avait détruit ma jeunesse ? Est-ce que la vengeance m'aiderait à tenir la promesse que j'avais faite à grand-mère Masha ?

Combien faudrait-il de vengeance ? Si pendant le reste de ma vie, je passais chaque jour à me venger des Allemands, est-ce que cela serait suffisant pour leur faire payer les souffrances que j'avais vues et que j'avais endurées ?

Je savais que je n'oublierais jamais le passé. Mais il me fallait un avenir. Et cela signifiait retrouver Halina.

41

J'ai quitté Meisenberg avec mes nouveaux amis, Leon, Romek et Joe, tous dans des uniformes américains qu'on nous avait donnés. Nous allions vers Bergen-Belsen, un immense camp de concentration pour femmes à mille kilomètres au nord de l'Allemagne. Nous étions pleins d'espoir. Nous avions eu des nouvelles : Romek et Leon avaient appris par d'autres survivants qu'on avait vu leurs sœurs à Bergen-Belsen peu de temps avant la fin de la guerre. Elles vivaient peut-être. Comme des centaines d'autres, nous marchions et faisions du stop. Nous n'avions pas d'autorisation ni d'argent et nous comptions sur notre astuce et sur notre chance. Et nous avons réussi.

Mais quand nous sommes entrés dans le camp, notre optimisme s'est évanoui. Des milliers de filles malades gisaient partout. Elles étaient dans un état déplorable. Pour la majorité, on ne pouvait plus rien. Les dons généreux de l'armée britannique n'avaient fait qu'empirer les choses. Des milliers mouraient de diarrhée et de troubles intestinaux. Elles ne pouvaient supporter la nourriture que leur distribuaient les équipes médicales. Aucun médecin n'avait jamais eu à soigner de tels cas de sous-alimentation.

J'étais bouleversé de voir des Juives. A part Halina, je n'en avais pas vu depuis des années. Quelques-unes faisaient preuve d'une vigueur étonnante. Elles voulaient recommencer à vivre. Dorka était l'une d'elles — déjà à la recherche de vêtements et d'idylle.

La plupart des filles qui avaient survécu étaient trop jeunes pour avoir été mères. Cependant j'ai recherché de jeunes enfants juifs. Je n'en ai pas trouvé. Les Nazis les avaient assassinés dans leurs usines de mort dès leur arrivée, des centaines de milliers, peut-être un million.

Je n'ai trouvé aucune trace d'Halina. Mais Leon et Romek ont appris que leurs sœurs étaient encore vivantes. La veille on les avait envoyées à Lübeck, un port sur la mer Baltique, où un bateau de la Croix-Rouge attendait pour les transporter, ainsi que des centaines d'autres, en Suède. Il était tard, après le couvre-feu, mais nous avons décidé de ne pas attendre jusqu'au matin. Nous sommes partis anxieux, de nuit, pour Lübeck. Nous devions atteindre le port avant le départ du bateau.

Nous sommes arrivés à Lübeck, tôt le lendemain matin. Mais les autorités britanniques nous ont interdit de monter à bord. « Il faut une autorisation et des vaccinations. Désolé, c'est le règlement.

— Mais le bateau s'en va à midi ! ai-je dit. Ce sera trop tard !

— Je suis tout à fait désolé. Mais trop tard, c'est trop tard. »

Nous ne nous sommes pas découragés. Nous avions toujours un instinct de survivants. Et nous refusions cette réponse. Une heure plus tard nous étions dans un petit bateau à rames en train de tourner autour du navire-hôpital. Puis nous avons grimpé à bord par une échelle de corde. Des centaines de filles étaient allongées sur des civières sur le pont supérieur. Elles étaient pâles, maigres, pitoyables.

Leon et Romek ont trouvé leurs sœurs. Renia, la plus âgée, était la seule qui pouvait se tenir debout. Elle était encore à peu près en bonne santé et s'occupait de sa sœur, Dora, qui était très malade. Leurs retrouvailles étaient émouvantes et réchauffaient le cœur. Ils avaient tous survécu et cela les remplissait de joie.

Mais j'étais seul. Pas de retrouvailles pour moi. J'avais envie de pleurer. Je voulais prendre quelqu'un dans mes bras. N'importe qui. Je ne voulais pas rester seul. Je n'y étais pas préparé. J'avais lutté seul. Combattu seul. Je ne voulais pas vivre seul et en paix. Cela ne me semblait pas juste.

Je me suis promené sur le pont et j'ai parlé aux filles. Elles étaient originaires de différents pays. Je parlais en yiddish parce que c'était la seule langue que la plupart comprenaient. Elles ne cessaient de me poser des questions.

« Tu es vraiment juif ? D'où est-ce que tu viens ? Est-ce que tu as vu mon frère, Avrum, de Lublin ? Tu as peut-être rencontré mon père ? As-tu entendu parler de mon mari ? Est-ce qu'il y a des survivants à Dachau ? A Maïdanek ? A Stutthof ? »

Elles voulaient savoir. Elles voulaient espérer. Elles m'ont donné des petits billets — au cas où je rencontrerais quelqu'un de la même ville qu'elles, de leur *shtetl*. Je m'asseyais près d'elles quand il y avait de la place et je restais debout quand il n'y en avait pas. J'allais de civière en civière. Je donnais des renseignements, je prenais des messages, je les incitais à espérer. Plus que jamais je me languissais de Halina.

Et tout d'un coup, je l'ai vue.

Comme une apparition, comme un fantôme surgi du passé.

Son visage, ses yeux bleus, ses cheveux blonds, courts, si courts, comme ceux d'un garçon. A plusieurs civières de moi. Seule. Malade. Halina. Mon Halina.

Je tremblais de tout mon être. Je ne savais pas quoi faire. J'avais peur que le choc ne lui fasse mal. Mais elle avait reconnu ma voix. Sans tourner la tête, elle s'est mise à crier : « Jacku ! Jacku ! C'est toi ! Je sais que c'est toi ! »

J'ai enjambé les civières tandis que les autres filles regardaient stupéfaites. Je me suis penché sur elle.

Plusieurs infirmières sont arrivées en courant. Elles apportaient des médicaments. Je n'ai pas entendu leurs recommandations et j'ai pris Halina dans mes bras. Je pouvais sentir ses os sous sa peau. Je me suis rendu compte qu'elle était gravement malade. Je l'ai reposée avec précaution.

Elle s'est évanouie. Une infirmière lui a fait rapidement reprendre connaissance et lui a donné de l'eau. Halina ne pouvait pas contenir sa joie. Elle a essayé de s'asseoir. Elle était très malade mais restait belle et pleine de grâce. Elle avait les traits tirés mais ses joues étaient toujours roses et ses yeux pleins de lumière.

J'ai posé mes doigts sur ses lèvres. « Chut... Non. Ne te fatigue pas. »

Elle voulait parler.

« Non. Ce n'est pas important. Je t'ai retrouvée. Repose-toi et tout ira bien. » Je me suis penché et je lui ai murmuré à l'oreille : « J'ai besoin de toi, Halina. Je t'aime. »

Mais il fallait qu'elle parle, qu'elle bouge, qu'elle s'asseoie. Elle voulait même quitter le bateau. Elle s'accrochait à moi comme un enfant effrayé. Son visage pâlissait et ses yeux s'agrandissaient. Elle avait du mal à respirer. J'ai senti son désespoir. La peur m'étreignait.

Un médecin est arrivé. Il lui a pris le pouls et lui a regardé les yeux. « Transportez-la tout de suite aux urgences. »

J'ai aidé à transporter la civière. J'ai attendu dehors en tremblant et en faisant les cent pas dans le couloir. Les souvenirs revenaient en foule. Notre rencontre. Notre combat contre les Allemands. Nos souffrances.

Je parlais tout seul. Je voulais qu'elle guérisse. Je ne voulais rien d'autre. Rien.

La porte s'est ouverte et j'ai couru dans le couloir pour parler au médecin.

« Elle est très malade. Elle a les poumons atteints. Tuberculose. Et son ulcère à l'estomac ne lui permet pas de s'alimenter. Nous ne pouvons pas grand-chose. »

J'ai senti ma peur monter.

« Allez la voir. Elle vous réclame. Réconfortez-la. Elle n'en a peut-être plus pour très longtemps. Je suis tout à fait désolé mais nous ne pouvons rien faire. »

Pâle et tremblant, je suis entré dans la chambre.

Je suis resté debout à la regarder en lui tenant la main. Elle m'a fait asseoir au bord de son lit. Elle semblait plus calme, mais plus faible. Elle pouvait à peine parler. Elle ne pouvait que chuchoter. Son beau visage reposait sur l'oreiller. Elle avait les joues rouges. Elle m'a caressé les yeux, les joues, le nez. Elle a laissé un doigt sur mes lèvres.

« Tu es tout ce que j'ai, tout ce que je désire. Dieu, je t'en supplie, ne me sépare pas de lui. »

Ses yeux brillaient. Elle n'avait plus la force de pleurer. Ses larmes glissaient sur ses joues comme un dernier appel silencieux. Je voyais mes rêves se dissiper, mon amour m'était arraché. Je ne pouvais rester assis. J'ai marché autour de son lit.

Elle m'a arrêté et m'a murmuré : « Mon amour, prends-moi dans tes bras. Ne me laisse pas seule. Sauve-moi. Si tu es près de moi, je veux vivre. Je ne veux pas mourir comme Magda, seule. Je veux vivre avec toi, je veux t'aimer, prendre soin de toi. S'il te plaît... je t'en supplie... » Elle est retombée épuisée.

J'ai craqué. Mes larmes se sont mêlées aux siennes. Je sanglotais et cherchais à reprendre ma respiration. Je lui ai embrassé le visage, les yeux, le cou. Je serrais son visage contre moi. Je ne disais rien. Je ne savais pas quoi dire. Soudain, j'ai senti son corps se détendre, ses muscles s'abandonner.

Son cœur ne battait plus. Elle était immobile, la bouche ouverte comme si elle avait encore quelque chose à dire. Ses yeux me regardaient fixement et me demandaient : « Qu'est-ce qu'il m'arrive ? Je veux vivre ! »

J'ai regardé sans y croire, cette femme merveilleuse. Sa main reposait, sans vie, dans la mienne. Halina, mon rêve, n'était plus.

« Elle est morte ! Elle est morte ! Elle est morte ! » ai-je hurlé.

Le médecin et les infirmières sont arrivés en courant. Mais je n'avais pas besoin de leur confirmation. J'avais vu si souvent des gens mourir. J'étais expert en ce qui concernait la mort.

J'ai cessé de pleurer et de trembler. Soudain je me suis senti solide comme de l'acier. J'ai tourné un nombre infini de fois autour d'Halina, sans vouloir croire qu'elle était morte. Je me suis enfin assis près d'elle. Je lui ai caressé les mains, le front, les joues. Je lui ai fermé les yeux et la bouche et je lui ai donné un baiser d'adieu. Je lui ai recouvert le visage avec le drap et j'ai regardé les yeux effrayés de l'infirmière.

« Halina, dix-neuf ans, une fille du ghetto, une esclave. Mais elle a lutté avec courage et elle est morte libre. »

42

J'étais seul.

J'ai fait semblant de ne pas avoir retrouvé Halina. J'ai fait comme si elle était toujours en vie et que j'étais toujours à sa recherche. Accepter qu'elle était morte, dans mes bras, et que maintenant j'étais totalement et irrévocablement seul, m'était impossible.

Puis un jour, des mois plus tard, alors que j'étais sur un quai bondé entre Prague et Varsovie, j'ai entendu un cri déchirant :

« Izaakl ! Izaakl ! Mon Izaakl !

— Maman ! Maman ! » J'avais crié sans me retourner. Ce n'était pas nécessaire. Je savais que c'était ma mère.

Et elle savait que j'étais son fils, son Izaakl, sans même avoir vu mon visage.

Je me suis frayé un chemin comme un fou dans la foule. Je criais : « Maman ! Maman ! Maman ! »

Je l'ai vue qui tendait les bras vers moi. La foule s'est rendu compte de ce qui se passait. Elle s'est écartée pour que le fils et la mère se rejoignent. Je l'ai prise dans mes bras. Elle s'est évanouie. Le choc était trop fort. J'étais comme en extase. L'impossible se réalisait. Ma mère avait survécu ! Et par un hasard incroyable je la retrouvais au milieu de cette foule.

Nous étions dans la petite ville de Zebrzydowice, sur la frontière sud de la Pologne et nous attendions un train avec des milliers d'autres réfugiés qui revenaient de toute l'Europe. C'était une foule endurcie par la guerre. Pourtant tout le monde avait les larmes aux yeux, les hommes et les femmes. Ils voulaient nous aider et regardaient cette mère et son fils qui se retrouvaient.

Une ambulance nous a emmenés à l'hôpital. Maman est restée inconsciente pendant longtemps. Mais elle a repris ses esprits.

« Izaakl... Izaakl... Izaakl... »
Je n'étais plus tout à fait seul.

J'ai survécu. J'ai réussi. Parce que...

Halina, tu m'as donné une raison pour continuer. Parce que je désirais si ardemment, si passionnément, te caresser, respirer ton parfum, t'enlacer pour que tu sois une part de moi. J'étais étendu sur ma couchette, supportant la faim et la douleur et je souriais parce qu'au lieu du four crématoire ce sont tes yeux que je voyais. Ta peau d'albâtre au lieu des cadavres de la Soue à cochons.

J'ai survécu grâce à toi, maman. Tu as glissé tes bijoux dans ma chemise. Tu m'as fait jurer de me sauver. J'ai acheté les gardes avec ton alliance. Caché dans un train, sous les vêtements de ceux qu'ils avaient assassinés, j'ai réussi à m'enfuir.

J'ai survécu grâce à toi, Rudy. Comme toi, je voulais me venger. Et j'ai rejoint les partisans pour lutter contre les barbares. Et quand j'ai jeté ma dernière grenade pour faire sauter le mirador où se tenaient les S.S., je riais comme un fou. Comme toi, Rudy, je voulais les mettre en morceaux et tant pis si je sautais avec eux.

J'ai survécu grâce à toi, Yankele. Dans le cimetière, tu sautais d'arbre en arbre comme un singe, en essayant d'échapper à leurs chiens et à leurs balles. J'ai fait pareil, Yankele. Quand je me suis évadé de Budzyn, ils m'ont poursuivi dans les bois avec des chiens et des balles et j'ai grimpé aux arbres, comme toi Yankele.

J'ai survécu grâce à toi, papa. Je me souviens de l'immense *Appelplatz,* quand ils me torturaient et me fouettaient. C'est là, papa, que face à la mort, je n'ai pas supplié ni pleuré, que je ne me suis pas mis à genoux. Je voulais mourir avec honneur et dignité, comme toi, papa.

J'ai survécu, aussi et surtout grâce aux miracles de grand-mère Masha. Ceux que grand-mère Masha et son ami le Messie ont organisés pour moi. Comment expliquer cela autrement? Quand les soldats m'ont traîné sur la potence et m'ont fait monter sur le banc, tout s'est cassé. Les clous ont lâché. Ils m'ont traîné à nouveau et m'ont repassé la corde autour du cou. Cette fois, c'est tout l'ensemble qui s'est effondré. Et le commandant Feiks a abandonné. Et quand ils m'ont obligé à tourner autour de l'*Appelplatz,* les mains enchaînées et des briques sur le dos, je suis allé jusqu'au bout de mes forces. J'avais besoin d'un autre miracle et vous ne m'avez pas laissé m'écrouler. Au dernier moment, Feiks a été transféré sur le front russe. J'ai su que c'était toi, grand-mère.

Finalement, j'ai marché de Flossenburg au cœur des Alpes. Les gens mouraient à côté de moi. Une véritable marche vers la mort, grand-mère. Et quand j'ai failli tomber tu es venue à mon secours.

Tu as envoyé les Américains et leurs tanks pour me sauver.

J'étais libre, j'étais libéré, j'avais survécu.

Merci, merci, grand-mère. Et merci à vous aussi, maman, papa, Halina, Hela, et toi Yankele, et Lutek, et Rudy, et Sevek et Shmulek, à vous tous merci. Vous n'êtes pas morts en vain, on ne vous oubliera jamais. Malgré eux, et grâce à eux, nos enfants, nos petits-enfants et nos arrière-petits-enfants continueront d'exister avec plus de vigueur et de force pour cinq mille nouvelles années. Malgré eux et grâce à eux, nous allons continuer.

Avec des livres comme papa.

Avec du courage comme Rudy.

Avec de l'amour comme Halina.

Avec l'innocence et la bonté comme Hela.

Avec la foi et avec Dieu comme grand-mère.

J'en fais le serment.

Moi, le survivant.

Épilogue

Pour moi, comme pour beaucoup de survivants, la guerre ne s'est pas terminée parce que les combats avaient pris fin. J'ai continué à lutter à ma façon. J'ai participé aux recherches des Nazis et des S.S. qui avaient fui les camps de la mort, avec les services du contre-espionnage de l'armée américaine. Je suis resté en Allemagne pendant plusieurs années et j'ai témoigné dans plusieurs procès de criminels de guerre nazis, contre mes anciens tortionnaires. A la même époque, j'ai également collaboré avec la Bricha, une organisation clandestine qui faisait passer des survivants de l'holocauste en Palestine avant la naissance de l'Etat d'Israël. C'est ainsi que j'ai essayé d'aider les vivants et de rendre hommage aux morts.

Pourtant, j'avais envie d'oublier. Je voulais une vie normale, un travail, un foyer et une famille, le bonheur tranquille dont avait rêvé Halina, le genre de vie que les Allemands avaient éloigné de moi quand je n'avais que treize ans.

Finalement, en 1949, je suis allé aux Etats-Unis pour prendre un nouveau départ. J'y avais envoyé ma mère l'année précédente et elle y avait déjà retrouvé des parents. Toujours aussi décidée, elle a insisté pour que je la rejoigne. Je suis allé à Atlanta où j'ai fondé une entreprise d'importation de textile. Six ans plus tard j'ai déménagé le siège de la compagnie à New York. Pendant quelque temps mes affaires qui prospéraient et ma famille qui s'agrandissait ont repoussé les ombres du passé.

Mais un survivant ne peut pas oublier. Chaque fois que mes affaires m'appelaient à Varsovie je me replongeais dans le passé. J'ai essayé de connaître le sort d'anciens amis, et je me réjouissais quand exceptionnellement j'en retrouvais, comme le cher ami de mon père, Franek et sa fille Ania. J'ai cherché des gens qui auraient pu me dire la douloureuse réalité de la mort de mon père à laquelle je n'avais cessé de penser. Je passais la majeure partie de mon temps avec d'autres survivants. Nous nous comprenions sans rien dire.

Puis en 1962, j'ai fondé le W.A.G.R.O., Organisation des Résistants du ghetto de Varsovie (Warsaw Ghetto Resistance Organization). Nous y avons réuni environ cinq cents survivants du ghetto — sur les cinq cent mille personnes qui y ont vécu. Le reste du monde, les générations de quarante et cinquante ans, ne veulent pas entendre parler de nos histoires. Evidemment, les gens ont été frappés par l'horreur des camps d'extermination, stupéfaits par le génocide soigneusement, froidement, méticuleusement organisé. Mais en entendre parler une fois suffisait. Le sujet était trop morbide, trop déprimant pour supporter la répétition. Mon passé est devenu comme une faute gardée secrète. Ce n'est que maintenant qu'une nouvelle génération semble intéressée par la vérité.

Et je savais que j'étais engagé envers mes amis, ma famille, tous ceux qui m'ont été chers. Il est trop tard pour leur sauver la vie, mais il n'est pas trop tard pour sauver leur mémoire. Aussi j'ai tenu ma promesse, raconter leur vie, et j'ai écrit ce livre. Cela m'a coûté cinq années douloureuses où j'ai revécu le passé. J'ai revisité beaucoup de lieux décrits ici. Je suis retourné dans le cimetière juif de Varsovie où Yankele a trouvé la mort, j'ai même retrouvé l'arbre qui était notre lieu de rendez-vous. Je suis retourné dans les baraquements de Maïdanek, où des visiteurs mal à l'aise rompent rarement le silence habité par tant de fantômes. J'ai parlé avec des camarades survivants de Budzyn, de Flossenburg. Je suis allé voir de vieux amis qui m'ont aidé à me souvenir. J'ai vu des photos dans les musées sur la vie dans le ghetto. J'ai relu des documents allemands qu'on a saisis, comme le rapport du général Stroop sur la destruction du ghetto. Il était tellement fier qu'il en a fait faire une copie qu'il a envoyée dans un album relié de cuir pour orner les rayonnages de sa villa en Bavière.

L'histoire que vous venez de lire contient l'essentiel de mes souvenirs. Ce n'est pas complet. Ces pages ne racontent que quarante à cinquante pour cent de ce que j'ai vécu. Tous ceux qui ont eu l'occasion de lire le manuscrit pendant que je l'écrivais m'ont dit qu'on ne pouvait pas croire que tant de choses aient pu arriver à la même personne et qu'elle ait survécu.

Aussi je me suis interdit d'allonger la liste des événements : les évasions, comment j'ai échappé à un peloton d'exécution ou aux chambres à gaz, un enfant à moitié noyé sauvé des égouts, d'autres punitions de vingt-cinq coups de fouet, le massacre d'une communauté entière. Comme disait grand-mère Masha : « Assez, c'est assez. »

Je me suis permis de changer quelques noms pour respecter la vie privée d'amis et de parents.

Dès que la guerre s'est achevée, j'ai commencé à réunir des renseignements sur les gens qui sont souvent mentionnés dans ce livre. Pour certains, les recherches m'ont pris plusieurs années, mais voici ce que j'ai appris :

Mama Zlatka a survécu au **Troisième Reich** pendant trente-deux ans. Grand-mère de trois petits-enfants, elle est morte à New York de mort naturelle, en 1977, à l'âge de soixante-seize ans.

Mon père qui est passé à travers la première sélection à Maïdanek, a réussi à survivre pendant plusieurs mois comme esclave. Il faisait partie des milliers de prisonniers que les Allemands ont tués quand ils ont décidé de liquider le camp en novembre 1943.

Franek Malewski a continué ses activités clandestines jusqu'à son arrestation pendant le soulèvement général de Varsovie en septembre 1944. Il est resté quelque temps dans les camps S.S. mais a survécu. Il a quatre-vingts ans et est en bonne santé. Il vit toujours en Pologne comme sa fille Ania.

Lutek a été arrêté dans le ghetto de Varsovie pendant la période des déportations en masse pendant l'été 1942. On l'a envoyé à Treblinka où il est à peu près sûr qu'il est mort. Tante Edzia, tante Pesa et Shmerl ont connu le même sort.

Maciek et sa fille Jadzia après avoir été sauvagement torturés par la Gestapo ont été déportés à Auschwitz où ils sont morts.

Rudy, après avoir sauté du wagon à bestiaux, a rejoint un groupe de partisans. Il a été tué plus tard en combattant les Allemands.

Mietek, après s'être évadé du camp de travail de Rembertow, a combattu les Allemands comme partisan et a plus tard rejoint l'armée soviétique. Il a participé à la prise de Berlin avec le grade de lieutenant. Il habite aujourd'hui dans le sud de la France.

Sala, la jeune fille que j'avais trouvée dans l'égout, a encore lutté pendant deux ans. Elle vit aujourd'hui au sud de la Floride.

Le général S.S. Stroop a été fait prisonnier par l'armée américaine. Il a été jugé et condamné à mort pour avoir tué des prisonniers américains. Il a été remis aux autorités polonaises qui l'ont jugé une seconde fois. Il a été à nouveau condamné à mort. Stroop a été pendu à Varsovie le 6 mars 1952.

Le général S.S. Globocnick, responsable des camps à l'est de la Pologne, dont Maïdanek, Budzyn et Trawniki, a été fait prisonnier par les Britanniques. Il s'est suicidé en mai 1945.

L'*Oberscharführer* S.S. Feiks a sans doute été capturé et exécuté par des partisans en Tchécoslovaquie. Malgré de nombreuses recherches, je n'ai pas été en mesure de le vérifier.

Alois le Sanguinaire a été arrêté avec d'autres kapos de Flossenburg en 1945 et condamné à une peine de prison par un tribunal américain.

Le courageux commandant Sztockman a fini à Auschwitz où les S.S. l'ont torturé à mort. Son adjoint à Budzyn, le lieutenant Szczepiacki, a survécu et vit aujourd'hui aux Etats-Unis.

L'*Obersturmführer* S.S. Konrad, le chef du *Werterfassung,* a été fait prisonnier et jugé pour crimes de guerre. Il a été pendu à Varsovie en 1952.

Alfred Krupp a lui aussi été jugé et reconnu coupable de crimes de guerre. Un tribunal militaire américain l'a condamné à douze ans de prison.

Artek, Wolf (Tosca), Shmulek, Yosek, Mme Grinberg et sa fille Mala ont disparu sans laisser de traces. Il est évident qu'ils sont morts.

IMPRIMERIE
L'ÉCLAIREUR
BEAUCEVILLE

5810